UM POUCO DE
Aventura

CHRISTINA LAUREN

UM POUCO DE

Tradução
LÍGIA AZEVEDO

paralela

Copyright © 2022 by Christina Hobbs e Lauren Billings

Publicado mediante acordo com as autoras, aos cuidados de Baror International, Inc., Armonk, Nova York, Estados Unidos.

A Editora Paralela é uma divisão da Editora Schwarcz S.A.

Grafia atualizada segundo o Acordo Ortográfico da Língua Portuguesa de 1990, que entrou em vigor no Brasil em 2009.

TÍTULO ORIGINAL Something Wilder

CAPA FaceOutStudio

IMAGENS DE CAPA arvitalyaart/ Shutterstock; Bryan Vectoriartist/ Shutterstock; zunaaas/ Shutterstock; Cavan images/ Adobe Stock

PREPARAÇÃO Natalia Engler

REVISÃO Adriana Bairrada e Gabriele Fernandes

Dados Internacionais de Catalogação na Publicação (CIP)
(Câmara Brasileira do Livro, SP, Brasil)

Lauren, Christina
  Um pouco de aventura / Christina Lauren; tradução Lígia Azevedo. — 1ª ed. — São Paulo : Paralela, 2023.

  Título Original: Something Wilder.
  ISBN 978-85-8439-288-9

  1. Romance norte-americano I. Título.

22-135853	CDD-813.5

Índice para catálogo sistemático:
1. Romances : Literatura norte-americana   813.5

Inajara Pires de Souza – Bibliotecária – CRB PR-001652/O

Todos os direitos desta edição reservados à
EDITORA SCHWARCZ S.A.
Rua Bandeira Paulista, 702, cj. 32
04532-002 — São Paulo — SP
Telefone: (11) 3707-3500
editoraparalela.com.br
atendimentoaoleitor@editoraparalela.com.br
facebook.com/editoraparalela
instagram.com/editoraparalela
twitter.com/editoraparalela

Para Violet:
Você pediu um livro com cavalos.
Também incluímos uma mulher corajosa, inteligente e engenhosa,
muito parecida com certo alguém que conhecemos.
Te amamos muito.

Nota das autoras

O Parque Nacional de Canyonlands, logo depois de Moab, em Utah, é um dos lugares mais espetaculares da porção continental dos Estados Unidos, com mirantes voltados para o deserto cortado pelos rios Colorado e Green, além de inúmeros afluentes sinuosos. Os visitantes têm a sorte de poder vislumbrar a amplitude do céu azul e as rochas vermelhas que se estendem por quilômetros. O parque tem tanto áreas remotas e quase intransponíveis como áreas em que é possível passar de carro ou fazer trilha, muitíssimo atraentes para os turistas.

Depois de meses de pesquisa e visitas, ficamos bem familiarizadas com a paisagem e o terreno. Chegamos inclusive a contratar uma pessoa acostumada a guiar expedições para desenhar mapas de uma possível caça ao tesouro. Mas às vezes a narrativa é mais importante que a exatidão, querida leitora. Portanto, apesar de tudo o que aprendemos sobre a geografia da área... inventamos um monte de coisa. Em alguns pontos, diminuímos distâncias; em outros, criamos paisagens e estruturas que não existem.

Tudo isso para dizer: escrevemos este livro para ser uma fuga divertida e saborosa do mundo real, não para servir de guia para sua própria aventura. (Se seguir nossa rota, vai acabar morrendo, HAHA!) É claro que adoramos a ideia de que a história de amor de Leo e Lily possa inspirar você a entrar em contato com a natureza e desbravar novos caminhos, mas mesmo que esteja feliz lendo encolhida no seu cantinho, esperamos que se divirta muito.

Com amor,
Lauren e Christina

Prólogo

LARAMIE, WYOMING

OUTUBRO, DEZ ANOS ANTES

As botas de Lily Wilder esmagavam o cascalho enquanto ela percorria o caminho entre o celeiro e o chalé, avaliando seu lugar preferido no mundo. Atrás de Lily, cavalos se aproximavam da fonte para beber água, sedentos depois de uma longa noite no pasto. Fumaça saía da chaminé da sede em direção ao céu cinza, ainda que aberto. A manhã estava fresca e o sol irrompia nas montanhas.

Fazia horas que ela estava acordada.

Uma sombra comprida esperava por Lily na varanda, segurando duas canecas. O coração dela bateu mais forte ao ver Leo — sonolento e sorridente, usando calça de moletom e blusa térmica. Sem dúvida nenhuma, era assim que Lily queria que todas as manhãs começassem, e ela ainda não conseguia acreditar que a partir daquele dia elas de fato começariam. Lily subiu correndo os três degraus vacilantes e se esticou para juntar o sorriso dele ao seu, sentindo que fazia dias, e não horas, que não tocava em Leo. Os lábios dele pareceram quentes e macios nos dela, que estavam frios por causa do vento. O calor dos dedos de Leo na cintura de Lily fez fogos de artifício explodirem dentro do peito dela.

"Cadê ele?", ela perguntou, imaginando que talvez o pai tivesse ido embora do rancho sem se despedir. Não seria a primeira vez, mas seria a primeira vez que ela não se importava.

Leo passou a caneca quente para ela e acenou com a cabeça para a cabine do guarda, do outro lado do rio. "Ele atravessou a ponte pra ver o Erwin", disse. "E se despedir."

Era estranho que Lily não tivesse ideia de para onde o pai ia ou quanto tempo ficaria fora? Mesmo que fosse, ela não se aprofundou na ideia. Seu coração pulsando no ritmo de uma música comemorativa exigia quase tudo dela. Sua vida estava finalmente começando. De alguma maneira, naquele verão, enquanto aprendia a gerenciar praticamente tudo no rancho, Lily também tinha se apaixonado. Era um amor que a surpreendia: enraizado e seguro, mas também febril, de rasgar as roupas. Ela tinha passado os primeiros dezenove anos da vida sendo tolerada e até evitada, mas, com Leo, era finalmente o centro do mundo de alguém. Lily nunca havia sorrido tanto, rido tão abertamente ou ousado desejar com tamanha voracidade. O mais próximo daquilo que ela sentira até então tinha sido cavalgando a toda velocidade pelas terras da família. Eram momentos passageiros, no entanto. Já Leo tinha prometido que estava ali para ficar.

Ela ergueu o queixo para encará-lo. Leo tinha herdado a constituição do pai irlandês e os traços da mãe japonesa, mas sua alma era única. Lily nunca havia conhecido ninguém tão discreto e sensato quanto Leo Grady. Ainda não conseguia acreditar que aquele homem inabalável estava disposto a mudar a vida toda por causa *dela*.

Lily tinha perguntado "Você tem certeza?" uma centena de vezes. O rancho Wilder era o sonho dela, mas Lily sabia que não podia esperar que gerenciar uma propriedade que recebia hóspedes o ano todo fosse o sonho de qualquer outra pessoa. Certamente não era o sonho do pai, embora ele pelo menos se dedicasse minimamente a fim de manter o negócio viável. Para a mãe de Lily, o rancho era só mais uma coisa que ela ficara feliz em abandonar. Às vezes, Lily sentia que passara cada dia de sua vida esperando pelo momento em que o rancho se tornaria seu para sempre. E agora aquele momento chegara, e com Leo para completar.

"Tenho certeza, Lil." Leo passou o braço livre por cima dos ombros dela e a puxou para seu lado, então se inclinou para lhe dar um beijo na têmpora. "E você, tem certeza de que quer um novato como eu aqui?"

"Claro que sim." As palavras ressoaram alto na manhã silenciosa. À distância, um potro relinchou de volta. Leo olhou para Lily apaixonado. Ele era novo no rancho, mas levava jeito com cavalos e era muito habilidoso, de um milhão de pequenas maneiras. Fora que sua altura era bastante conveniente quando se tratava de alcançar o gancho mais alto do quarto de selas. Mas não era por nenhum desses motivos que Lily o queria ali. Ela o queria ali porque Leo Grady era inegavelmente seu, o primeiro *seu* de toda a sua vida.

Ele cheirava a banho, e Lily se aninhou nele, pressionando o rosto contra seu pescoço, procurando qualquer resquício de suor, do aroma intensamente masculino que ela sentira em sua pele na noite anterior.

"Fiz o café da manhã", Leo murmurou contra o cabelo dela.

Lily se afastou um pouco, com um sorriso esperançoso no rosto. "Os scones da sua mãe?"

Leo teve que rir. "Você fala como se minha mãe tivesse inventado isso." Ele se inclinou, levou a boca à dela e disse, em meio ao beijo: "As especialidades dela são arroz e peixe. A receita dos scones deve ser da Rachael Ray".

Então Duke Wilder atravessou a grama gelada e subiu na varanda. O leve contorcer de seu bigode grisalho e cheio era a única indicação de que tinha visto como Lily e Leo estavam próximos.

Mas o momento passou, e seus olhos se iluminaram. Duke ficava feliz como nunca quando estava prestes a ir embora. Durante a infância de Lily, o trabalho dele o levara até Greenland, mas seu raio de aventura se encolheu de maneira dramática quando a mãe de Lily foi embora, sete anos antes, e Duke ficou preso com a filha e o rancho em Laramie — pelo menos no verão. Agora que Lily tinha crescido, ele finalmente estava livre para desfrutar do fato de que era uma celebridade para certo nicho, obcecado pelo sonho de infância de encontrar pilhas de dinheiro escondidas no deserto mais de cem anos antes por foras da lei.

Lily não era a única a ficar feliz por finalmente ter idade o bastante para assumir o fardo da propriedade da família.

Duke olhou por cima do ombro da filha, que por sua vez observava o rosto do pai enquanto ele parecia ter uma conversa silenciosa com Leo. Às vezes, Lily achava que mal conhecia o pai; outras vezes, conseguia lê-lo como um livro. Duke não tinha nenhum apego ao rancho Wilder, mas naquele momento Lily pôde ouvir seus pensamentos como se fossem proferidos em voz alta: *Esse garoto não tem a menor pinta de caubói.*

Porque Leo não era um caubói. Era um estudante universitário, um gênio da matemática, um jovem de Nova York que tinha chegado ao rancho para trabalhar durante o verão, se apaixonado e alterado toda a sua vida para ficar com Lily na baixa temporada. Ele era tímido, quieto e pensativo, tudo o que Duke Wilder não era. Com apenas vinte e dois anos, sem se encolher ou hesitar ao lado de Lily, Leo Grady encarou o homem de cinquenta anos que era conhecido como o Indiana Jones local e tinha a confiança do capitão Jack Sparrow.

"Vamos ficar bem, Duke", ela disse, acabando com aquilo.

"Cuide dela até eu voltar", Duke mandou, com os olhos fixos em Leo, sem notar a cara exasperada da filha.

"Vou cuidar", Leo garantiu a ele.

"Não preciso que cuidem de mim", Lily lembrou aos dois.

Duke se inclinou para a frente e bagunçou o cabelo escuro dela. "Não precisa mesmo, garota. Te deixei um bilhete na sala de jantar."

"Legal." Um enigma. Um quebra-cabeças. Alguma coisa para Lily decifrar. O pai a havia criado usando os jogos que tanto amava, sempre a cutucando, como uma criança cutuca um besouro, incapaz de compreender como ela acabou se tornando tão diferente dele. Uma disputa entre o ressentimento e a curiosidade perduraria até que a necessidade vencesse ambos e ela finalmente se sentasse para resolver qualquer que fosse o quebra-cabeças que o pai havia lhe deixado. Era perfeitamente possível que o bilhete se traduzisse em uma coisa boba como *Te vejo depois* ou *Não coma toda a massa de biscoitos de aveia*, mas era igualmente provável que ele tivesse escondido informações críticas para o gerenciamento daquele lugar. Tudo o que Lily quisera ou precisara na vida sempre fora escondido em um lugar complicado, às vezes a quilômetros de casa. Se ela não tivesse a motivação necessária para ir atrás, Duke concluía que, no fim das contas, não precisava tanto assim daquilo.

Talvez naquele dia Lily não se importasse. Talvez ela e Duke afinal tivessem concordado que não precisavam amar as mesmas coisas — e que não precisavam nem mesmo amar um ao outro — para coexistir. Pela primeira vez, Lily achava que tudo bem. Talvez Duke voltasse ao seu mundo, onde caçava artefatos e desenterrava tesouros perdidos, e Lily ficasse no rancho, com seus cavalos, sua terra e seu amado, e ignorasse o bilhete na mesa para sempre.

A tensão se prolongou até que Duke desse uma última olhada no chalé, no celeiro e nas colinas adiante. Os pais dele haviam comprado o terreno e criado os dois filhos ali: Duke e o irmão, Daniel. Daniel havia transformado o lugar no rancho Wilder, morando ali o ano todo e recebendo hóspedes durante o verão até morrer, dois anos antes. Lily e Duke mantiveram o negócio aos trancos e barrancos. O rancho nunca tinha sido prioridade de Duke, enquanto sempre fora o sonho dela morar ali em definitivo, assumir o lugar, fazer com que voltasse a ser como era nos verões dourados de sua infância. Setenta e oito cavalos e oitenta hectares da beleza reluzente de Wyoming eram a ideia dela de perfeição, mas Duke se ressentia profundamente de cada cerca na propriedade.

O pai aventureiro de Lily ajeitou o chapéu na cabeça e assentiu para a filha e Leo. "Bom... já vou indo."

Não houve abraços. Leo e Lily nem desceram da ampla varanda. Só ficaram olhando em silêncio a silhueta comprida e forte de Duke Wilder se dirigir à sua picape velha e pesada e entrar nela.

Lily se virou para Leo, saltitando no lugar, sentindo a alegria borbulhar dentro de si com uma força que poderia projetá-la no céu cinza.

"Tá pronta, chefe?", ele perguntou.

Lily respondeu com um beijo que esperava que transmitisse a Leo o que às vezes tinha dificuldade de dizer.

Ela se permitiu absorver aquilo. Estava tudo certo. Ninguém, nada, a pressionava naquele instante único e perfeito. Antes mesmo que a poeira levantada no rastro da picape de Duke se assentasse, ela pensou que tudo o que importava era o homem ao seu lado e a terra maravilhosa à sua volta. Sua terra. Lily inspirou para falar, mas congelou, surpresa diante da expressão terna no rosto de Leo, que olhava para ela. Desde o dia em que ele conhecera Lily, cinco meses antes, os caubóis se referiam a Leo como "o garoto apaixonado da cidade".

Lily pegou o rosto dele nas mãos — rindo feliz — e se esticou para beijá-lo de novo. "Me promete que vamos ser felizes pra sempre aqui."

Leo assentiu e apoiou a testa na dela. "Eu prometo."

Um

BAR DO ARCHIE EM HESTER, UTAH

MAIO, PRESENTE

"Agora sei que é melhor não ignorar uma briga de bar acontecendo atrás de mim", Lily disse, com uma careta.

Archie estendeu a mãozorra para passar a ela uma trouxa de pano pingando, cheia de gelo. "Tô mais preocupado com o fato de você ter levado uma cotovelada na nuca e mal ter piscado."

"Tá querendo dizer que sou cabeça-dura?" Ela inspirou depressa ao sentir o choque do gelo na nuca.

Archie se inclinou sobre o bar. "Tô querendo dizer que você pode ser pequenininha, Lily Wilder, mas é durona."

Ela o empurrou, dando risada. "Vai se ferrar, Arch."

"Tudo o que você quiser, Lil."

Lily segurou o gelo no lugar, mantendo o cotovelo apoiado na bancada de madeira, e ficou vendo as gotas gordas de condensação escorrerem lentamente pelo copo de cerveja. Assim que deslizou um dedo nele, o vidro ficou sujo. O dia todo, a poeira vermelha do deserto soprada pelo vento se agarrara a suas roupas, a seu cabelo, às mãos, aos braços, ao rosto. Ainda bem que ela podia contar com o chuveiro e o protetor solar. No entanto, não valia a pena tomar banho antes de ir àquele lugar, considerando o tipo de gente que o frequentava — quer Lily fosse se sentar no bar para tomar uma cerveja ou trabalhar do outro lado do balcão, na baixa temporada. O cotovelo errante em sua nuca tinha servido de prova.

A porta se abriu, inundando o salão escuro de luz por um momento. Nicole entrou, com seu cabelo loiro bagunçado e a camisa xadrez vermelha e azul. Ela se sentou na banqueta ao lado de Lily e ergueu o queixo para Archie, com um cumprimento silencioso que pedia bebida. Ele serviu a cerveja em um copo cuja higiene era questionável e empurrou na direção das duas uma tigela de amendoim cuja higiene era ainda mais questionável. Mais faminta que exigente, Lily começou a comer.

Nicole apontou para o gelo. "O que foi isso?"

"Petey e Lou estiveram aqui. Isso foi dano colateral."

"Quer que eu dê um pau neles?" Ela fez menção de levantar, mas a mão de Lily em seu braço a impediu.

Nicole era mais alta e forte que Lily. Sua lealdade a tornava quase selvagem quando provocada. Lily imaginava que a luta com Petey e Lou seria mais ou menos justa. Se Lily a deixasse, Nic se mataria por ela. Mas Nic era tudo o que ela tinha, portanto Lily só acenou com a cabeça para a pequena pilha de papéis sobre o bar, perto do braço da amiga. "É o grupo novo?"

A outra confirmou com a cabeça. "Vai chegar amanhã."

"Só homens?", Lily perguntou. Os grupos quase sempre eram formados por homens interessados em caça ao tesouro e em brincar de ser fora da lei. Um grupo de mulheres era sempre um refresco. A estadia era mais tranquila, mais silenciosa. Quase fazia o trabalho valer a pena. *Quase.*

"Só. São quatro."

"Despedida de solteiro? Aniversário?"

Nic balançou a cabeça. "Parece que é só um grupo de amigos viajando juntos."

Lily grunhiu. Pelo menos os grupos de despedida de solteiro tinham uma espécie de missão, em geral encher a cara e ter uma semana de libertinagem sobre a qual falariam por anos. Mas os grupos que abordavam a empresa de turismo de Lily, a Aventuras Wilder, só para "dar uma escapadinha" sempre precisavam de mais cuidados, mais estrutura. Às vezes não tinha problema — ajudar pessoas que queriam passar as férias andando a cavalo ainda era sua maior alegria —, mas, no momento, Lily estava fumegando.

"Todos eles assinaram o termo?", Lily perguntou.

Nic coçou a bochecha, hesitante. "Hum-hum."

"E o que isso significa?", Lily perguntou, apontando.

"Bom, meio que parece que a mesma pessoa assinou pra todo mundo", Nicole disse.

"Merda", Lily resmungou baixo, enquanto levava a cerveja aos lábios.

"É só uma formalidade, Dub."

"A menos que não seja", ela disse. "Não posso me dar ao luxo de ser processada."

"Você mal pode se dar ao luxo de pagar essa cerveja." Nic se abaixou para olhar nos olhos de Lily, o que fez com que seu cabelo cobrisse metade do rosto. Um único olho azul e brilhante continuou desimpedido para avaliar a melhor amiga. "Como pode achar que essa vai ser nossa última viagem?"

Lily baixou os olhos para as nervuras do balcão gasto de madeira. Era verdade que estava torcendo para que aquele fosse o canto do cisne da Aventuras Wilder. Ela *queria* que fosse a última vez que levaria paspalhos da cidade para o deserto para aprender a trabalhar melhor em equipe ou para "deixar o conforto para trás" e caçar um tesouro de mentirinha. Ela queria poder guardar o diário do pai e nunca voltar a pôr os olhos nele. Queria morar em um lugar onde ninguém lhe perguntasse sobre os mapas e as histórias de Duke Wilder, onde pudesse esquecer completamente Butch Cassidy. Lily nunca mais queria ver um homem cavalgando com sapatos grã-finos ou ouvir outra mulher com camisa Prada "de vaqueira" reclamando que estava com a bunda doendo depois de meia hora sentada numa sela. Queria administrar o rancho, selar Bonnie ao nascer do sol e conduzir seus próprios cavalos sobre as artemísias e a grama castigada pelo gelo, brilhando como diamante, amassada pelos cascos. Queria ter dinheiro suficiente para se mudar da cabana detonada do pai e deixar aquela cidade empoeirada de merda para trás. Mais do que qualquer outra coisa, queria que aquela fosse sua última viagem.

Mas só querer não adiantava nada. Essa era uma lição que ela tinha aprendido muito tempo atrás.

Ainda assim, a ideia de largar aquele trabalho não saía da cabeça de Lily. Ela fazia aquilo havia sete anos, e se sentia presa. Ela sobrevivia guiando turistas pelo deserto, mas cavalos eram caros, e Lily precisava de cavalos para sobreviver guiando turistas pelo deserto. Era a velha história do ovo e da galinha.

"Como foram as coisas no banco?", Nic perguntou, mudando de assunto.

Lily balançou a cabeça.

"De novo?"

"Quem vai conceder um empréstimo a alguém como eu? Qual vai ser minha renda se eu parar com as caças ao tesouro?"

Nicole voltou a se inclinar. "Você disse que esse era seu plano? E eles por acaso precisam saber?"

Lily olhou para ela. "Não contei, Nic, mas eles não são idiotas. O cara perguntou: 'Se você comprar um terreno e começar um novo negócio, como vai ganhar dinheiro até ele se tornar lucrativo?'. Eu disse que levaria alguns anos, mas que eu conhecia a área, o negócio, o tipo de pessoa que queria passar as férias no deserto, mas não fez diferença. Não importa o que eu diga, não sou um bom investimento."

Nicole bufou e olhou para as próprias mãos. Só então Lily notou um envelope com seu nome despontando da pilha de correspondência e termos de renúncia de responsabilidade. Ela seria capaz de reconhecer o endereço do remetente em qualquer lugar. Porque costumava ser o dela.

Lily se viu imediatamente soterrada por uma avalanche de lembranças — o cheiro adstringente e nítido de artemísia; ela pastoreando os cavalos enquanto o sol dava adeus no alto das montanhas; biscoitos amanteigados quentinhos pela manhã; o momento exato em que deitara os olhos *nele*; semanas depois, o calor e a febre no corpo dele...

Ela esfregou o peito dolorido, bloqueou aquele tipo de pensamento e apontou para o envelope. "O que é isso?"

Nic escondeu o envelope no meio da correspondência. "Nada."

"É do rancho Wilder. E tem meu nome nele." Ela estendeu o braço. "Me dá aqui."

Nicole deu um tapa na mão dela. "Você não quer isso agora, acredita em mim, Dub."

Agora?

"Tem a ver com o rancho?"

"Deixa pra lá, Lil."

Lily sentiu uma chama rara se acender dentro dela. "Você abriu? Juro por Deus, não tem ninguém tão intrometido quanto..." Lily tentou pegar o envelope outra vez, mas Nicole tirou a pilha do alcance dela.

"Eu disse *não*."

O sangue de Lily começou a ferver diante da sugestão de que ela não era capaz de lidar com o que quer que o envelope contivesse. Nic era cabeça quente; Lily era a controlada da dupla. De repente, no entanto, o que ela mais queria no mundo era ver o que aquele envelope branco ordinário continha.

Ela tentou empurrar o braço de Nic, que tinha previsto aquilo e se inclinou para proteger os papéis, permanecendo inabalável. Então Lily tentou atacar o tronco da amiga. Conseguiu derrubá-la da banqueta e levá-la ao chão. Ao redor delas, choveram termos de renúncia de responsabilidade, que de repente tinham perdido importância. Os papéis aterrissaram entre cascas de amendoim descartadas e a camada grudenta de cerveja no chão. Homens comemoravam e aplaudiam ao ver as duas lutando, incentivando-as a continuar. Normalmente, Lily se levantaria e levaria aquela discussão para outro lugar, mas ela estava focada em conseguir o envelope por cima do qual Nicole havia rolado e que agora a amiga protegia com a própria barriga.

"De jeito nenhum", Nic gritou do chão, enquanto Lily batia inutilmente em seus ombros, depois fazia cócegas em suas costelas e socava sua bunda.

"É o *meu* nome no envelope, sua cretina."

"Você não quer ver isso!"

"Isso é crime!" Lily deu uma olhada por cima do ombro. "Petey! Você é da polícia."

"Tô de folga", ele respondeu, rindo para sua cerveja. "Soca a bunda dela de novo."

"Vou te dar um soco no saco se não me ajudar."

"Fica à vontade pra me bater onde quiser."

Com um grunhido selvagem e usando todas as suas forças, Lily conseguiu enfiar a mão debaixo do corpo de Nicole para procurar às cegas pelo envelope. Conseguiu agarrá-lo e puxá-lo, rasgando o cantinho do papel. Então se ergueu depressa e foi se esconder atrás de Big Eddie, perto do alvo do jogo de dardos, caso a amiga decidisse ir atrás dela.

"Eu tô dizendo, você não quer ver isso agora", Nic insistiu. Então se levantou, derrotada, limpando a sujeira de chão de bar da bochecha com as costas da mão. Ela voltou à sua banqueta, à sua bebida e aos seus amendoins. "E não vem resmungar pra mim quando souber do que se trata."

Em seu canto, Lily tirou a carta do envelope. Todos os olhos do bar se mantiveram fixos nela, primeiro enquanto lia sem entender, porque as palavras eram um redemoinho em preto e branco, depois quando voltou ao começo e releu tudo. As frases assumiram forma, significados se somaram, toda a dor, toda a perda, todo o vazio e toda a escuridão transformados em um tijolo sólido em seu peito se libertaram, virando um enxame de mutucas.

A carta era do atual proprietário da terra que havia sido da família de Lily. Um homem que ela vira uma única vez, menos de uma semana depois de seu coração ser partido de maneira brutal pela primeira vez. Por mais que Lily odiasse Jonathan Cross, fazia dez anos que pensava todos os dias em como seria ler aquelas palavras.

... aposentar... o rancho está à venda... gostaria de oferecer a você a oportunidade...

Não importava se o negócio que ele propunha era bom. Não havia nada que Lily pudesse fazer para recuperar o rancho da família.

Depois que alguma coisa se ia, estava feito. Lily achara que tinha superado o sofrimento, a saudade daquele lugar, mas de repente sentia tudo de novo.

Ela precisou de cada grama de sua força física para manter a compostura. Fincou os dentes no lábio inferior e manteve a mandíbula trancada. Forçou os ombros a ficarem firmes, mas não a ponto de chegarem às orelhas, e a coluna a se manter ereta. Nunca a tinham visto perder o controle — ou pelo menos ninguém ali tinha. Finalmente, quando todos haviam perdido o interesse ou se virado por respeito para outro lado, ela voltou ao balcão.

Nicole já tinha pedido outra cerveja e a empurrou para Lily quando a amiga se sentou na banqueta ao seu lado.

"Eu falei", Nic disse.

"Você falou."

"O que vai fazer a respeito?", ela perguntou.

"Não vou fazer absolutamente nada", Lily disse, e levou o copo aos lábios.

Dois

CIDADE DE NOVA YORK

MAIO, PRESENTE

O lado negativo de ir para o aeroporto às oito e quinze era que já fazia vinte minutos que o tráfego engarrafado da hora do rush matinal não passava de quinze quilômetros por hora. O lado mais ou menos positivo era que permitia que Leo respondesse às inúmeras perguntas que seu chefe poderia estar fazendo a literalmente qualquer outra pessoa que estivesse no escritório.

Quando chegou à décima notificação de mensagem em cinco minutos, ele fechou os olhos e gemeu.

"Põe no silencioso", Bradley disse, abrindo o vidro do táxi até onde dava, depois voltando a fechá-lo para impedir a passagem da fumaça do escapamento de um caminhão, que já invadia o carro.

Leo digitou uma resposta rápida. "Não tem problema."

Outra notificação chegou na mesma hora.

"Todo ano é assim."

"Alton fica assim quando não tô no escritório", Leo disse, digitando.

"É exatamente o que eu tô dizendo. Ele age como se não tivesse mais ninguém em todo o estado que soubesse usar uma calculadora."

Agora o telefone tocava na mão de Leo.

Bradley dirigiu a ele um olhar de advertência. "Deixa quieto."

Leo deu de ombros, impotente, e apontou para o nome de Alton na tela. "Vão decidir sobre o vice-presidente na semana que vem e eu tô de férias. Não posso não atender."

"*Deixa quieto.*"

Leo levou o celular ao ouvido. "Alô?"

Bradley gemeu e se inclinou para dizer ao motorista, que não parecia se importar nem um pouco: "Ele nunca deixa cair na caixa postal quando é o chefe ligando".

"Deixo, sim", Leo sussurrou. Então voltou a Alton, do outro lado da linha, e disse: "O código do algoritmo Daxton-Amazon tá no disco rígido, em uma pasta chamada Daxton-Amazon".

Bradley se virou para ele, boquiaberto, mas Leo o dispensou com um aceno e continuou falando ao telefone. "Isso mesmo. Você pode encaminhar direto pra Alyssa ou salvar na nuvem."

Bradley arrancou o celular da mão de Leo e se curvou para o outro lado, fechando a boca para imitar o ruído de estática. "Não... zzzz... ouvindo... zzzz... túnel... zzzz." Encerrou a ligação e enfiou o celular no bolso do próprio casaco, com um sorriso no rosto.

Leo ficou olhando para ele, sem reação. "Sério, cara?"

"Meu ano, minha viagem, minhas regras. Regra número um: nada de celulares."

Leo tentou pegar o celular de volta mesmo assim. "Ele ligou pra saber onde o...", começou a explicar.

Bradley deu um tapa na mão dele. "Se seu chefe não consegue encontrar o algoritmo Daxton-Amazon na pasta Daxton-Amazon, não tenho ideia de por que ele é o chefe."

Leo se virou para olhar pela janela, incapaz de retrucar.

Era mesmo hora de parar de se preocupar com o trabalho e pensar em para onde Bradley o estava levando. A viagem anual com seus dois melhores amigos da faculdade era seu único momento de folga. Conforme a vida ficava mais corrida, o *modus operandi* tinha passado de *É a minha vez de planejar* para *Não vou contar absolutamente nada até chegarmos ao nosso destino.* Ele sabia que iam pegar um voo para Salt Lake City, mas aquilo não queria dizer nada. Sempre que era a vez de Bradley, os outros dois ficavam preocupados, e com razão. Ele sempre priorizava uma boa história em detrimento do conforto e do bom senso.

O celular de Leo voltou a tocar. Bradley o tirou do bolso e sorriu ao ver quem estava ligando. "Agora é a sua chefa." Ele virou a tela para mostrá-la ao amigo.

Cora.

Bradley atendeu. "Telefone do Leo, tio Bradley falando."

Leo voltou a se inclinar para tirar o aparelho dele.

Bradley enfiou a mão espalmada no rosto do amigo e o afastou. "Como você tá, linda?"

Leo não ouvia nada além de uma leve sugestão da voz da irmã do outro lado da linha. Resignado, se deixou afundar no banco. Cora adorava Bradley. Mesmo que Leo conseguisse recuperar o telefone, ela provavelmente pediria que devolvesse ao amigo.

"Parabéns pela formatura, Cor. É incrível." Bradley assentiu, sorrindo para o que quer que ela tivesse dito. "É mesmo?" Ele se virou para olhar para Leo. "Paris amanhã? Não, seu irmão não disse nada sobre mandar você e uma amiga a *Paris* como presente de formatura."

Merda. Bradley ia encher o saco de Leo por causa daquilo.

"Aposto que sim", Bradley disse, arregalando os olhos para Leo em um espanto fingido. "Parece mesmo uma noite especial." Ele fez uma pausa para ouvir. "Eu passo o recado, pode deixar. Aproveita a viagem. Também te amo, querida." Bradley encerrou a ligação e devolveu o celular a Leo com um sorriso irônico no rosto. "Isso foi interessante."

Leo guardou o celular na mochila e apoiou a cabeça no encosto do carro. "Esquece."

"Cora me pediu pra avisar que ela passou na sua casa e pegou o dinheiro que você deixou pra ela." Bradley fez uma pausa, coçando a barba por fazer. "Tenho que dizer que eu tô decepcionado por você não ter me convidado pro jantar de formatura dela ontem. Uma pessoa a mais não teria feito diferença, considerando que vocês estavam em doze e ela vai pra Paris amanhã."

O táxi estacionou diante do terminal e os dois desceram para pegar a bagagem no porta-malas. "Não foi por dinheiro que não convidei você", Leo explicou enquanto entravam no aeroporto. "Foi por causa do seu costume de dar em cima das amigas da minha irmã."

"São todas maiores de idade", Bradley argumentou.

Ele era seu amigo mais antigo, a pessoa que havia segurado as pontas quando o mundo de Leo desabara, dez anos antes. Também ficou ao seu lado enquanto ele se reerguia. Bradley era o tio postiço brincalhão, um contrapeso divertido à tendência de Leo de superproteção e supercompensação. Era também um cafajeste inveterado.

"Mas ainda são dez anos mais novas que você", Leo recordou.

"Dez anos não importam tanto quando se é mais velho."

"Ainda importam bastante, Bradley."

Ele sorriu para Leo. "Não muda de assunto. Você mima a Cora demais."

"Um homem usando um Rolex e uma bolsa Prada devia

ser a última pessoa no mundo a me dar sermão quanto a mimar quem quer que seja. Não é como se você estivesse precisando de caridade."

"Não tô precisando, mas aceito."

Leo riu diante do sorriso vencedor de Bradley. "Cora vai se mudar pra Boston. Você sabe que cabia a mim garantir que ela se formasse." De fato, cabia a ele garantir que Cora se formasse, mas não ser irmão, pai, mãe e benfeitor ao mesmo tempo, compensando toda a adoração que fora roubada da irmã mais nova dez anos antes.

"E você garantiu isso. Também livrou sua irmã dos empréstimos estudantis, deu uma mesada a ela e pagou pelo apartamento a quatro quarteirões do campus da Columbia."

"Apartamento que ela divide com três pessoas", Leo lembrou. "Não é como se Cora estivesse curtindo a vida numa cobertura."

Bradley fez pouco caso daquilo. "Cora não vai conseguir te ligar no lugar pra onde estamos indo. Ela vai conseguir se virar sem o irmão mais velho?"

Leo já estava cansado daquela conversa. "Cora vai ficar bem." Ou pelo menos ele esperava que sim. "Fora que vai estar ocupada demais curtindo Paris pra se preocupar em me ligar."

"E como *você* vai ficar?", Bradley insistiu.

"Como assim?"

"Leo, essa é a primeira viagem que você faz na vida em que não vai poder verificar seus e-mails ou receber ligações."

Ele desviou de uma família reorganizando uma mala no balcão de check-in e olhou para Bradley. "Não se preocupa comigo. Venho me preparando mentalmente pro isolamento desde que vi sua lista tenebrosa do que trazer pra viagem."

"Tenebrosa?", Bradley repetiu, se fingindo de ofendido.

Eles se aproximaram do balcão da companhia e entregaram os documentos de identidade.

"Não tenho calça cargo", Leo disse. "E *botas com salto*? Tipo *Purple Rain* ou trabalhador da construção civil?"

"Você sabe as regras. É pra fazer a mala sem questionar nada."

"Conheço as regras", Leo diz, "mas quando li *chapéu com cordão* nem entendi direito do que se tratava."

Na verdade, Leo sabia exatamente do que se tratava, mas pensar no motivo pelo qual precisaria de botas com salto e chapéu com cordão fazia seu estômago revirar. Ele havia adiado arrumar suas coisas até aquela manhã, quando finalmente — e freneticamente — enfiara tudo na mala. Cada um dos três amigos tinha uma lista de regras declaradas e não declaradas para aquelas viagens. Por exemplo, Bradley se recusava a viajar para Key West porque a família da mulher que ele pedira em casamento durante uma bebedeira em 2012 era proprietária de quase um quarto dos restaurantes da cidade. Walter se recusava a visitar qualquer estado em que um tornado fosse uma possibilidade real. "Nada de cavalos" sempre fora uma regra não declarada de Leo. E, mais do que ninguém, Bradley sabia o motivo.

Assim, ainda que aquelas férias não os levassem a Wyoming, só de estar perto de cavalos Leo sem dúvida seria lembrado de algo que — de acordo com várias ex-namoradas — ele ainda não tinha processado de maneira apropriada.

A tradição das férias anuais tinha começado na primavera seguinte à sua volta de Laramie com o coração partido. Bradley, que tinha ao mesmo tempo boas e más intenções, planejara uma viagem sem mulheres para fazerem trilhas enquanto Cora estava no acampamento da ACM em Vermont. Naquela viagem, Leo tinha rido pela primeira vez em sete meses.

No ano seguinte, três deles voltaram a tirar férias juntos e foram de carro para o Maine, uma viagem planejada por Walter. Nos anos que se seguiram, as viagens foram acompanhando o aumento na renda dos três. Eles já haviam degustado vinhos no Oregon e produzido queijo na França, nadado com golfinhos em Ensenada e andado de caiaque entre as geleiras do Alasca.

Na última viagem organizada por Bradley, três anos antes, quando passaram uma semana em Ibiza, ele pôs na lista "dinheiro para a fiança" — e, por sorte, Leo e Walter levaram aquilo a sério. Por isso, os outros dois estavam um tanto apreensivos quanto aos planos para aquele ano.

Leo foi tirado de seus pensamentos por uma voz estrondosa logo atrás deles. "E aí, seus bundas-moles?" Havia pelo menos cem outros viajantes ao redor e não havia nenhum motivo para supor que as palavras tivessem sido dirigidas aos dois, mas Leo nem precisou olhar para ter certeza de que tinham, sim. Enquanto todas as outras pessoas por perto viravam para ver quem havia gritado *bundas-moles* no meio do aeroporto, Leo voltou os olhos para Bradley em acusação.

"Sério?", ele sibilou. "Você convidou esse cara?"

Bradley se retraiu na mesma hora.

Uma olhada relutante por cima do ombro revelou exatamente o que Leo esperava ser: Terrence "Terry" Trottel — um homem que nunca havia servido o Exército, mas no entanto usava roupa camuflada completa e carregava uma mochila militar nos ombros — avançava na direção deles. Ele era alto e magro, tinha tatuagens que só podiam ter sido feitas por impulso e uma barba toda errada. Era o tipo de livro que podia ser julgado corretamente pela capa.

Bradley fez uma careta. "Ele me pediu na caradura. Eu não podia dizer que não."

"Claro que podia. É fácil. 'Não, Terrence. Você não faz parte dessa tradição.'"

Terry — colega de quarto de Bradley no primeiro ano — permanecia tenuamente ligado ao grupo. Ele era aquele amigo pelo qual os outros tinham que pedir desculpas, não importava a situação. Uma vez aparecera para tomar uma cerveja sem ser convidado, usando uma camiseta com a imagem de uma mulher com fita adesiva na boca e APROVEITE O SILÊNCIO escrito em cima.

Por mais que Bradley enchesse o saco de Leo por causa de Cora, de seu trabalho e de sua vida sexual inexistente, ele nunca entrava em nenhum conflito de verdade. Leo, por sua vez, era amigo de todo mundo, a referência tranquila do grupo, o que permitia que Bradley falasse bobagem em segurança. Terry, por outro lado, era cabeça quente e via insulto em tudo, quer houvesse ou não intenção. E ali estavam eles, prestes a ficar presos com o cara em um lugar remoto o bastante a ponto de exigir a capacidade de sobreviver sem celular.

Ótimo.

Os dois fingiram não ver Terry acenando antes de seguir para o balcão de check-in um pouco adiante. Enquanto a pessoa da companhia aérea etiquetava a bagagem reduzida deles, Leo olhou feio para Bradley.

"Ele não costumava ser tão ruim assim", Bradley argumentou, baixo.

Na faculdade, a esquisitice de Terry havia se manifestado através de uma tendência a colecionar tampinhas de garrafa e não lavar sua camiseta da sorte. O Terry do presente colecionava munição antiga e achava que *feminista* e *terrorista* significavam mais ou menos a mesma coisa. Bradley não estava errado ao afirmar que Terry não costumava ser tão ruim, mas não fazia diferença, porque no momento

Terry era péssimo. Leo já estava com um pouco de medo daquela viagem, e agora tinha se convencido de que seria interminável.

"Walt me mandou *prints* de umas coisas bem assustadoras que Terry publicou", Leo disse a Bradley. "Terry passa o dia inteiro nos cantos mais obscuros da internet."

"Eu sei. Mas quando estamos todos juntos ele segura a onda."

Leo soltou um "aham!". "É mesmo?"

Os dois receberam suas passagens e se afastaram do balcão.

Bradley olhou para o lado. "Acho que ele vai ficar de boa."

"Porque o Terry é assim, certo?", Leo perguntou, apontando para onde Terry parecia estar "ensinando" à pessoa que trabalhava para a companhia aérea a maneira correta de etiquetar a bagagem. "Bem de boa?"

"Então *você* vai dizer que ele não pode ir?"

"O cara tá fazendo o check-in. É claro que não vou dizer isso a ele agora."

"Não sei por que tá me julgando", Bradley resmungou baixo. "Não consegue dizer não nem pra Cora."

"Eu ouvi isso."

"Porque eu falei alto."

Eles viraram para seguir até o controle de segurança. Quando Bradley retardou o passo para esperar por Terry, Leo manteve o ritmo e em poucos minutos estava do outro lado. Tinha outro bom motivo para fazer isso: Walt já estava no portão e precisava ser avisado de que Terry iria com eles. Se o estresse fosse grande demais, talvez ele quisesse dar uma passada no banheiro antes de embarcarem.

Walter estava sentado com a mochila sobre as pernas e os fones nos ouvidos, sacudindo a cabeça alegremente no ritmo da música. Era um cara gentil, que raras vezes priorizava coisas como cortar o cabelo ou trocar camisetas furadas, e era sempre o primeiro a ligar para um amigo em uma fase difícil. Simplificando, ele era o oposto de Terry.

Leo deu uma enrolada, porque detestava a ideia de estragar o bom humor de Walter. Quando Walt levantou a cabeça e olhou por cima do ombro do amigo, sua expressão se transformou, e Leo soube que era tarde demais.

Walter tirou um fone do ouvido e arregalou os olhos diante da aproximação de Terry. "Espera aí, por que o Terry tá aqui?"

Leo concluiu que tinha um único motivo para ser grato pela dificuldade de Bradley de entrar em confronto: com Terry junto, pelo menos havia alguma coisa que chateava mais Leo que a possibilidade de andar a cavalo pela primeira vez em dez anos.

Três

Acordado abruptamente pelo sacolejar do ônibus, Leo se debruçou para a frente na poltrona implacável e levou a mão à nuca.

"O que aconteceu?", Bradley perguntou, se endireitando devagar do outro lado do corredor, depois de uma soneca.

"Paramos."

Bradley gemeu. "Onde?"

"Não faço ideia." Tudo o que Leo sabia era que o ônibus, que cheirava a terra e etanol, tinha parado com tudo, aparentemente no meio do nada.

"O que foi isso, cara?", Bradley gritou para o motorista, cruzando os braços sobre o banco da frente. "Da próxima vez, avisa antes."

A resposta rouca do motorista mal chegou a eles. "Só vou até aqui. Descendo."

Leo olhou pela janela e só conseguiu distinguir formas vagas na escuridão, que era de um azul quase preto. Ele podia jurar que minutos atrás o sol estava no céu, mas pegara no sono em algum lugar depois de Green River, Utah — cansado da viagem que nunca terminava, levando em conta as três horas de atraso para o avião decolar, o voo turbulento e lotado e aquela viagem de ônibus para só Deus sabia onde.

Sentia que tinha dormido dentro de uma caixa apertada, enquanto Bradley parecia imaculado, apesar da viagem longuíssima até fosse lá qual fosse aquela aventura de Velho Oeste que tinham pela frente. Era surpreendente que um homem que usava mocassim e blusa de caxemira topasse ficar na natureza. Ao lado dele, recostado de maneira desconfortável à janela do ônibus, usando uma camiseta verde antiga com os dizeres CORRIDA ANUAL DE MORDOR, TERRA MÉDIA, Walt tinha a sorte de continuar dormindo, chegando inclusive a roncar baixo.

Atrás deles, o rosto sempre corado de Terry se contraiu em um sorriso perturbador antes que ele estendesse a mão e desse um tapão na nuca de Walter, fazendo com que o outro acordasse.

"Fala sério, cara", Leo disse. Na época em que conheceu Terry, Leo achava que ele estava sempre queimado de sol, mas depois começou a se preocupar, pensando que talvez fosse excesso de bebida. Agora, claro, Leo sabia que Terry só estava sempre puto. Com as mulheres, os socialistas, a mãe dele...

Leo se ajeitou no banco e olhou para Walt como quem queria dizer: *Eu odeio esse cara*. Depois olhou para o telefone e resmungou: "Já tá quase sem sinal? Onde a gente tá, em 1992?".

"Devia ter trazido um telefone via satélite", Terry disse, se alongando no corredor. "Na melhor das hipóteses, o sinal vai estar ruim."

"Vamos, senhores." Bradley se levantou também, batendo no peito. Seu cabelo loiro grosso caía sobre a testa em belas ondas, imunes a viagens. "Não vamos precisar de celular aonde vamos."

Bradley conduziu o grupo para fora do ônibus e foram todos buscar as malas. Cerca de seis metros à frente, Leo viu um abrigo pequeno e frágil, protegendo um punhado de bancos de madeira desgastados. Uma bola de feno rolava pelo cimento seco, com um pequeno ciclone de poeira em seu encalço. Quando os olhos de Leo se ajustaram à escuridão, o céu lhe pareceu roxo. Estava tudo coberto de sombras que pareciam se estender por quilômetros.

O motorista deu a partida e o grupo de homens viu o ônibus se distanciar e os faróis desaparecerem na escuridão.

Walter franziu a testa, preocupado. "Ele sabe que a gente... será que ele...". Então olhou para Leo e afirmou o óbvio: "Não estamos no ônibus com ele".

"Talvez agora seja o momento de nos dizer o que vamos enfrentar, Bradley", Leo sugeriu.

"Tudo o que precisam saber é que vai ser uma *aventura*. Não se preocupem, não vamos ficar aqui sozinhos por muito tempo."

Assim que Bradley terminou a frase, um coiote uivou. Ganidos misteriosos e vigorosos do restante da matilha se seguiram.

Leo se alongou. O som de suas costas estalando lembrava o de uma sequência de dominós caindo. "Peguei no sono, mas posso apostar que faz horas que não passamos por nada. Pode pelo menos nos dizer onde estamos?"

Terry pegou um GPS de um dos muitos bolsos de sua calça cargo. "Trinta e oito graus ao norte e..."

"Obrigado", Leo disse, com ironia.

"Nossa, tá, tô vendo que ninguém mais curte um mistério." Bradley pegou o celular. A tela iluminou a testa franzida, fazendo a pele bem cuidada parecer estranhamente enrugada e assustadora. "Devemos estar nos arredores de Hanksville, Utah. Vou ler o informativo pra vocês se conseguir abrir." Ele virou a tela para os outros, apontando para sua caixa de e-mails, que não carregava. "É uma empresa de aventuras guiadas", Bradley explicou, na defensiva. "Vamos andar a cavalo, acampar e caçar um *tesouro*. Me digam que não parece divertido pra caralho."

Uma vaga lembrança nublou os pensamentos de Leo, que se sentia levemente enjoado.

À distância, um par de faróis amarelos cortou a escuridão. "Viu?", Bradley disse, se sentindo vingado. "Nossa carona chegou."

Eles observaram em um silêncio ansioso um Ford Bronco que parecia ter mais ferrugem que metal avançar pela estrada esburacada de mão dupla. O carro não dava nenhum sinal de desacelerar conforme se aproximava.

A apreensão fez Leo falar mais alto que o normal: "Estão vindo bem rápido".

Seu medo só cresceu quando a pessoa ao volante jogou o carro no acostamento, no cascalho e na direção deles. Os quatro recuaram, iniciando um coro de *Vamos morrer?* antes que o veículo parasse a centímetros dos pés de Walter, levantando poeira e fazendo barulho.

"Nunca cheguei tão perto de me mijar", ele sussurrou.

Enquanto davam alguns passos cautelosos para longe do Bronco, Bradley acenava alegremente para a silhueta da pessoa ao volante. "Falei que logo alguém chegaria."

De repente, o motor foi desligado e os acordes de "Jolene", de Dolly Parton, ecoaram no silêncio em resposta.

Leo apertou os olhos enquanto a pessoa ao volante descia e se dirigia à frente do carro, seus passos esmagando pedregulhos. Os faróis iluminavam a figura por trás, e Leo notou suas pernas compridas enquanto ela se recostava no capô.

O rosto estava escondido por um chapéu empoeirado. Quando a pessoa ergueu a cabeça, Leo ficou surpreso ao ver uma mulher — bonita, de vinte e poucos anos — de cerca de um metro e oitenta de altura, com um sorriso no rosto que sugeria que topava tanto uma festa quanto uma briga de bar, não fazia diferença. Ela usava bota, jeans e uma camisa velha, e seu cabelo loiro e enrolado ia até o queixo. "Meu nome é Nicole. Vocês devem ser os engravatados que vou deixar em forma esta semana."

Bradley agarrou a gola da camisa de Leo, que estava ao lado dele, e soltou um gemido satisfeito. Leo o empurrou para longe.

Vendo que todos seguiam em silêncio, Leo deu um passo à frente e ofereceu a mão à mulher. "Meu nome é Leo."

"Foi você que organizou tudo?", ela perguntou, sem emoção na voz, apertando a mão dele com força.

"Não, foi o Bradley." Nicole soltou a mão de Leo, que a levou ao ombro de Bradley e depois apontou para o outro amigo. "Este é o Walter." Ele hesitou antes de apontar para Terry, que estava um pouco fora do pequeno círculo. "Aquele ali é o Terry."

Walt acenou de leve. "Senhorita... hum, é senhorita mesmo? Ou senhora? Prefere dona?"

"É Nicole, mas 'senhorita' seria uma novidade encantadora. Srta. Nicole tem um som muito agradável aos meus ouvidos."

"Então... srta. Nicole...", Walt voltou a falar, olhando para a escuridão em volta. "Onde estamos?"

"Na rodoviária." Ela circulou o grupo, inspecionando cada um deles. "Os ônibus não vão até o acampamento, por isso vim buscar vocês." Nicole soltou um grunhido abrupto. Não parecia nada impressionada. "Você veio de mocassim pro deserto?"

"São sapatos ortopédicos", Bradley explicou. "Recomendados pela minha podóloga."

"O que é uma podóloga? Uma médica de bunda?"

Uma risada irrompeu de Leo antes que ele pudesse reprimi-la.

Bradley não respondeu por um minuto. "Esquece."

A mala de Walter estava no banco mais próximo. Alguma coisa visível pela abertura chamou a atenção de Nicole, que tirou dela um dispositivo azul de plástico que consistia em uma garrafa sanfonada com um esguicho na ponta. "O que é isso?"

"Um bidê portátil", Walter explicou, pegando-o de volta e enfiando na mala.

"Um bidê?" Sob o brilho dos faróis, os olhos de Nicole se acenderam em divertimento. Quando ela inclinou o chapéu um pouco para trás, Leo ouviu murmúrios de constatação percorrendo o grupo todo: aquela mulher ficava ainda mais bonita com o rosto plenamente visível. "As pessoas trazem todo tipo de bizarrice pra cá, mas essa é nova", ela disse. "Um cara teve a ideia de usar prendedores nos mamilos a viagem toda. Numa despedida de solteira, trouxeram uma dúzia de vibradores. Garanto que nenhuma dessas coisas combina com uma semana montando a cavalo." Ela se inclinou e apoiou um pé da bota em uma tábua de madeira. "Além disso, meu bem, posso simplesmente te jogar no rio se você gostar da sua bundinha limpa. Nem vai ocupar espaço na mala."

Bradley pareceu orgulhoso. "Eu disse que essa viagem ia ser incrível."

"Desculpa", Walter o cortou, erguendo uma mão trêmula. "Você disse uma semana montando a cavalo?"

"É por isso que estão aqui, gracinha. Pra serem caubóis. Vamos levar vocês a cavalo até a Trilha dos Foras da Lei. Vocês vão deixar seus celulares, mocassins e banheiros portáteis para trás. Vão comer à beira da fogueira, sob o céu aberto. Vão encontrar jogos, enigmas e, se tiverem sorte, tesouros de verdade escondidos."

"Jogos?", Terry repetiu, mal-humorado. "Enigmas? Que tipo de empresa é essa?"

Sem se abalar, Nicole deu uma boa olhada nele e piscou. "Do tipo que vai te manter vivo por aqui."

O longo dia de viagem tinha deixado Leo cansado e rabugento demais para bater papo furado, mas Terry não parava de falar no banco de trás sobre mapas topográficos, a formação de cânions em fenda e só Deus sabia o que mais, enquanto Bradley enchia Nicole de perguntas.

"Aonde estamos indo?"

"Ao acampamento."

"Quem mais vai estar lá?"

"Dub, que tá cuidando dos cavalos."

"Você é a chefe?"

"Sou, quando Dub não tá."

"Tem chalés no acampamento?"

"Barracas."

"Você é solteira?"

Nicole ignorou a última pergunta, puxou devagar uma faca da bainha de couro que trazia na cintura e a apoiou sobre a coxa.

Walt se inclinou para ela. "Só pra deixar claro, tem banheiro na trilha?"

Nicole riu por um longo momento, mas sua resposta foi: "Infelizmente, não".

Sem se abalar, Bradley se recostou no assento e virou o rosto para o vento. "Sintam o cheiro. Nada de poluição, de fumaça. Essa é a vida de um aventureiro, a vida do homem em regiões pouco exploradas." Ele levantou a camisa e deu alguns tapas nas costelas. "Meus pelos do peito já estão crescendo. Sinto meus caninos despontando."

Walter enfiou a cabeça para fora da janela e soltou um rugido trêmulo antes de recolhê-la, tossindo. "Engoli um inseto."

"Tem insetos enormes por aqui", Nicole confirmou.

"Tô dizendo", Bradley insistiu, ignorando aquilo e virando no banco da frente para encarar os amigos, "essa viagem vai ser foda. Uma semana sem responsabilidades. Talvez eu não volte mais. Fora que vocês têm um Howard Carter da vida real no grupo de vocês", ele disse, apontando para si mesmo.

Diante do olhar confuso de Nicole, Leo explicou: "O cara que encontrou o rei Tut. Bradley é professor de arqueologia".

Terry desdenhou daquilo. O vento sacudia os tufos de sua barba. "É, mas ele não faz trabalho de campo. Sou o único que já entrou em um cânion em fenda."

"O que exatamente é um cânion em fenda?", Walter perguntou.

Terry se recostou, feliz em discursar para uma plateia cativa. "São gargantas longas e estreitas, canais formados por milhares de anos de água penetrando rachaduras na maciez do arenito."

Os olhos de Bradley se deslocaram de Terry para Walter. "Alguém mais achou a coisa toda desnecessariamente sugestiva?"

Nicole olhou para Walter através do retrovisor e esclareceu: "São tipo uns corredores supercompridos e estreitos entalhados na pedra".

"Ah", Walter fez, satisfeito. "Deve ser legal."

Terry pigarreou. "Voltando. É só vocês ficarem perto de mim. Sei o que eu tô fazendo."

"Prefiro ficar perto do pessoal da empresa", Leo disse, com toda a calma.

Nicole piscou para ele por cima do ombro. "Cara esperto."

Leo sabia que mesmo que Bradley tivesse escolhido um tipo de viagem fora da área de interesse de Terry — tesouros, cânions, bem rústica, estilo Bear Grylls —, o cara ainda assim agiria como se fosse o especialista do grupo. Era melhor ouvi-lo falar sobre alguma coisa que ele conhecia a fundo ou que não conhecia nem um pouco? Leo procurou controlar a ansiedade e a irritação com uma respiração profunda.

Ele não podia fazer nada além de tentar esquecer sua aversão a cavalos e se concentrar na alegria que seria passar uma semana longe do trabalho; não conseguiam ver nada na noite enquanto avançavam a toda velocidade. Leo pensou ter visto um par de olhos brilhando em meio aos arbustos enquanto os faróis subiam e desciam, iluminando a estrada vazia à frente. O ponto alto foi o puxão que sentiu no estômago quando os pneus do carro deixaram o chão e voltaram a ele com um estrépito assustador, levantando terra e pedrinhas na quietude que ficava para trás.

Quando o Bronco finalmente parou, os homens desceram em diferentes níveis de entusiasmo. O primeiro passo de Leo foi vacilante; uma nuvem de poeira se formou quando seu sapato tocou o chão. Uma brisa fresca e quase desconfortavelmente seca soprava, e o cheiro de artemísia e fumaça de madeira, da terra esfriando na abençoada ausência do sol, pesava no ar.

Ao lado dele, Walter deixou a mala a seus pés e apertou os olhos para o horizonte, observando a paisagem com os punhos cerrados na cintura. Não era como se conseguisse enxergar muita coisa — o céu estava mais preto que roxo, como um hematoma iluminado por trás, e as montanhas eram apenas uma sugestão mais adiante —, mas Walter absorveu tudo devagar. Uma fileira de lanternas iluminava o caminho até onde um pequeno acampamento havia sido montado, cerca de quarenta metros adiante.

Nicole já havia dito que estavam indo para um acampamento, só que mesmo na mais tosca de suas viagens pelo menos tinham podido contar com água encanada. Enquanto a seguiam, eles se deram conta de que o acampamento era bastante *rústico*. Seis barracas formavam um círculo com uma fogueira estalando no meio. Ouvia-se o leve relinchar dos cavalos na escuridão. Era lindo. Quanto mais perto chegavam do fogo, mais Leo conseguia distinguir um cercado de ferro com uma cobertura de metal corrugado, uma pequena construção e o que parecia ser um banheiro externo.

Um mastro havia sido fincado perto da fogueira. Nicole pegou uma prancheta que estava pendurada a um prego. "Esse é o acampamento base, então há mais comodidades aqui do que vamos ter no restante da viagem." Ela espantou um mosquito e apontou para as barracas em semicírculo. "Aproveitem o luxo, meninos. Nas barracas vocês vão encontrar comida e água para a noite. Talvez tenha até umas cervejinhas, dependendo da generosidade de Dub. Via de regra, é proibido beber a menos que voltemos a esta base para passar a noite. E só é permitido beber o que nós providenciarmos. Não podemos ter caubóis criando confusão."

Seus olhos pousaram de maneira significativa em Bradley, que se endireitou na mesma hora. Ao lado dele, Walt deu um pulo e agarrou Leo ao ouvir um farfalhar próximo. Por instinto, todos recuaram um passo, menos Leo e Nicole.

"Que porra foi essa?", Bradley sussurrou.

"Só uma raposa ou uma lebre", Nicole disse, sem tirar os olhos da prancheta. "Nenhuma das duas machucaria você."

Aquilo não tranquilizou Walt. Até mesmo Leo teve que admitir que era difícil não se sentir exposto quando se está cercado por nada mais que o céu preto e as estrelas infinitas. O mais perto que havia chegado daquele grau de isolamento fora no verão que passara no rancho Wilder, que pelo menos tinha eletricidade e banheiro interno. Agora eles estavam no meio do nada, com apenas a lua, as estrelas e algumas tochas iluminando o caminho. Leo imaginou que estariam seguros no acampamento, mas até então não houvera nenhum sinal de Dub, e não parecia que Nicole estava muito preocupada com o bem-estar deles.

"Mesmo assim, preciso pedir que não fiquem perambulando. O terreno é plano aqui, mas logo adiante deixa de ser. Não queremos ninguém caindo de um penhasco porque se perdeu quando foi mijar à noite." Ela apontou para um aglomerado de construções. "Tem um barracão e um banheiro prá lá, mas não saíam do caminho iluminado. Se não estiverem vendo o chão, não conseguimos ver vocês."

Terry estava de braços cruzados. "E quanto à questão dos pumas? Li que caçam nesta região. Imagino que tenham armado algum tipo de cerca para proteger o perímetro."

Nicole reprimiu um sorriso. "Cercas não segurariam pumas se eles realmente quisessem entrar."

"Uma arma seguraria", Terry argumentou.

"Não tenho nenhum problema em transformar um galo em uma galinha com um único tiro", Nicole disse, "apesar de que, na minha experiência, armas costumam causar mais problemas que resolver. Mas, se estiver preocupado, pumas não se interessam muito por humanos, e nessa época do ano costumam caçar veados-mula. Se fizer o que nós dissermos, vai ficar em segurança."

"E 'nós' seria só você e sua chefe?", Terry perguntou. Os outros recuaram um passo, para se distanciar da boca dele, que não devia ter visto a faca de Nicole.

"Por que tá supondo que tenho *uma* chefe?", Nicole perguntou, arqueando uma sobrancelha para ele.

Terry inspirou para responder, mas Bradley foi rápido em cortá-lo. "Tenho certeza de que ele só quis dizer que não consegue imaginar um homem te deixando sozinha com um monte de outros homens."

Nicole deu risada. "Posso cuidar de mim mesma sozinha." Leo não tinha dúvida de que era verdade.

Mas Terry não conseguiu se segurar. "Pode mesmo?"

Nicole deu um passo à frente e ficou olho no olho com ele. "Faz quase dez anos que recebemos muito bem os turistas. Alguns caubóis usam este acampamento quando precisam e tem um cara que segue na frente pra ir deixando suprimentos ao longo da trilha, mas vocês não vão ver nenhum deles e não vão precisar deles." Ela fez uma pausa, mas manteve os olhos fixos em Terry. "Isso vai ser um problema? Posso ligar pra alguém vir te buscar antes de sairmos amanhã."

Terry riu, mas recuou um pouco. "Não. Tudo bem."

"Ótimo." Ela continuou encarando Terry por um momento. "Vocês vão conhecer Dub amanhã." Nicole sorriu. "Por que não faz essas perguntas pra ela também?"

Ela entregou alguns papéis a cada um deles. À luz bruxuleante, Leo mal distinguiu o que imaginou ser uma lista de regras grampeada a um breve roteiro de viagem. Ele poderia dar uma olhada naquilo no dia seguinte. No topo da primeira página, circulado em vermelho, estava o número de sua barraca. Nicole mandou que se recolhessem para passar a noite e avisou que o café da manhã seria servido às sete em ponto. "Durmam um pouco", ela disse, com uma piscadela. "Vão precisar."

Leo fez menção de seguir o grupo disperso, mas uma figura ligeiramente fora da luz da fogueira chamou sua atenção, uma miragem sob o luar, saindo do pequeno cercado. Os cabelos bem lisos o recordaram de folhas de outono e pele nua à margem do rio. Era uma lembrança nebulosa, ou talvez ele já estivesse fora do ar, quase sonhando. Balançando a cabeça, Leo entrou na barraca e deitou sobre o saco de dormir. Nem tirou os sapatos. A sensação de déjà-vu se foi antes mesmo que conseguisse compreendê-la, e em poucos minutos ele estava dormindo.

Quatro

Para Lily, não existia essa história de dormir até mais tarde. Não havia feriados, só dias especiais de trabalho, em que usava calça jeans limpa — em vez de calça jeans suja — no jantar. Desde pequena, ela acordava com o nascer do sol. No verão, era preciso dar água e ração aos animais, preparar as refeições e atender os hóspedes. No inverno, o trabalho se alterava, mas os cavalos sempre vinham primeiro, os humanos em segundo lugar e o autocuidado muito, muito depois.

    Enquanto o restante do acampamento ainda dormia, Lily saiu de sua barraca a tempo de pegar o primeiro raio de luz no céu. Ela adorava a localização daquela base. Ficava colada ao cânion Horseshoe e era remota o bastante para lembrar o deserto, mas também próxima o bastante da cidade caso alguém desistisse diante daquela amostra do verdadeiro isolamento em que se encontrariam depois. Sem mencionar que o lugar era lindo. O pessoal da cidade parecia sempre esperar que o deserto fosse estéril, mas ali estava ele, tão vivo quanto qualquer jardim. Havia símbolos nas paredes de pedra e aglomerados de choupos que cresciam aos pés do riacho intermitente no fundo arenoso do cânion. Liquens se espalhavam pelo arenito em vermelho e laranja, amarelo e verde. Cactos se fincavam no solo duro. Flores silvestres brotavam, a grama engolia trilhas, reivindicando seu espaço. O odor pungente do zimbro preenchia o ar.

Era uma manhã fresca e úmida, por causa da rara chuva de primavera que havia caído durante a noite. O descanso do calor dos últimos dias era bem-vindo, mas a chuva podia ser motivo de preocupação por ali. A água corria de um lado para o outro dos cânions de paredes altas, portanto o perigo não era a tempestade acima, e sim a chuva a quilômetros de distância, caindo sobre o terreno elevado. Lily ensinava as pessoas a ouvirem os sinais óbvios de enchente e a prestar atenção aos sinais menores também: correntes de água de repente cheias de galhos e gravetos, rios antes cristalinos de repente enlameados. A chuva da noite anterior não tinha sido muito forte, mas qualquer uma apagava o fogo e trazia lama consigo. Sem fogo, não havia comida, e qualquer guia concordaria que os turistas podiam enfrentar a bunda dolorida e a cama dura, mas não a barriga vazia. No rancho, o pai de Lily costumava dizer: "É só deixar os caras cansados e de barriga cheia". Isso era verdade no rancho e era ainda mais verdade ali.

Lily reavivou o fogo e ficou vendo as brasas piscarem e brilharem antes de finalmente ganharem vida. Quando a fumaça já espiralava acima de sua cabeça, Lily pôs a água para ferver e preparou o café.

Os cavalos foram alimentados e inspecionados, os cascos foram limpos. Lily tinha oito, cada um com suas peculiaridades e temperamento — o que facilitava a tarefa de atribuí-los a pessoas dos mais diversos níveis de habilidade em montaria —, cada um deles mais mimado que a própria Lily.

Bonnie, uma égua de dez anos de idade, estava mal-humorada. Tolerou a escova passada em seu rabo, mas batia impaciente os cascos no chão, pronta para sair dali. Era uma região complicada, mas aqueles cavalos tinham sido preparados para ela, e preferiam o ritmo mais lento e o terreno variado — além das guloseimas extras — de um dia na trilha a ficar tranquilos no pasto, na cabana de Lily. Alguns grupos usavam veículos quatro por quatro ou quadriciclos para viajar pela Trilha dos Foras da Lei, mas a maioria dos mapas que Duke Wilder desenhou só podiam ser seguidos a pé ou a cavalo. "Se era bom o suficiente pra foras da lei, é bom o suficiente pra mim", ele costumava dizer.

O pai de Lily era obcecado por aqueles cânions e passara anos perseguindo os mesmos mitos e lendas que ela agora explorava em seus tours guiados e suas caças ao tesouro de mentirinha. Diferente de Duke, no entanto, os aspirantes a guerreiros de fim de semana que a contratavam iam para casa no fim da viagem, voltando para o trabalho, a família e a realidade. Duke podia entrar pela porta fisicamente ao fim de uma escavação, mas nunca estava com a família de verdade. Estava sempre sonhando em encontrar tesouros escondidos havia muito tempo, enquanto o resto de sua vida — a esposa, a saúde e o rancho da família — eventualmente se perdia.

Bonnie relinchou baixo com a chegada de Nicole, que pisava sobre os arbustos. "Bonnie, a mandona, já tá pronta pra ir?", Nicole brincou, acariciando os pelos macios do focinho da égua.

"Alguém sabe que vai ganhar um pouco de hortelã no fim do dia."

Nicole tinha ido de Montana para Utah em busca de trabalho e de uma vida longe da família maldosa e do namorado ainda pior. Lily a conheceu trabalhando no bar. Nicole tinha sido contratada para lavar a louça e preparar a comida gordurosa na cozinha apertada. Na época, dormia em sua caminhonete. Lily a levou para casa e lhe deu um lugar para ficar. As duas estavam quebradas e totalmente sozinhas. Logo formaram um vínculo que só podia existir entre duas mulheres que já estavam cansadas de ter a vida virada de ponta--cabeça por homens impulsivos que tomavam decisões ruins.

Quando Archie sugeriu Lily para ser guia de uma equipe de filmagem procurando locações em Moab, não havia ninguém em que ela confiasse para ir junto senão Nicole. A primeira viagem levou a outra, e quando alguém perguntou sobre história e mitos da região, sobre Butch Cassidy e seu bando terem usado aquelas trilhas para fugir da lei e esconder o que saqueavam, e se os despojos ainda podiam estar por ali, foi como se o fantasma de Duke tivesse voltado para assustá-la. Lily pensou imediatamente na porcaria do diário dele — cheio de anotações aleatórias, enigmas, histórias e mapas. Era uma das poucas coisas dele que tinha algum valor, e ela decidira que devia conseguir tirar *algum* proveito de ter crescido à sombra do famoso Duke Wilder. Quem poderia imaginar que tantas pessoas queriam brincar de caubói?

Mas agora ela estava fazendo aquilo havia sete anos. Era tempo demais para uma coisa que começara por necessidade e da qual ela mal gostava. Dava dinheiro o bastante para Lily não precisar trabalhar no bar de maio a setembro *e* pagar Nicole, e ela tinha conseguido comprar de volta alguns dos cavalos que precisara vender, mas só. Sua picape e o reboque dos cavalos eram muito antigos e Bonnie não estava ficando mais nova. Tampouco Lily estava. Ela amava o deserto, mas queria uma casa de verdade, com filhos e espaço para os cavalos correrem soltos. Ela queria fincar raízes, o que não era algo fácil de fazer no deserto.

"O que achou do novo grupo?", Lily perguntou.

Nicole pegou um balde e o encheu de ração. Com o barulho da comida no balde, cascos bateram na terra e um cavalo malhado de preto e branco trotou alegremente na direção delas, balançando a crina, com a cabeça para trás. Seria um clichê dizer que cavalos ficam parecidos com seus donos, mas tanto Snoopy quanto Nicole derrubariam quem quer que olhasse atravessado para eles sem pensar duas vezes.

"Nada que já não tenhamos visto." Nicole ignorou Snoopy mordiscando sua camisa antes de enfiar a cabeça no balde para se servir. "Tem um mais falante, um que é um docinho, outro que é meio bizarro e..."

Lily parou na hora, com a escova na mão. "Um bizarro?" Ela e Nicole sabiam se cuidar, mas depois que entrassem na trilha estariam totalmente sozinhas. "Ele não deu trabalho, deu?"

"Não." Nic pegou um punhado de cevada e ofereceu a Bonnie. "Só me irritou. E tem um quietão, bem bonito."

Lily ergueu uma sobrancelha, o que fez Nicole rir. "Gosto de um quietão de vez em quando", ela disse, "mas ele parece um pouco manso demais pra mim. Passou a maior parte da viagem olhando pro céu pela janela."

Antes que Lily pudesse impedir, uma lembrança tomou sua mente: um garoto da cidade apaixonado, fofo e suado, se movimentando sobre ela, em cima de uma pilha de feno coberta, com as estrelas visíveis através de uma rachadura no telhado do antigo celeiro. Leo sussurrara para que ela não fizesse barulho, mas não parara. Na verdade, aplicara ainda mais força, engolindo os sons dela e reprimindo os seus. "Quieto não necessariamente significa manso."

Nicole pareceu escandalizada. "História nova? Você nunca me contou essa."

"Contei, sim", Lily disse, e jogou a escova de Bonnie na caixa.

"Quem era o quietão nada manso?" Nic tocou o lábio repetidamente com um dedo. Suas mãos já estavam sujas.

"Nenhum desses em que você tá pensando."

"O contador do Quebec?" Ela ergueu uma mão. "Espera. O arquiteto do Oregon."

Lily balançou a cabeça, afastando as lembranças. "O sol tá nascendo e ainda temos que fazer o café da manhã."

Nicole parou por um momento, constatando alguma coisa. "Ah. Você tá falando dele."

"Tô."

Com a conversa temporariamente interrompida, as duas se aproximaram do fogo sem dizer nada. A maioria dos pássaros continuava em silêncio, com mais frio do que fome no amanhecer, mas o canto de uma carriça preenchia o ar.

Elas se serviram de café, se limparam e começaram a preparar a comida, sabendo que o cheiro de bacon seria o bastante para atrair os dorminhocos de suas barracas, mesmo que não fosse o bastante para fazer o sol aparecer por trás das montanhas.

"Qual é o plano se pararmos de fazer isso?", Nicole perguntou, mudando de assunto, mas não necessariamente para um assunto que Lily preferisse. Ela sabia que dinheiro e a perspectiva de um futuro sem ele preocupavam Nicole. Era tudo em que Lily conseguia pensar também.

"Ainda não sei. Sempre podemos trabalhar no bar até descobrir."

Um pedaço de manteiga chiou na frigideira quente.

"E o rodeio?", Nicole sugeriu. "Pro rancho. Eu ganhava mais dinheiro com corridas que trabalhando uma semana no bar. Posso entrar pra experimentar."

"Não sei se o Snoopy ainda leva jeito", Lily disse, com uma careta. "Mas te amo por considerar a possibilidade de fazer isso."

Nicole grunhiu, descontando a frustração nas batatas à sua frente. "É por isso que as pessoas sempre fazem todo tipo de merda por dinheiro nos filmes. Talvez Cassidy tivesse razão. Talvez devêssemos simplesmente roubar um banco."

"Não deu muito certo pra ele", Lily a lembrou.

"Porque ele não era uma mulher. Homens são idiotas."

Lily riu enquanto transferia um punhado de cebolas picadas para a frigideira de ferro fundido já quente. "Mesmo se tivermos que servir cerveja e enrolar todos os aspirantes a caubói que entrarem no bar, vamos dar um jeito. Nós duas, juntas." Nicole assentiu. "Vamos aguentar mais uma semana e depois decidimos o que fazer."

O barulho da barraca de lona se abrindo cortou o som de Nicole cantarolando ao fogareiro. Quando Lily levantou os olhos, deu de cara com um homem que parecia saído de outra época.

Ela perdeu totalmente o fôlego.

Lily sabia tudo sobre miragens no deserto, quando a luz desviava, se refratava e se deslocava no ar mais quente, fazendo com que o olho visse uma coisa que não estava ali. Ela já tinha visto aquela miragem em particular, portanto precisou de um momento para se situar e chegar à conclusão de que daquela vez era diferente. Daquela vez não era um truque da luz ou do ar. Não era nem mesmo a força do pensamento positivo.

Daquela vez, o garoto apaixonado da cidade caminhava mesmo em sua direção.

Cinco

Por isso Lily fugiu.

Sem dar nenhuma explicação, ela jogou a colher de madeira na mesa e correu para onde Bonnie pastava preguiçosamente. Lily se agachou atrás da égua e se escondeu, descansando o antebraço no flanco macio do animal enquanto esperava que seus batimentos cardíacos normalizassem.

Que porra é essa?

Leo Grady estava ali.

Leo — o homem que a havia feito acreditar no *felizes para sempre* e depois desaparecera sem uma única palavra — estava *ali*?

Precisando de uma confirmação, Lily olhou por cima das costas de Bonnie, com o coração na garganta. Era ele, sem dúvida nenhuma.

Alto, esbelto, o pescoço macio e dourado despontando do colarinho da blusa térmica da North Face. Ela reconheceria aquele pescoço em qualquer lugar; reconheceria aquela postura e as passadas longas a um quilômetro de distância. O restante dele foi preenchido automaticamente por sua memória. Lily fechou os olhos com força, para afastar outro dilúvio de imagens. Havia levado anos para esquecê-las, e ali estavam elas outra vez, sem ter sido convidadas, rugindo como uma inundação repentina.

Ela rezaria para qualquer deus se acreditasse em algum. Pegaria a caminhonete e iria embora se não se importasse de deixar Nicole sozinha. Lily olhou para sua calça jeans e viu como estava suja e velha. O azul da camisa de chambrê estava desbotado e uma manga tinha uma mancha grande de água sanitária. Ela se sentiu uma maltrapilha na mesma hora. Seu cabelo estava trançado, por praticidade, não por estilo, e ela usava mais protetor solar que maquiagem. Parecia jovem para a idade, mas não no sentido usual da frase. Se o rápido vislumbre indicava alguma coisa, era que Leo tinha se transformado em um homem de verdade. Enquanto isso, lá estava ela, parecendo pobre e descuidada, igualzinha à garota que ele havia abandonado muitos anos antes.

Se é que Leo ia se lembrar dela. Cinco meses juntos tinham sido apagados em uma única manhã. Num minuto, ele estava em cima de Lily, os dois abraçadinhos sobre um cobertor próximo ao rio — Leo fitando a boca dela, os dentes fincados em seu lábio inferior. No outro, estavam dentro de casa, olhando para a velha secretária eletrônica do rancho, com um *vinte e nove* vermelho piscando em um pânico mecânico e insistente.

O resto do dia não passava de um borrão. A mãe dele tinha sofrido um acidente. As mensagens diziam que ia ficar bem, mas estava no hospital, e Leo precisava voltar para casa. Ele correu para o quarto e começou a encher uma mala. Só tinha juntado metade de suas coisas quando chegou a hora de ir. Leo imprensou a boca contra a dela, prometendo que voltaria.

Suas últimas palavras naquela manhã tinham sido: "Te ligo quando chegar".

Ele não ligara.

Lily supôs que estava ocupado com a mãe no hospital. A irmã dele, Cora, que era dez anos mais nova, tinha só doze na época. A mãe tinha muitas responsabilidades e um cargo importante. Mas, quando Lily ligou para Leo três dias depois, não encontrou nem sombra do homem apaixonado e de fala mansa que ela conhecia. Pela primeira vez, ele fora abrupto com ela. "Não posso fazer isso agora, Lily. Te ligo daqui a uns dias."

Fora a última vez que ela ouvira sua voz.

Uma pesquisa patética no Google muito tempo depois, tarde da noite, informou a Lily que Leo Grady havia se formado na NYU no ano anterior. Fora contratado primeiro por uma empresa pequena de tecnologia no Queens, depois por uma maior em Manhattan. Ele não tinha Facebook. Não tinha Instagram. Seu perfil no site da empresa não vinha acompanhado de foto. Lily não sabia se ele havia se casado ou tinha filhos. Amava e odiava, na mesma medida, o fato de que era impossível descobrir mais coisas sobre ele na internet.

Quando o fantasma de seu passado entrou no pequeno banheiro de madeira e desapareceu, ela trotou de volta para Nicole, que cuidava das batatas chiando na frigideira.

"O que foi isso?", Nic perguntou. "Levou uma picada?"

"É. De um... bichão", Lily respondeu vagamente. "Ei, não quer passar você as orientações desta manhã?"

Nicole franziu a testa, confusa, e olhou para Lily por baixo da aba do chapéu. Ela sempre pegava os grupos, Lily sempre passava as orientações. Nunca tinham invertido os papéis.

Nicole transferiu uma pilha de cebolas e batatas crocantes para uma travessa de alumínio e disse: "Dub, você sabe que a única coisa que eu consideraria pior do que passar as orientações seria enfiar o rosto nesta frigideira quente".

Com um suspiro, Lily pegou a prancheta. Nicole também era responsável por escolher os cavalos para cada membro dos grupos com base nas informações fornecidas de altura, peso e experiência montando. Infelizmente, fazia tanto tempo que as duas estavam naquilo que Lily raras vezes via o nome dos integrantes dos grupos e com que cavalo cada um ficaria até estar reunida com eles à mesa do café da manhã, para passar as orientações. Ela baixou os olhos para o papel na prancheta.

Bradley Daniels **Cavalo:** Bullwinkle
Walter Gibb **Cavalo:** Dynamite
Leo Grady **Cavalo:** Ace
Terrence Trottel **Cavalo:** Calypso

"Ah, merda", Lily soltou, baixo.
Talvez seja outro pescoço, outros ombros largos, outro Leo Grady. Ela começou a repassar depressa o conteúdo da pasta do grupo. Sua mão congelou na segunda folha. O formulário e a foto anexada de um homem chamado Bradley voaram para o chão enquanto ela encarava o rosto do homem que costumava conhecer.

Lily fechou os olhos para absorver o golpe final. Um instinto de autopreservação profundamente enraizado fez com que começasse a procurar uma maneira legítima de se livrar daquilo. Podia cancelar a excursão usando uma tempestade iminente como desculpa? Podia alegar que um dos cavalos começara a mancar? Podia fingir que estava doente?

Podia... Mas Lily havia aprendido muito tempo antes que fingir o que quer que fosse era sempre uma perda de tempo para todos os envolvidos.

Olhando para a foto, ela se perguntou quem era Leo agora. E por que estava ali. O nome da empresa dela era Aventuras

Wilder, pelo amor de Deus. Ela não estava exatamente se escondendo.

"Você se lembra do que disse mais cedo?", Lily perguntou, olhando para Nic. "Sobre o grupo? Que tinha um mais falante, um docinho, um bizarro e...?"

Nicole olhou para o lado, pensando. "Um quietão?"

O quietão. O que mais Nicole havia dito? Que ele era bonito? Lily voltou a olhar para a foto. O Leo de vinte e dois anos era uma gracinha. Tímido, fofo e sempre perdido em pensamentos. Mas aquele Leo — que devia estar com trinta e dois anos — era devastador. O Leo da foto estava em uma sacada em algum lugar, com uma cerveja na mão, rindo para a pessoa que segurava a câmera. O cabelo ainda era tão bagunçado e escuro quanto ela lembrava, sempre espetado pela manhã, depois caindo para a frente por conta própria. Os olhos continuavam escuros e brilhantes. O rosto tinha perdido a brandura da juventude e se aguçado desde que os dois tinham se separado, ficando ao mesmo tempo mais delicado e mais masculino. As maçãs do rosto estavam mais pronunciadas, a mandíbula estava mais definida. Seu pescoço continuava tão longo quanto um dia de verão, e seus lábios, tão cheios quanto Lily lembrava.

Meeeerda.

Nicole se inclinou para espiar por cima do ombro da outra o que a havia deixado paralisada daquele jeito. Lily fechou a pasta e a jogou na mesa. Pegou o pedaço de bacon com toda a agressividade e começou a cortá-lo em fatias grossas. Elas chiavam de maneira satisfatória ao cair uma a uma na frigideira quente.

"Tudo bem por aí, Dub?"

Nem um pouco. "Tudo, claro."

Um a um, os membros do grupo começaram a sair das

barracas se espreguiçando e parando para apreciar a vista que passara despercebida na chegada.

"Ah, cara, que lugar maravilhoso."

Da fogueira, a voz de Leo chegou até Lily, fazendo cada centímetro de seu corpo se arrepiar.

Ele ia vê-la. Ia vê-la e ela teria que reagir. Lily Wilder era uma mulher que dava o seu máximo em tudo, inclusive em se manter a pelo menos um braço de distância de qualquer envolvimento emocional. Leo ia estar por perto pela próxima semana, e ela não fazia ideia de como lidaria com aquilo.

Por isso, manteve a cabeça baixa, se escondendo sob a aba do chapéu enquanto levava as travessas de batatas, ovos e bacon para a mesa de madeira no meio do acampamento. Assim que Nicole tocou o sino anunciando o café da manhã, pés sonolentos começaram a se arrastar pela terra seca. Quando uma risada rouca ecoou atrás de Lily, seu estômago se revirou. Ela conhecia o barulho de uma cascavel passando entre os arbustos do rancho, conhecia o grasnar grave de um corvo passando. Conhecia o barulho da água gotejando na primavera e o resfolego impaciente de quando Bonnie não aguentava mais. Assim como conhecia — mesmo depois de todo aquele tempo — o som profundo e vibrante da voz de Leo Grady pela manhã, o modo como ela ia se aquecendo devagar, passando de rochedo a cascalho a uma pedra lisa e polida.

Inspirando fundo, ela se recompôs antes de se virar para os homens que se apresentavam para o café da manhã. "Bom dia a todos."

Lily nem precisou olhar diretamente para Leo a fim de sentir que os olhos dele se arregalavam e se voltavam para ela.

Leo respirou fundo, atordoado. Lily precisou usar toda sua indiferença bem treinada para passar a impressão de que não se lembrava dele. "Vão em frente e encham seus pratos.

Depois que estiverem acomodados, vou repassar a programação com vocês." Ela sorriu tão naturalmente quanto podia, mexendo na frigideira e endireitando a pilha de garfos. "Os próximos dias vão ser puxados, e tem comida mais do que suficiente pra todos aí."

Três homens se reuniram em volta da mesa, fazendo comentários animados sobre a comida e a vista. Leo, não. Lily não tinha certeza se ele havia se movido desde que a vira. Depois de alguns segundos, Leo pareceu voltar à vida. Foi para a ponta oposta da mesa e se sentou devagar no banco. Nem se deu ao trabalho de pegar comida — só ficou sentado ali e enfiou um boné na cabeça para esconder os olhos, baixando-os e encarando a madeira.

Era insuportável. O coração de Lily parecia uma britadeira quebrando o concreto.

"Ontem à noite vocês conheceram a Nicole", ela disse, encontrando devagar um chão nas palavras que já havia dito pelo menos umas cem vezes. Nic acenou de onde estava se servindo de café. Lily ficou satisfeita ao ver que todos os homens endireitaram a postura em resposta.

"Sou Lily Wilder, ou 'Dub', para Nicole. Sejam bem-vindos à Aventuras Wilder. Espero que estejam prontos pra boa comida, cavalos excelentes, uma aventura única e algumas das paisagens mais bonitas que já viram."

O cara que Lily imaginou que fosse o "falante" que Nicole havia mencionado — branco mas bronzeado, em forma, todo penteadinho e com dentes perfeitos — bateu uma mão espalmada na mesa, fazendo os talheres tilintarem. "É isso aí!"

"Vocês estão aqui pra um tour guiado por alguns dos cânions mais remotos e bonitos do mundo. Foras da lei famosos do fim do século dezenove, como Butch Cassidy, usavam uma longa trilha que se estendia pelo Oeste para fugir da justiça.

Essa trilha passa por Buraco na Parede, Parque Browns e Poleiro dos Ladrões. Vocês vão cavalgar por esses lugares, como eles fizeram", Lily disse. "Ao longo do caminho, teremos jogos muito divertidos e refeições caseiras, e veremos um pouco de história e geografia. No fim, vocês vão usar suas habilidades recém-adquiridas pra encontrar um tesouro escondido."

O cara alto e tatuado soltou uma risadinha depreciativa. Lily olhou para ele, que passava a mão pelo bigode fino e pela barba rala. Devia ser o bizarro.

Ela o ignorou e prosseguiu. "Perambulei por essas montanhas minha vida toda. Conheço cada trilha, cada ponto de referência, cada planta nelas. Desde que façam como eu digo, prometo que estarão seguros e terão a melhor viagem da vida de vocês. Sou eu que mando durante a trilha. Quando não estiver por perto, Nicole manda. Devem ter notado que somos mulheres. Se tiverem qualquer problema em obedecer a mulheres, em receber instruções nossas, ser respeitosos ou controlar a mão boba, é melhor falar agora, quando ainda podemos ligar pra virem buscar vocês."

Nicole deixou na mesa sua faca, tão grande que chegava a ser cômico, e sorriu para cada um deles por tempo demais para parecer equilibrada. "Algum de vocês tem um problema com isso?"

Três deles fizeram que não com a cabeça, murmurando educadamente. Aquele que Lily concluiu que era o docinho — cachos suaves e escuros, olhos verdes enormes, bochechas cheias e rosadas — engoliu em seco audivelmente, depois sussurrou: "Não, senhoras".

O teimoso solitário cruzou os braços, inclinou o corpo para trás e soltou uma risada seca.

"Tem alguma pergunta?", Lily disse a ele. Era um cara relativamente em forma, de trinta e poucos anos, com um desdém declarado no rosto. Elas quase sempre tinham pelo menos um desses em cada grupo: homens que chegavam achando que sabiam tudo, que ela e Nic eram só duas mocinhas bancando as duronas.

Ao longo da viagem, sempre aprendiam a lição.

"Não." Ele puxou o ar entre os dentes e a olhou de alto a baixo, sem demora. "Tô sentado aqui mostrando meu respeito, querida."

"Que bom." Lily bateu palmas uma vez, embora desejasse poder pular o que vinha a seguir. Por instinto, olhou para Leo, e se sobressaltou ao deparar com os olhos escuros e diretos dele fixos nela. Com o contato visual, foi como se o fogo a consumisse da cabeça aos pés. Lily sentiu o pescoço quente.

Droga.

Ela piscou e olhou para o docinho, que usava uma camiseta bem laranja com DIA! escrito em grandes letras verdes.

"Por que cada um de vocês não me diz o nome e conta um pouco da experiência de vocês com cavalos e quais as expectativas pra essa viagem, pra que a gente possa ajudar com isso? Walter?" Ela olhou para o grupo. "Quer começar?"

"Sou eu", o docinho disse, levantando uma mão e depois limpando o canto da boca com um guardanapo de papel. "Meu nome é Walter Gibb. Andei um pouco a cavalo quando era criança, mas faz um tempão que não cavalgo." Ele pigarreou. "Sou de gêmeos, solteiro e trabalho como facilitador da saúde e do bem-estar de bichos de estimação..."

"Ele é gerente de uma pet shop", o cara da barba rala disse, com um sorriso de desdém.

"Seu nome é Walter?", Lily perguntou a ele.

O bizarro olhou para ela, parecendo ao mesmo tempo confuso e irritado. "Hum, não. Meu nome é Terry."

"Então é melhor não interromper e esperar até eu chamar o seu nome. Não acha?" Ele olhou feio para Lily, que se virou para Walter, sem se deixar afetar. "Pode continuar. Quais são seus hobbies?"

"Tenho um canteiro num jardim comunitário", ele disse, dando de ombros. "Planto alface e flores. Tomate." Ele olhou para o céu, pensativo. "Todo domingo, eu, Leo e a irmã dele, Cora, nos encontramos para um brunch. Fora isso, não tem muita coisa rolando."

Lily sentiu uma pontada no coração diante da menção à rotina de Leo em Nova York, mas seguiu em frente. "E o que espera dessa viagem?"

"Hum... bom, quando eu era pequeno, costumava ir a um acampamento todo verão, e odiava. Passava mais tempo com medo do dia em que meus pais me levariam pra lá do que no acampamento em si. Fui uma criança ansiosa, então nunca andei de canoa, nem participei da corrida de obstáculos ou me envolvi com qualquer coisa além de cerâmica e cantar músicas diante da fogueira. Quando chegamos ontem à noite, eu realmente não queria estar aqui. Mas, depois de uma noite de sono, eu tô considerando essa viagem uma oportunidade de ter uma experiência completamente diferente com acampamentos." Ele olhou para os outros, depois fez uma leve reverência sem levantar. "Obrigado."

Nicole riu. Os sinceros e afáveis sempre amoleciam seu coração. Walter já a conquistara.

"Terry?", Lily disse. "Agora é sua vez."

Ele não se apressou enquanto deixava o garfo de lado, dobrava o guardanapo e se mantinha o centro das atenções. "Já estive por aqui algumas vezes", Terry disse, levantando a manga da camiseta camuflada para coçar o ombro e expor seu bíceps pouco impressionante. "Dependendo de aonde formos, posso sugerir rotas mais eficientes. No dia a dia, cuido de uma loja de caça, pesca e camping em Newark..."

"Ele trabalha no estoque", o falante interrompeu.

"... e tenho um negócio próprio que tá crescendo."

"Ele vende iPhones hackeados", o falante interrompeu de novo.

Lily ficou tentada a repetir que todos teriam sua vez e não deviam cortar os colegas, mas já estava de bode de Terry, e deixou aquilo passar.

O próprio Terry ignorou as interrupções sem se afetar e inclinou o corpo para trás como se todos estivessem encantados com sua apresentação. "Acima de tudo, me considero um aventureiro. Um caçador. Gosto de ficar ao ar livre, de me distanciar das baboseiras da sociedade. Hoje em dia é tudo gay, gênero neutro, sei lá o que mais. Deus do céu. Na natureza, pelo menos posso abraçar o que significa ser homem."

A raiva fez as mãos de Lily se cerrarem sozinhas.

"Por enquanto, vou admitir que esse é o de que menos gosto", Nicole disse sem nem tentar disfarçar, dando voz aos pensamentos de Lily. Leo engasgou com o bacon.

Lily olhou para ela em aviso, e Terry prosseguiu. "Fiz um curso de vida primitiva de catorze dias em Boulder, chamado Ultimate Man. Remei algumas centenas de quilômetros rio Colorado acima. E fiz bungee jump na Bloukrans Bridge, na África do Sul."

"Vocês foram junto?", Lily perguntou, incrédula.

"Tá de brincadeira?", o falante retrucou, sobressaltado. "De jeito nenhum."

"Não mesmo", Terry esclareceu. "Esses bundas-moles não chegariam nem no estacionamento. Fiz essas viagens com meus amigos do trabalho."

"Terry não costuma vir nas nossas viagens", Walter murmurou.

Terry o ignorou e olhou para Lily. "Desculpa, mas posso dizer bunda-mole, chefe?"

"O que você acha?", ela retrucou.

Lily reparou que os outros três pareciam querer desaparecer.

"Como é que eu vou saber o que incomoda as mulheres?", Terry disse, com uma risada convencida.

O falante riu alto. Lily olhou para Terry, se perguntando se o mundo já havia testemunhado alguém que constrangesse a si próprio tanto quanto aquele cara. Já Leo dava a impressão de não estar prestando atenção, mas, de canto de olho, ela o viu levar uma mão ao rosto. Lily encarou Terry, séria: "Você vai ser um problema?".

Ele sorriu com malícia para ela. "Não estava nos meus planos."

"Que bom que estamos de acordo." Com isso, Lily estava oficialmente pronta para seguir em frente. "É a sua vez, loirinho", ela disse, virando-se para o falante.

Ele tinha a mesma idade dos outros e era bonito. Seu cabelo tinha ondas e seus olhos eram azuis. Ele se ergueu com um sorriso sexy exagerado. Sabia que era bonito. Em outro mundo, na noite certa no bar, Lily talvez fosse para casa com ele, porque sempre escolhia os mais gatos.

"Meu nome é Bradley. Mas não gosto que me chamem de Brad. Sou professor de arqueologia na Rutgers." Professor de arqueologia? Interessante. Lily havia conhecido sua cota de professores de arqueologia por causa do trabalho de Duke, mas Bradley não parecia fazer o tipo. Em vez de estar vestido de North Face ou Patagonia dos pés à cabeça, Bradley usava uma camisa xadrez com um BURBERRY escrito no peito e botas de couro preto macio com detalhes em metal polido. Ao fim da semana, as botas do tapado estariam cobertas de sabe-se lá o quê, e ele acabaria deixando-as para trás.

"Andei a cavalo uma ou duas vezes", Bradley prosseguiu, "mas isso faz anos, e tenho certeza de que me saí muito mal. Jogo softbol no fim de semana. Sou o melhor tio do mundo para a srta. Cora e corro de vez em quando com esse molenga aqui." Ele apontou para Leo. "Eu tô aqui porque quero ser caubói por uma semana. Passei no teste?" Ele enfiou as mãos nos bolsos do jeans muito novo e muito azul.

"Por mim tudo bem", Lily disse, dando de ombros. Walter fez "Ê!" para Bradley enquanto ele se sentava.

A enormidade da situação atingiu Lily com tudo quando ela olhou para a prancheta e se deu conta de que restava um único nome. Lily inspirou fundo e procurou se controlar. "Acho que agora é a vez de... Leo", ela disse, com tanta segurança quanto seu coração aos pulos permitia.

Ele se levantou com um aceno de cabeça resignado, e Lily suplicou mentalmente a seu coração que parasse de martelar freneticamente.

Leo pigarreou. Lily torceu para que ele não revelasse que os dois se conheciam. Não se orgulhava do que sua partida tinha feito com ela. Não precisava que aquela cicatriz horrorosa fosse exposta naquele dia.

"Meu nome é Leo. Tenho trinta e dois anos." Ele fez uma pausa, evitando os olhos dela. "Tenho experiência com cavalos." O silêncio pareceu engolir o ar ao redor por alguns momentos, antes que Leo prosseguisse. "Moro em Manhattan e trabalho com TI."

Depois de um instante, com todos claramente esperando mais, Bradley irrompeu em risos. "Revelador, cara... Não seja tímido!"

O trabalho na área de TI não a surpreendeu, mas a maneira como ele falou, sim. Aquela versão de Leo parecia mais reservada e desapegada do que doce e tímida. O Leo que Lily conhecera era um nerd da matemática, mas também reverente em relação a ela, como um pintor em relação à arte. Ele havia se esforçado ao máximo para fazer com que Lily se apaixonasse pela matemática também. Pelo amor de Deus, o cara tinha até uma *equação* preferida — algo relacionado a cortar a superfície de uma esfera que Lily estava certa de que não teria compreendido mesmo que ele tivesse passado os dez anos anteriores tentando explicar.

Lily procurou por pequenos sinais de que ele era real, de que era o mesmo homem que ela conhecera naquela outra vida — um ex-namorado em carne e osso à sua frente. Quando Leo foi ajeitar o boné, ela viu os calos nas palmas de suas mãos. Não indicavam alguém que ganhava a vida trabalhando com as mãos, mas alguém que fazia academia ou se ocupava cuidando da casa. Suas bochechas coradas sugeriam que não passava o dia inteiro num escritório; ele devia sair de bicicleta aos fins de semana ou ir correr no parque. Seu relógio era grande e parecia caro, e não dava apenas as horas, mas também a data, a altitude e o norte. Ela se perguntou com que frequência ele precisava saber aquelas coisas na vida cotidiana. Leo não usava aliança, e o fato de ela ter notado aquilo — assim como a onda de alívio que sentiu — deixou Lily com vontade de quebrar alguma coisa.

Leo se demorou um momento, como se tentasse decidir quão sincero seria. Ele costumava ser um livro aberto, pelo menos com Lily. Ela não fazia ideia do que a nova versão dele estava pensando. "Hobbies... Eu leio bastante. Gosto de andar de bicicleta, de correr..."

"E de trabalhar", Bradley o cortou, dando risada.

"É." Leo assentiu, com uma careta. "E o que espero dessa viagem..."

Ele demorou a completar a frase, e Lily se concentrou na madeira desgastada da mesa. Tinha sofrido com os anos — estava marcada e queimada em determinados pontos, cedendo em outros. Lily se identificava com ela.

"Acho que eu tô procurando aventura. Meu dia a dia é bem rotineiro." Ele pegou o boné e pareceu notar certa solenidade no ar. "Mas talvez seja melhor reduzir minhas expectativas pra *sobreviver*." Seus lábios se curvaram em um sorrisinho quando o comentário fez os outros rirem. O leve vislumbre das rugas que se formavam em seus olhos quando ele sorria fez Lily sentir outra pontada no coração.

Walter bateu palmas com vontade.

"Muito bem." Lily se atrapalhou um pouco, mas logo acenou para que Nicole se aproximasse com uma caixa de metal. "Preciso dos seus celulares." Se eles tivessem lido as orientações, saberiam que aquilo estava por vir. Mas Lily tinha aprendido que não importava o quanto avisassem antes: uma onda de queixas e resmungos sempre se espalhava pelos grupos. Nicole foi dando a volta na mesa e agradecendo a cada um que colava o celular na caixa, relutante.

"Podem ficar com o que tiverem trazido de remédio, claro", Lily prosseguiu. "Se precisarem de alguma coisa, no limite do razoável, é só dizer. Mas a ideia é deixar o conforto pra trás. Vai ser duro mesmo."

Terry soltou uma risadinha maliciosa. Ele ia dar trabalho.

Lily acenou com a cabeça para um pequeno GPS que despontava de um bolso do colete cheio de coisas de Terry. "É melhor deixar isso aí trancado no acampamento. Não vai te ajudar em nada."

Ele fechou os olhos e suspirou. "É um sistema de posicionamento global, querida. Foi feito justamente pra funcionar no meio do nada."

"Bom, quem quer que tenha te vendido isso não te perguntou onde você pretendia usar."

Ele passou uma mão pela barba. "Você entende como o GPS funciona?"

Lily apontou para os pináculos de rocha vermelha que podiam ser vistos à distância. "A gente vai pra lá. Baterias acabam. A cobertura de celular é inexistente. As paredes dos cânions bloqueiam sinais de satélite. E sob o sol não dá nem pra enxergar uma telinha dessas. Você tem um mapa físico na sua mochila. Vai precisar prestar atenção nele e em mim. Não no GPS. Ficou claro?"

"Ela é assustadora, mas eu meio que gosto", Walter sussurrou alto para Leo, que não demonstrava nenhuma reação a tudo o que estava acontecendo, pelo que Lily podia ver.

Ela pegou uma mochila idêntica à que havia deixado nas barracas na noite anterior e começou a descarregá-la. "Cada um de vocês recebeu uma mochila com itens de primeira necessidade. Podem usá-la ou usar a que trouxeram, mas se forem usar a de vocês se certifiquem de que absolutamente tudo foi transferido, incluindo o saco de dormir. Vocês vão precisar de cada item. Qualquer coisa que deixarem no acampamento vai ficar trancada em segurança."

Lily abriu um mapa sobre a mesa. Então deu uma olhada em volta para confirmar que todos prestavam atenção, incluindo Leo. Era uma impressão ampliada de um das dezenas de mapas que Duke havia desenhado ao longo da vida. Seu pai conhecia o sudoeste americano melhor que quase qualquer outra pessoa, e sua experiência costumava ser muito requisitada. Era uma pena que aquilo raras vezes implicasse lucro. Pelo menos para ele. Museus se beneficiavam, artefatos eram devolvidos à sua terra nativa, mas Duke não estava naquilo pelo dinheiro. Às vezes recebia algum tipo de compensação que ajudava a pagar as contas, mas era a emoção da busca que o atraía, desvendar pistas e desenterrar a história lentamente. Era da caçada que Duke gostava.

Lily deu uma batidinha perto do cume onde Duke tinha escrito HORSESHOE com todo o cuidado. "Estamos aqui." Ela deslizou o dedo pela trilha, apontando para algumas paradas. "Hoje à noite, vamos acampar à beira do contraforte de Poleiro dos Ladrões, depois em French Spring, abaixo da Hans Flat.

"Esta parte é importante." Ela pegou outro mapa da área, com curvas de nível. *Muitas* curvas de nível. "Fiquem longe da beirada de qualquer cânion. Garanto que ela nunca é tão firme quanto parece e que vocês não são tão atléticos e equilibrados quanto pensam. Não quero que aprendam isso da pior maneira."

Walter assentiu, com os olhos levemente arregalados de medo.

"Ao longo da viagem, vocês resolverão alguns enigmas e usarão seus mapas pra encontrar o caminho e, no fim, o tesouro." Ela endireitou o corpo. "Vamos falar mais a respeito no caminho, mas primeiro temos que familiarizar vocês com os cavalos. Guardem as barracas e preparem suas coisas enquanto recolhemos o café da manhã. Nos encontramos no curral. Alguém precisa de um bom par de botas?"

Os homens balançaram a cabeça, murmurando "não" bem baixinho. Com exceção de um deles, que ficou em silêncio.

Leo passou as mãos sem jeito pelas coxas antes de finalmente admitir: "Eu preciso".

A última coisa que Lily queria era um motivo para ficar a sós com ele. "Certo." Sua voz saiu cortante. Leo sabia da importância de usar boas botas naquele tipo de situação. "Arruma suas coisas e me encontra depois no barracão, perto dos cavalos."

Leo piscou, sem dúvida ouvindo o tom de voz dela. "Tá."

Enquanto Lily guardava tudo de volta na mochila, os quatro continuavam por ali, conversando diante do café já frio. "O que estão esperando? Precisam que eu carregue vocês no colo?"

Eles foram embora, mas Nicole continuava ali, avaliando a amiga em silêncio. "Vai me contar o que tá acontecendo?"

Lily olhou para ela e depois desviou o rosto. "O que tá acontecendo?"

Os olhos azuis de Nic se arregalaram. Ela afastou o cabelo da testa. "Vai tentar negar?"

Não valia a pena continuar escondendo aquilo dela. "Conheço esse cara."

"O quietão." Não era uma pergunta.

"Isso. Leo." Ela baixou os olhos para as próprias botas e a arrastou pela terra, formando uma linha.

Surpresa, Nic se endireitou e olhou para trás por cima do ombro. "Puta merda. É ele? O Leo do rancho?"

"É."

"O cara te encontrou aqui?"

Lily balançou a cabeça. "Apostaria a própria Bonnie que ele não tinha ideia de que ia me ver."

Nic a avaliou em silêncio por um momento. "Devo me preocupar?"

"Quê? Não, tô bem", Lily garantiu. "Faz um século. Tá tudo bem. Eu tô bem, de verdade."

"Então acho que tá tudo bem", ela disse, irônica.

As duas sabiam que era mentira, mas Nic nem se deu ao trabalho de perguntar outra vez.

Seis

Leo voltou para a barraca pasmo, com o coração acelerado e as palmas das mãos suadas. Um passo depois do outro, seus pés aterrissavam sem jeito no chão — era como se estivesse andando em uma plataforma em movimento ou entrando em um buraco de minhoca. Era como se ele tivesse sido levado de volta àquele primeiro dia no rancho Wilder, quando ela saíra do celeiro e entrara em seu mundo, virando tudo de cabeça para baixo.

Só que agora ele não estava ansioso para descobrir se aquela mulher poderia desejá-lo um dia, nem sonhava com isso — fora apenas lembrado de que tivera a mulher perfeita e a afastara.

Devia arrumar suas coisas, mas em vez disso se sentou pesadamente dentro da barraca, confuso. Não ouvia a voz dela desde a manhã em que Lily tinha ligado para ver como ele estava, depois que ele próprio tinha falhado em ligar. Odiava como tinha sido brusco e cortante — tentara entrar em contato depois, tentara consertar as coisas, mas era tarde demais.

Agora ela estava *ali*, e pela primeira vez em uma década Leo se sentia elétrico, com a mente cheia de expectativas e dúvidas... e mais alguma coisa. Mágoa. Confusão tardia. Por que Lily nunca havia ligado de volta?

Depois de anos se esforçando ativamente para abandonar sua obsessão pelo paradeiro dela e pelo que ela estaria fazendo — invejando o homem imaginário que poderia amá-la e ter a vida dos sonhos que ele, Leo, imaginava —, ali estava ele, cara a cara com seu primeiro amor, no meio do nada. Não tinha ideia de como fingir que estava tudo bem.

Minutos depois, quando o zumbido em seus ouvidos parou e ele já confiava que suas pernas não iam fraquejar, Leo enfiou as coisas na mochila espaçosa da Aventuras Wilder e saiu da barraca. As coisas do café da manhã haviam sido recolhidas e Bradley tentava descobrir como fazer sua barraca caber em um saco do tamanho de um bolso de casaco. Quase todos estavam de jeans e camisa de manga comprida, mas quando Terry saiu de sua barraca tinha trocado de roupa para outro conjunto camuflado de calça militar — com os bolsos da frente cheios de sabe-se lá o quê — e um colete cheio de velcro, correias e ainda mais bolsos, o que parecia impossível.

"Tá pronto pra encarar?", Bradley perguntou a Leo, que olhou para o barracão se sentindo totalmente despreparado para os dez minutos seguintes.

"Tenho que ir buscar as botas."

"Se tivesse prestado atenção à lista, não teria levado bronca da professora", Terry disse.

Bradley bateu com as costas da mão na barriga dele. "Mas você viu a professora? Ela pode me dar umas palmadas no celeiro a hora que quiser."

Bem naquele momento, Nicole passava. Ela estreitou os olhos e Bradley se endireitou na mesma hora, murmurando: "Foi mal". Walter, que tinha acabado de sair do banheiro, não parecia saber onde enfiar os braços, e acabou fazendo algum tipo de saudação.

"Para com isso", Leo murmurou para Bradley antes de deixar sua mochila junto das outras e começar a se dirigir ao outro lado do acampamento.

O barracão era uma construção de madeira ao lado do curral, que estava cheio de cavalos animados, claramente cientes de que era quase hora de partir. Leo estendeu um braço e acariciou um focinho macio ao passar, depois parou à porta. O barracão ficava à sombra de uma oliveira--do-paraíso toda retorcida, perto de onde os cavalos eram lavados. Tinha uma caminhonete e um trailer muito antigos estacionados mais atrás. A porta era larga o bastante para que selas e sacos de vinte quilos de ração pudessem passar. Também contava com o que parecia ser uma fechadura robusta para quando os grupos estivessem percorrendo a trilha. Lá dentro, estava tudo meticulosamente arrumado. Uma onda de nostalgia agridoce o atingiu quando ele sentiu o cheiro inebriante de alfafa e couro.

Lily estava nos fundos, fazendo alguma coisa perto de um gancho grande cheio de cabrestos de náilon. Leo pigarreou, se perguntando se estaria imaginando a tensão no corpo dela. Queria encontrar as palavras certas, a maneira certa de iniciar uma conversa impossível, mas seu cérebro era um nó. Por que ela estava lá? Por que Lily Wilder, entre todas as pessoas, estava organizando caças ao tesouro de mentirinha, quando se ressentia do relacionamento de Duke com caças ao tesouro reais mais do que qualquer outra coisa?

"Precisa de mais alguma coisa além das botas?" Ela não se virou — só pegou um isqueiro para derreter a ponta de uma corda de náilon.

Leo ficou olhando para as costas dela, atento. Seu cabelo estava trançado e passava dos ombros, um pouco mais comprido do que quando haviam se conhecido. As mangas dobradas da camisa expunham os mesmos braços tonificados de antes e as mesmas mãos perfeitas e cheias de calos. Lily tinha mãos lindas, com dedos compridos e quase delicados, mas muito capazes e fortes. Leo lembrou de como ela os passava suavemente pela cabeça de seus cavalos preferidos, de como eram firmes ao lidar com animais assustados. E do hábito de Lily de tamborilar os dedos sem parar quando estava perdida em pensamentos.

Lembrou da sensação daqueles dedos dançando em sua pele nua.

A sucessão de constatações fez Leo se perguntar se superaria o fato de que Lily estava ali. Lily Wilder estava *bem ali*.

Mas notou que ela não parecia afetada por ele de maneira alguma.

"Sei que minha pergunta pode soar meio esquisita", Leo disse, "mas você se lembra de mim?"

"É claro que me lembro de você. O garoto apaixonado da cidade." Ela se virou, e a falta de expressão em seus olhos cor de avelã indicavam que estava sem tempo e sem paciência. Leo tinha visto aquele olhar dezenas de vezes... mas nunca dirigido a ele. Lily havia sido bastante reservada e o afastara a princípio, quase que para testar a força de sua atração, Leo concluíra depois. Assim que ela se entregara, se mostrara tão vulnerável e aberta quanto o céu. Tinha lhe dado tudo sem hesitar: seu corpo, sua inocência, sua confiança.

"E aí?", ela insistiu, impaciente. "Precisa de mais alguma coisa além das botas?"

Ele precisou engolir em seco para conseguir responder direito. "Não."

Lily deixou a corda de lado e foi até um armário, que depois de aberto revelou uma coleção bem-arrumada de botas em estados de uso e desgaste variados. Ela não lhe perguntou de que tamanho ele precisava, e Leo pensou em aceitar o que quer que recebesse. Lily pegou um par da prateleira mais alta, foi até ele e largou as botas a seus pés. Uma nuvenzinha de poeira se levantou em volta de Leo.

"Devem caber", ela disse, depois de voltar ao que estava fazendo.

Quando ele se inclinou para pegar as botas, congelou. *Puta merda.* "Você guardou?"

"Não desperdiço nada."

Ela era tão difícil de entender quanto a Hipótese de Riemann.

Leo se endireitou e foi se sentar em um baú empoeirado para tirar os tênis. Depois de um momento de silêncio tenso, decidiu se arriscar. "Não sabia que a empresa era sua." Ele esperou um pouco, depois insistiu. "Bom, eu não sabia pra onde estávamos indo até chegar ao aeroporto. Nunca..."

"Pode acreditar, Leo", ela o interrompeu, falando baixo. "Sei que você não tinha nenhuma intenção de trombar comigo de novo."

"Isso não..." Ele fechou a boca, porque não confiava no que diria. O que estava acontecendo ali? Leo sabia na época que ela ficaria magoada por ele não ligar de volta, mas o que Lily esperava que ele fizesse?

As palavras lhe falharam, de modo que ele pegou a primeira bota e ficou olhando para ela. O couro marrom continuava macio em sua mão, o salto arranhado, mas firme. Anos antes — talvez um mês antes de botar os olhos pela primeira vez em Lily —, quando Duke lhe dissera ao telefone que ele precisaria de um par de botas de montaria, Leo não fazia a menor ideia do que diferenciava uma bota de montaria de uma bota de caminhada. Na cidade, Duke dera uma olhada nos Timberlands dele e o mandara à Martindale's, onde uma vendedora lhe disse que um bom par de botas podia durar dez anos, se cuidasse bem delas.

Agora, quando Leo calçava o primeiro pé, via que ela estivera certa. A bota estava claramente desgastada, mas, quando ele se levantou, o couro continuava enlaçando o peito do pé e o salto ainda tinha aderência. "Ainda serve direitinho."

Ela fez "hum" de seu canto — indicando que tinha ouvido, mas sem demonstrar interesse.

A posição familiar dos ombros de Lily, que revelavam sua teimosia, abriu uma cápsula do tempo enterrada embaixo das costelas de Leo, fazendo com que uma dor aguda percorresse seu corpo. Ele estendeu o braço e esfregou um ponto logo abaixo do esterno. Tinha amado Lily tão profundamente que aquilo alterara sua biologia. Ali, agora, de pé, parecia que seu amor por ela nunca tinha se extinguido — só fora embalado a vácuo e guardado. Na presença dela, a lembrança física da paixão se libertava, voltando à vida, e a adrenalina invadia sua corrente sanguínea.

Leo sabia que devia ir, mas seus pés não se moviam. Um silêncio pesado se prolongou entre os dois. "Como você tá?", ele perguntou afinal.

"Não vamos fazer isso, Leo", Lily disse, sem se dar ao trabalho de virar. "Não somos amigos que se reencontraram. Sou a guia e você é um cliente. Só estamos conversando agora porque você tá me pagando."

Então tá. Ele se segurou para não responder, sabendo que aquilo não ajudaria em nada. Havia um cânion de mágoa de ambos os lados ali, e cinco minutos em um barracão não iam mudar isso.

Além do mais, estavam em um lugar cheio de objetos afiados. A Lily de que ele se lembrava sabia usar cada um deles — tinha um forcado bem ao lado dela, pelo amor de Deus.

Ainda assim, havia tantas coisas que Leo queria perguntar. Lily sempre odiara aquelas histórias, aquela trilha, a própria palavra *tesouro*. Duke era um andarilho, mas a Lily que ele havia conhecido preferiria ser enterrada no celeiro do rancho Wilder a permitir que outra pessoa o administrasse. Nunca deixaria o lugar por vontade própria.

"Só estava me perguntando o que você tá fazendo aqui", Leo disse afinal. Alguma coisa desagradável se fez notar em suas entranhas. "Por que tá aqui, e não preparando o rancho pra temporada?"

"O rancho não é mais meu." Ela ergueu o queixo. "Agora vai embora. Não temos mais nada pra falar."

Sete

Depois de uma breve explicação sobre a parafernália que usariam, Lily levou o grupo para conhecer os cavalos. Dynamite era paciente o bastante para se manter parado enquanto Walter criava coragem de montar na sela. Bullwinkle — que era tão brincalhão quanto quem o montaria — fez Bradley cair de bunda duas vezes antes mesmo que tivessem deixado o curral. Ironicamente, Terry tinha ficado com Calypso, uma égua rabugenta com o costume de morder. Depois de um momento de hesitação, Leo conseguiu montar o cavalo mais sensível de Lily, um lindo capão de pelagem preta chamado Ace.

Lily procurou conter a irritação. Teria gostado de ver Leo caindo de bunda também.

Eles treinaram a condução, a parada e a descida. Quando estavam confortáveis o bastante para dar uma volta, experimentaram trotar. Leo e Bradley tentaram até galopar, tudo na segurança da pequena área cercada.

Mas, assim que saíram todos para a trilha e a paisagem engoliu o acampamento atrás deles, os quatro homens pareceram se dar conta de que cada passo os levava para mais longe da segurança de seu dia a dia. Iam ficar sem celular, sem computador, sem ninguém a quem pudessem recorrer além de Lily e Nicole.

Lily tinha a impressão de que seria uma longa semana. Porque não importava o que fizesse, não importava a força com que piscasse ou com que beliscasse a própria coxa, não importava que olhasse diretamente para o sol com a intenção de fazer outra imagem se formar em suas retinas, parecia que ela era incapaz de ignorar a realidade: Leo Grady estava de volta à sua vida.

Depois de algumas horas, Lily conseguiu olhar para ele sem que seu estômago revirasse. Leo continuava magro, mas ganhara um pouco mais de corpo, à maneira de um nadador: tinha as costas largas, braços e pernas compridos e músculos definidos. Quando olhava para ele agora, Lily não via nada do jovem que ainda estava em fase de formação. Aquele Leo era um homem que habitava o próprio corpo com toda a naturalidade. Sua postura montado era instintivamente firme, como sempre fora: quadris para a frente, costas retas e relaxadas, calcanhares nos estribos, uma mão descansando na coxa, a outra segurando frouxamente as rédeas.

O Leo ávido e supercuidadoso de vinte e dois anos se transformava em um sonho febril da juventude, uma lembrança pálida em comparação com aquele homem.

Lily levara uma eternidade para perceber que o modo como Leo correra atrás dela naquele verão não era seu padrão. Por semanas, ela supôs que ele era um conquistador se fazendo de tímido. Ninguém com aquela aparência que desse em cima de uma garota tão declaradamente poderia ser tão sincero quanto Leo parecia ser.

Mas Leo era mesmo sincero. E quanto mais ela o conhecia, mais se dava conta de que Leo costumava ser reservado a ponto de se manter em um silêncio estoico. De que ele confiava o fluxo tranquilo de seus pensamentos apenas a pessoas muito próximas. Naquele momento, lembrando como Leo era cuidadosamente controlado — a ponto de passar horas desvendando o corpo de Lily de maneiras que nem ela tinha conseguido ainda, a ponto de, quando ele decidira ficar no rancho, ela ter certeza de que Leo havia considerado tudo o que aquilo implicava, mas também a ponto de ser capaz de desaparecer completamente, como um fantasma na névoa —, Lily quis derrubá-lo do cavalo ela mesma.

"Um cavalo árabe foi a escolha certa pra mim", Terry disse do nada, passando dois dedos pelo bigode sujo de terra. Ele ficava o tempo todo posicionando seu cavalo à frente do restante do grupo, e Lily ficava o tempo todo dizendo que voltasse a seu lugar.

"Calypso é uma quarto de milha, originária dos Estados Unidos", Nicole o cortou casualmente.

"No passado", Terry prosseguiu, ignorando o comentário, "só homens podiam montar cavalos árabes."

"Você fica inventando bobagem o dia inteiro?", Nic perguntou. Ela claramente tinha entrado na fase "de saco cheio das imbecilidades de um cliente". Mal fazia doze horas que eles tinham chegado, o que era um novo recorde.

"Não é bobagem." Terry fez uma longa pausa para pigarrear e dar uma catarrada para o lado. "A linhagem árabe é a única que permanece puro-sangue."

"Isso... *não*." Era a primeira coisa que Leo dizia em horas. "Há um monte de outras raças puro-sangue, Terry."

"É verdade", Nicole concordou, impressionada.

Walter se ajeitou na sela para olhar diretamente para ele. "Você aprendeu isso quando trabalhou no rancho, Leo?"

Leo olhou para Lily rapidamente, depois desviou o rosto. "Eu... bom..."

"Pega leve nas rédeas, Terry", Lily o cortou, salvando a ambos. Na verdade, estava aliviada em descobrir que Leo não havia escondido dos amigos o que havia acontecido anos atrás. Desconfiava que era questão de tempo até que os outros descobrissem tudo; no entanto, quanto mais tempo tivesse sem que ficassem fofocando a seu respeito e a olhando de maneira diferente, melhor.

Terry bufou irritado. "Essa égua precisa de uma mão firme."

"Ela é minha", Lily o lembrou. "Você vai pegar mais leve ou vai ter que percorrer o restante do caminho a pé."

"Hoje é o dia de cavalgada mais curto que teremos", Nic disse. Seus olhos passaram nervosos de Lily a Leo antes de se concentrar no restante do grupo. "Em parte porque vocês vão ficar doloridos. O ponto em que vamos acampar fica a mais ou menos um quilômetro e meio daqui."

"Um quilômetro e meio?" Bradley choramingou e tentou encontrar uma posição mais confortável na sela. "Já não tô sentindo minhas bolas."

Logo em seguida ao comentário, eles fizeram uma curva e o acampamento da segunda noite entrou no campo de visão à distância, deslumbrante: um afloramento de rocha bem vermelha e ondulada abraçando um pequeno pasto aberto de terra também vermelha entremeada por artemísias verdes espalhadas. Lily apertou os olhos para enxergar os quatro fardos de feno com alvos para a competição de arco e flecha, e mais quatro com chifres de ferro para a disputa de laço. Em um baú trancado ali perto, havia quatro cadeados a abrir, quatro livros com um código a decifrar e quatro quebra-cabeças de deslizar a serem montados.

Em geral, aquele era o dia preferido de Lily na viagem. O primeiro dia inteiro no ar fresco, com uma paisagem surreal. Todo mundo se animava a montar, mas depois de algumas horas ficava feliz em descer do cavalo. Os clientes estavam se acostumando à ideia de que estavam ali para se divertir, e topavam qualquer aventura. O jantar daquela noite, chili e pão de milho, era a especialidade dela. Lily adorava os jogos, adorava ver a confiança recém-adquirida dos clientes, adorava o clima de competição amistosa. Mas, daquela vez, um medo vago a consumia, porque, não importava o que Terry achasse que ia acontecer quando chegasse a hora dos jogos, estava equivocado. Ele provavelmente nunca tinha visto Leo em ação.

Eles chegaram ao acampamento em uma fileira preguiçosa, que se arrastava. Os cavalos fingiam estar cansados para receber logo sua recompensa, mas os homens se encontravam genuinamente doloridos e com calor. Com exceção de Leo, cuja postura permanecia ereta e equilibrada sobre Ace. O cara parecia ter sido feito para montar aquele cavalo.

Enquanto Lily desmontava e ia pegar os itens para preparar o almoço na geladeirinha que fora deixada ali para eles, Nicole guiou os homens até a cerca baixa onde os cavalos passariam a noite amarrados, com fácil acesso a sombra, grama e água. Cada um dos quatro desmontou com graus variados de graciosidade. Leo deslizou facilmente de Ace e o amarrou. Lily olhou a tempo de pegar Terry caindo de repente e aterrissando de bunda com um baque, o que a deixou satisfeita. Ele fingiu que havia feito aquilo de propósito, arrancando um pedaço de grama comprido e o enfiando entre os dentes.

"Os cavalos mijam aí", Lily disse. "Só pra você saber."

Ele deixou a grama cair.

Então foi como se a atenção dela fosse atraída por um ímã para a esquerda, onde Leo alongava os músculos doloridos, fazendo sua camisa subir. Ela quis desviar os olhos, tentou de verdade, mas era como se aquele pedacinho de pele cor de mel exposta os tivesse enfeitiçado. Quando Leo virou para tirar a sela de Ace, os músculos de suas costas esticaram o tecido da camisa.

Esse corpo antes pertencia a mim, Lily se admirou. *Esse homem era meu.*

"Certo!", ela gritou, estranhamente alto. Todos se sobressaltaram e se viraram para olhar por cima do ombro. Com um movimento da mão aberta, ela indicou as opções de recheio para montar os sanduíches que havia começado a servir — o almoço que precisavam devorar antes que os jogos começassem. "Comam."

Ignorando seu tom abrupto, os homens atacaram a mesa como se não vissem comida havia uma semana. Lily não ficou secando os antebraços de Leo enquanto ele pegava uma folha de alface para seu sanduíche, ou a maneira como ele trancava o maxilar ao dar uma mordidona voraz. De jeito nenhum.

"Quem pode falar um pouco sobre Butch Cassidy?", Lily pediu, afastando a mente de coisas sensuais e focando em trabalho, profissionalismo e no fato de que *Leo a havia abandonado*. Ela ergueu uma mão rapidamente. "Alguém que não Terry."

Ele riu daquilo, enquanto pegava um belo punhado de presunto. "Por quê? Tem medo de que eu saiba mais do que você?"

Lily piscou e conseguiu segurar uma resposta afiada.

"Ele roubava bancos", Walter disse, botando panos quentes na situação. "E trens. E tinha seguidores, o Bando Selvagem."

"Isso", Lily disse, dobrando algumas fatias de peru para pôr no pão.

Bradley limpou a boca com um guardanapo de papel. "Se essa é a trilha de verdade... eles usavam este exato local pra fugir da lei?"

"Isso", Lily disse outra vez. "E vamos visitar um dos lugares onde Cassidy supostamente escondeu dinheiro que pretendia buscar depois. Muita gente diz que continua escondido."

"Muita gente diz isso porque é verdade, querida."

"Obrigada por concordar comigo, Terry", ela disse, sem emoção na voz. "Walter, você lembra o que eu disse sobre a Trilha dos Foras da Lei?"

"Que atravessava todo o Oeste. Passando por Buraco na Parede, Parque Browns e Poleiro dos Ladrões."

"Exatamente." Lily assentiu. "Estamos aqui, perto de Poleiro dos Ladrões. Um local usado por muitos bandidos para se esconder entre um golpe e outro ou se proteger do inverno. O objetivo dessa viagem é vocês se divertirem juntos, desfrutarem de algumas das mais bonitas paisagens do país e seguirem as pistas até um tesouro escondido." Ela estremeceu por dentro, porque odiava como tudo aquilo parecia ridículo e artificial. Não tivera essa impressão antes, mas *antes* Leo não estava ouvindo — Leo, que sabia melhor do que ninguém que Lily achava que aquela história de que ainda havia dinheiro de Butch Cassidy escondido era uma das lendas mais tolas que circulavam por ali. Walter levantou a mão.

"Diga, Walter."

"Se vários bandidos vinham pra cá, como foi que ninguém mais encontrou esse lugar?"

"Graças ao Código dos Foras da Lei", ela explicou.

"Ladrões também têm honra", Bradley falou, comendo seu sanduíche.

Lily assentiu. "Se a notícia se espalhasse, seria ruim pra todos."

"Acho que faz sentido", Walter disse. "Ei, se encontrarmos o tesouro, vamos dividir entre todos?"

"Não, qualquer coisa encontrada fica com quem encontrar", disse Lily.

Ele franziu a testa. "Acho que devemos dividir entre todos. Parece mais de acordo com o código."

"Gostei da ideia", Bradley disse.

"Ótimo. Mas, pra fazer isso", Lily prosseguiu, "vocês vão precisar decifrar códigos, montar quebra-cabeças, abrir cadeados e talvez até acertar um alvo em cheio. Vamos praticar tudo isso hoje."

"Arco e flecha?" Terry estufou o peito. "Uma vez derrubei um cervo com uma única flechada."

Walter o ignorou e voltou a levantar a mão. "Ela disse enigmas. Eu quero o Leo."

Bradley se inclinou para a frente, quase acertando Nicole com o sanduíche em sua pressa para discordar. "Vai se foder. *Eu* quero o Leo."

"É cada um por si", Lily os cortou, falando mais alto que os dois. "É uma competição amistosa. Vocês não vão se dividir em equipes."

Em meio à sobreposição de protestos — *Mas nunca atirei com arco e flecha*; *Todo mundo sabe que Leo é o mestre dos códigos*; *Nem vem, Walt*; *Enigmas tipo os do* Survivor? —, Lily levantou para recolher as sobras do almoço, ignorando o fato de que seu cérebro reptiliano estava louco para lembrar a todos que, não importava o quanto discutissem, Leo havia sido dela primeiro.

Oito

"São cinco estações", Lily disse a eles, diante do campo repleto de jogos. "O quebra-cabeças de deslizar, o código, o laço, o arco e flecha e o cadeado."

"Não vamos ter que fazer uma fogueira?", Terry perguntou. "Quer dizer que não acha que isso é importante aqui?"

Ela voltou os olhos para ele bem devagar. "Acha adequado quatro amadores tentarem fazer uma fogueira no deserto, Terry?"

Ele ficou em silêncio, parecendo desconfortável. Lily prosseguiu. "Tem um kit em cada estação." Ela explicou o básico, sabendo que precisaria mostrar pessoalmente como atirar com arco e flecha. Acenou com o queixo para irem aonde os alvos estavam montados e ensinou a cada um deles como segurar o arco, como encaixar a flecha, como mirar e soltar. Só Terry e Leo pareciam ter alguma experiência naquilo, mas desde que Walter e Bradley não atirassem para cima ou um no outro, ficaria tudo bem.

"Qual é o prêmio pra quem ganhar?", Terry perguntou.

Nicole sorriu, com um palito de dente na boca. "A chance de morrer como um homem."

"Uma pista extra", Lily a corrigiu. "E uma cerveja a mais esta noite."

Aquilo despertou o interesse deles. Lily reuniu todos no começo do trajeto e apitou, fazendo com que os homens começassem a trabalhar em seus quebra-cabeças de deslizar. Com exceção de Leo. Ele abordou o seu com toda a calma, observando primeiro, sem tocar. Enquanto os outros movimentavam peças freneticamente, virando o quebra-cabeças em diferentes ângulos, Leo só ficava ali, olhando.

"O que ele tá fazendo?", Nicole sussurrou alto, de canto de boca.

"Resolvendo."

Como esperado, Leo deu um passo à frente, se inclinou e depois de dez movimentos decisivos voltou a recuar.

"Pronto."

Lily foi até ele. A paisagem repleta de rochas vermelhas havia sido reconstituída à perfeição. Claro. Ela assentiu, tensa. "Pode ir."

Com um sorrisinho, Leo partiu para decifrar o código. Ele se inclinou com uma caneta na mão e, de novo, ficou só observando. Daquela vez, fez algumas tentativas que fracassaram, mas Lily testemunhou o momento em que tudo se encaixou.

"Ah, ele sacou", Nicole disse.

As duas esperaram que Leo escrevesse a resposta e depois dobrasse o papel para que Bradley, que havia acabado de concluir o quebra-cabeças, não visse a solução.

"Querem conferir?", Leo perguntou, olhando para Lily com divertimento.

Ela cerrou o maxilar, desviou os olhos e se esforçou para reprimir a combinação incômoda de irritação e atração. "Vai logo pro próximo."

Leo demorou um pouco para abrir o cadeado, mas conseguiu antes que Bradley decifrasse o código. Terry decifrou o dele rapidinho, mas a esperança já havia acabado para os outros. Lily desconfiava que ninguém na história das Aventuras Wilder havia concluído a sequência de desafios tão rápido quanto Leo. Ele fizera um laço e laçara os chifres de seu novilho de fardo de feno em menos de um minuto, depois surpreendera até mesmo Lily ao atingir o alvo em cheio pela terceira vez, baixar o braço e olhar para ela.

"Acabou?", Leo perguntou.

"Tá se exibindo?", ela retrucou.

Leo ergueu uma mão para coçar a sobrancelha e apertou os olhos para ela, com o sol atrás dele. "Um pouco, talvez." Seu olhar ardeu por um momento. Foi apenas um lampejo, mas que não passou despercebido a Lily. "Tive que lembrar que já fui bom em alguma coisa além de ficar sentado em uma mesa de escritório."

A vulnerabilidade inesperada em seu tom de voz a atingiu como um soco no estômago. "E? Tá satisfeito?"

"Satisfeito?" Ele sorriu de verdade, finalmente. "Ainda não."

O ar ficou preso no peito de Lily. Ela tinha se equivocado: achava que o que diferenciava Leo de qualquer outro homem não existia mais, havia sido bloqueado com o passar dos anos. Mas o Leo atual não era frio: fora o susto do reencontro que o deixara mudo. E agora o choque estava passando. Lily via com os próprios olhos que ele continuava sendo a mistura paradoxal de homem contido e sangue quente pela qual havia se apaixonado anos antes.

Ela ia precisar de ajuda. Fazia calor, e Leo era todo físico masculino e testosterona. O tecido da camiseta preta abraçava seus ombros largos. Ele também usava uma calça jeans de cintura baixa, gasta e laceada. As botas número quarenta e seis que Lily havia jogado para ele naquela mesma manhã eram de um couro marrom macio.

Lily não conseguiu segurar a risada que escapou como em celebração. Ela *queria* odiá-lo. *Queria* se ressentir daquele homem para sempre. Mas como poderia? Leo a olhava como se ela fosse o grande prêmio, quer ele estivesse consciente disso ou não.

Ela apitou de novo, e toda a atividade à sua volta foi interrompida. "Senhores, temos um vencedor."

Walter soltou uma risada alegre. Mas Terry estreitou os olhos e jogou sua corda no chão. "Você não conferiu o código dele."

"Não precisei", Lily disse, então olhou para Leo. "Qual é a resposta?"

Leo ergueu um canto da boca em um sorriso. "'Devemos fazer o que quer que Lily Wilder mande.' Era um criptograma de troca."

"Droga", Bradley disse. "Como você sabe tudo isso?"

"Fui escoteiro", Leo disse, mantendo os olhos em Lily.

Os dois continuaram se olhando, provavelmente por tempo demais. E então definitivamente por tempo demais, mas alguma coisa profunda estava acontecendo. Uma corda os ligava através do tempo.

"Oi?", Walter disse baixo, acenando confuso.

Quando os dois continuaram se olhando, murmúrios de compreensão começaram a percorrer o grupo.

"Espera aí", Lily ouviu Walter sussurrar. "Bradley, o nome dela é *Lily Wilder*. Não era...?"

"Ah, merda", Bradley sussurrou de volta. "Tem razão. Ela era dona do rancho onde ele trabalhou, não era?"

"Ela era, sim", Lily disse. Raiva, atração e confusão entravam em atrito em sua corrente sanguínea. O segredo tinha sido descoberto, e a culpa era dela. Lily sabia. Mas o que poderia fazer? Tinha sido completamente exposta ao ver

Leo em seu elemento. "Leo e eu nos conhecemos há muito tempo, não é?"

Ele assentiu devagar, soltando o ar. "É."

Mesmo com o passado de ambos exposto para todos verem, o calor do momento não passou de imediato. Infelizmente, ela precisava que passasse, para sua própria sanidade.

"Então tá", Lily disse, desviando os olhos. "Todos leram o código. A hora da fofoca acabou, e agora Lily Wilder quer que vocês tomem um banho e montem suas barracas."

Nove

Depois do jantar — chili demais e pão de milho demais, uma cerveja extra para Leo, o chocolate quente condimentado perversamente delicioso de Lily para todos —, os homens se levantaram devagar, gemendo e com os ossos estalando. À luz da fogueira, encurvados por causa das dores da cavalgada, pareciam dez anos mais velhos.

Walt foi até onde Lily e Nicole repassavam a rota do dia seguinte.

"Queria dar boa-noite e perguntar se posso ajudar com alguma coisa antes de ir dormir." Ele deu uma olhada em tudo, se demorando no velho caderno com capa de couro sobre a mesa — o diário de Duke. "Que legal", disse, se inclinando para tocar a tira de couro amarela que segurava o caderno fechado. "Meio vintage."

"Não é legal nem vintage, te garanto", Lily disse a ele, com uma risada. "Só velho."

Terry deixou sua caneca na bacia e acenou com a cabeça para o caderno. "Não se encontra mais desse tipo."

"Não mesmo", Lily disse, fechando o diário e o enfiando na mochila. Não era louca pelas palavras e pelos desenhos que forravam as páginas, mas mesmo assim se sentia no dever de protegê-lo. "Obrigada por se oferecer, Walt, mas não tem mais nada por fazer. Vocês podem ir pra cama."

Walter murmurou um "Boa noite" agradecido e foi embora arrastando os pés, exausto. Bradley e Terry pareciam querer mais cerveja, mas olharam para Lily e depois para Leo, sentado sozinho à fogueira, e concordaram em silêncio em encerrar o dia.

Só Nic ficou. Ela chamou a atenção de Lily, ergueu uma sobrancelha e inclinou a cabeça, perguntando sem dizer nem uma palavra se a amiga preferia que fosse embora ou ficasse. "Boa noite, Nic."

A hora tinha chegado, Lily imaginava.

Depois que Nic foi embora, Lily se sentou perto do fogo, sem saber por onde começar. Iniciara aquela conversa em sua cabeça inúmeras vezes, mas nunca de maneira satisfatória. Sua imaginação nunca acertava o equilíbrio entre compreensão e mágoa, consolo e castigo.

Por sorte, ela não teve que começar. "Não precisamos falar sobre o que aconteceu, sabe?"

Lily soltou uma risada rouca e cheia de ironia. "Não sei como evitar. Vamos passar a semana inteira juntos. É melhor andar logo com isso."

Antes de Leo, ela era péssima em conversar sobre sentimentos. Em sua defesa, era a única filha de um homem com a profundidade emocional de uma xícara de chá e uma mulher que não havia suportado o isolamento morando no meio do nada com um marido que era ausente mesmo estando fisicamente presente. Seu tio Dan havia lhe ensinado tudo o que Lily sabia sobre cavalos e trabalhar no rancho, mas ele era só ligeiramente mais sensível do que Duke tinha sido. Sentimentos não eram sua prioridade.

Lily sabia que a vida a havia endurecido, mas Leo a amolecera. Ao longo dos cinco meses que tinham passado bem juntinhos, um dia por vez, ele a dobrara. Ao fim, ela havia lhe contado praticamente tudo. Leo precisara insistir um pouco, mas com ele era só Lily abrir a boca que não conseguia mais parar de falar.

Mas havia muito tempo que ela não fazia aquele tipo de coisa.

"Tá." Leo refletiu por alguns segundos, depois foi com tudo. "O que aconteceu? Depois que fui embora, digo."

Ela olhou para sua caneca de metal antes de tomar um gole do chocolate quente que tinha esfriado fazia um bom tempo. "Que direto."

"Você que disse que não somos amigos que se reencontraram", ele falou, olhando para Lily. "Mas talvez seja melhor eu começar perguntando como você tá."

Lily manteve os olhos fixos na fogueira, mas o peso dos olhos de Leo sobre ela a desconcertava. Até que Lily se virou e encarou aqueles olhos escuros e penetrantes. Tão familiares que chegavam a doer. "Talvez seja mesmo. Talvez facilite as coisas."

"Tá bom, Lily." Seu sorriso brincalhão alcançou um pequeno e vulnerável poço de sentimentos dentro dela. "Como você tá?"

"Já estive melhor." Lily soltou uma risada pesada e reprimiu a raiva e a tristeza entaladas na garganta. "Acho que me enganei. Perguntar como eu tô não facilita nada."

Ele passou os olhos pelo rosto dela, do cabelo à boca, e parou ali. Aquele poço vulnerável começou a extravasar, o que era perigoso. Lily virou a cara.

Quando Leo falou de novo, sua voz saiu tão contida que mal passou de um sussurro. "Então talvez eu deva começar por onde queria: o que aconteceu com o rancho?"

Lily manteve os olhos nos dele quando respondeu, porque queria ver sua reação. "Duke vendeu pouco depois que você foi embora."

Leo congelou. "Quê? Por quê?"

"Ele entregou a chave cerca de uma semana depois." Lily concentrou a atenção nas próprias mãos. Seus dedos estavam entrelaçados. "Não sei se você lembra, mas naquela última manhã Duke estava indo embora."

"Eu lembro", Leo disse. "Pra uma escavação."

"Só que não era uma escavação", ela disse. "Nem sei dizer quantas vezes já tentei lembrar se foi ele quem me contou ou se cheguei à conclusão sozinha. Mas Duke estava indo assinar a papelada. Ele vendeu o rancho pra um cara chamado Jonathan Cross."

"Eu não..." Leo deixou a frase morrer no ar, compreensivelmente confuso. "Ele já tinha tudo planejado quando foi embora naquela manhã? Eu achava que ele estava deixando tudo nas suas mãos."

"Eu sei", Lily disse, lembrando-se de como tinha sido inocente. De como ficara animada ao ver Duke partir. "Eu também achava. Mas lembra que ele tinha me deixado um bilhete na mesa?"

Leo fez uma pausa, depois assentiu devagar.

"Era uma de suas charadas idiotas. Ele não foi capaz nem de me dizer cara a cara que ia vender o rancho. Levei uma hora pra decifrar o bilhete tirado do lixo. Dizia que ele tinha planos para o dinheiro. Provavelmente mais uma expedição grandiosa que lhe rendesse outra capa da *National Geographic*." Lily enxugou as palmas suadas nas coxas. "Fiquei tão puta que fui embora naquele mesmo dia."

Leo se inclinou e levou a cabeça às mãos. "Puta merda. Ele não comentou nada."

Ela ia prosseguir com sua história, mas então se deu conta do que Leo havia dito. "Como assim? Quando você falou com Duke?"

"Quando te liguei de volta", Leo disse, como se fosse óbvio. "Sabe, as mensagens que te deixei?"

Confusa e em choque, Lily ficou muda e balançou a cabeça.

"Quando você me ligou... desculpa", ele disse, com o pescoço ficando vermelho. "Eu estava resolvendo a papelada da cremação da minha mãe. Eu... não estava num dia bom. Sei que fui curto e grosso com você, mas..."

"Quê? Sua mãe...?"

"Quando liguei de volta, o telefone nem chamou. Então liguei no fixo e Duke disse que você não estava e que ele passaria a mensagem."

A palavra "cremação" girava na mente dela. A mãe de Leo havia morrido.

"Você deixou um recado com meu pai?"

Ele confirmou com a cabeça. "Deixei. Deixei alguns, na verdade."

O queixo de Lily caiu. As palavras começaram a sair, sem rodeios. "Nunca recebi seus recados. Tudo o que eu sabia era o que você me disse na manhã em que foi embora: que ela tinha sofrido um acidente, mas estava bem."

Leo franziu a testa. "Eu disse pro Duke que a minha mãe tinha morrido em decorrência dos ferimentos, e que tinha sido uma surpresa. Disse que não podia deixar a Cora sozinha e voltar pro Wyoming."

As palavras a atingiram como um meteoro caindo do céu. O impacto abalou suas bases. Lily tinha ficado brava, agira por impulso. Mas aquele breve momento de fúria significara não apenas perder o telefonema de Leo, mas também as mensagens de Duke dizendo que a mãe dele havia morrido.

Ela fora uma idiota.

"Sinto muito", Lily disse agora, com a voz abafada. "Nossa. Eu não fazia ideia, Leo." Devagar, ela endireitou o corpo e olhou para ele. A culpa bateu como um trovão em seu peito quando ela disse: "Eu não sabia que você tinha ligado. Não sabia que sua mãe tinha morrido".

"Eu..." Leo não concluiu a frase, mas procurou os olhos dela. "É."

Lily se sentiu deslocada, desorientada. Era como se a lembrança daqueles meses gélidos depois que Leo fora embora tivesse sido apagada. "Fiquei brava com o Duke por ter vendido o rancho, mas não me surpreendeu. Ele nunca se preocupou muito com meus sentimentos. Parei de atender às ligações dele porque não queria ouvir seus planos idiotas ou qualquer desculpa que pudesse dar. Quando os dias passaram e não soube nada de você..." Ela deu de ombros. "Concluí que tinha voltado pra sua vida na cidade e me esqueci. Eu, hum, joguei o celular no rio."

Leo soltou um murmúrio horrorizado, passando uma mão trêmula pelo cabelo. As mechas pretas e macias caíram imediatamente na sua testa. "Então esse tempo todo... Esse tempo todo você achava...?"

"Que você nunca tinha me ligado de volta."

A calma exterior dele se desfez. Leo deu as costas para Lily, soltando o ar que parecia ter ficado preso em algum lugar de seu peito nos últimos dez anos. Ela queria se enterrar no deserto. Ficara tão magoada, era tão jovem, tão reativa, se sentia tão sozinha.

"Por isso você estava tão brava no barracão." Leo se inclinou e voltou a levar a cabeça às mãos, então soltou uma risada irônica. "Nossa. Tá, isso explica bastante coisa."

Ela soltou o ar devagar, um pouco nauseada. "Eu queria ter ficado sabendo do que houve. Sinto muito pela sua mãe."

"Não." Ele virou para olhá-la. "Não consigo imaginar uma combinação pior de circunstâncias. Odeio que você tenha achado que eu simplesmente tinha me mandado."

Ela assentiu e engoliu em seco para conseguir falar, porque de repente sua garganta tinha travado. "Eu sei."

"Minha mãe aguentou mais ou menos uma hora depois que eu cheguei", ele disse, olhando para a fogueira. "Sempre vou ser grato por ter conseguido me despedir. Ela piorou enquanto eu estava no avião. Depois eu só... não sei. Acho que esqueci todo o resto por uns dias... até você. Desculpa, agora sei disso. Acho que alguma coisa dentro de mim se partiu, mas eu não podia me entregar porque..." Ele balançou a cabeça. "A Cora estava com a minha mãe quando o carro bateu e teve uma crise de pânico."

Um silêncio se assentou em torno da fogueira, e até as brasas pareceram congelar. As versões alternativas do passado de ambos se transformaram em caminhos novos na mente de Lily, que por um momento se permitiu conjecturar: *Se eu tivesse ficado com meu celular, ou se Duke tivesse ido me procurar na cidade, ou se o pior não tivesse acontecido e Duke não...*

Não. Lily bloqueou os pensamentos. Mesmo se eles tivessem se falado, não importaria. Dez anos mais velha, Lily Wilder agora sabia que nunca teria dado certo com Leo. A verdade era brutal, mas não havia jeito. A realidade dos dois era muito diferente.

Ela olhou para Leo. "Imagino que seu pai não tenha voltado." Tudo o que Lily conseguia lembrar que ele havia contado era que o pai havia ido embora quando Cora era pequena, e nunca mais aparecera.

Leo balançou a cabeça. "Uma prima da minha mãe no Japão conseguiu encontrar ele, e ele só sugeriu que eu já tinha idade o suficiente pra cuidar de tudo."

"Tudo, no caso, seria *a filha* dele?", Lily perguntou, horrorizada. "Que desgraçado."

Leo assentiu e se ajeitou no assento ao lado dela. "Bem por aí."

Uma quietude — de compreensão — se estabeleceu no ar quente. Aos vinte e dois anos, Leo tinha ficado com a tarefa de criar sozinho a irmã mais nova. "Você ficou em Nova York?"

"No Brooklyn. O proprietário do apartamento era um cara ótimo. Não aumentou o aluguel. Acho que até abaixou e manteve o preço por anos. Teria sido mais barato me mudar, mas minha mãe tinha morrido. Eu não podia deixar o lugar onde a gente morava com ela. Não podia fazer isso com a Cora. Minha mãe tinha algumas economias, e o dinheiro do seguro de vida ajudou. Terminei a faculdade e arranjei um trabalho o mais rápido que pude."

Lily soltou o ar devagar. "E criou sua irmã."

Um sorriso orgulhoso tomou conta do rosto dele. "É."

"Deve ter sido muito difícil. Pra vocês dois."

"Foi a melhor coisa que fiz na vida. Ela se formou na Columbia semana passada, já falei? No outono, vai pra Boston fazer medicina."

Lily assoviou, impressionada. "Uau. Que bom." Ela olhou para Leo. "Mas você notou que deixou de fora a parte sobre você?"

"É..." Ele olhou para Lily e deu de ombros, como se sua própria vida tivesse tão pouca importância que não passaria de um P.S. numa carta. "Pra ser sincero, a sensação é de que só agora eu tô começando a deixar a névoa pra trás."

"Que névoa, hein?"

"É sério." Ele deu uma risadinha. "Uma noite dessas percebi que nos últimos dez anos tive um único objetivo: cuidar da Cora. Não planejei nada pra depois. E agora eu tô me perguntando o que vou fazer da vida."

Ela não tinha como ajudar. Não sabia nem o que faria da própria vida.

Leo se inclinou para pegar um graveto, que ficou batendo contra uma das pedras em volta da fogueira. Lily se lembrou de como ele costumava mudar de assunto com o corpo mais do que com as palavras, e sentiu que estava fazendo aquilo agora. Sua voz estava mais leve quando Leo voltou a falar. "Posso te perguntar uma coisa?"

"Claro."

O sorriso incerto dele era um ataque cada vez maior à libido dela. "O que exatamente vamos encontrar no fim da viagem?"

Não era nem um pouco o que Lily esperava que ele dissesse. "Vocês vão encontrar *a si mesmos*", ela disse, com uma sinceridade exagerada. "Seu amor pela natureza e pela aventura."

A expressão cética e brincalhona de Leo a fez rir.

"Basicamente coisas que as empresas locais doam", Lily confessou. "Em geral, quando vocês desvendam tudo, ficam tão orgulhosos que nem se importam com o que tem na caverna."

"Ah, então quer dizer que o tesouro tá numa *caverna*", ele murmurou, como se fosse um detetive, fingindo anotar aquela informação na palma da mão.

Lily riu com vontade. "Isso talvez não ajude tanto quanto você imagina. Tem milhões de cavernas por aqui."

"Agora fala sério. Vão ser só uns colares de contas e joias falsas em um baú de plástico, né?", Leo disse.

Os olhos dos dois dançavam juntos. "Talvez tenha ioiôs e bolinhas antiestresse."

Lily afinal desviou os olhos, porque se sentia quente demais, e tirou o casaco, procurando ignorar a maneira como os olhos dele passaram por seus braços nus.

"Então tá", Leo disse. "Bom, prometo que vou ser bonzinho e que vou tentar manter Terry na linha tanto quanto possível."

"Qual é a dele, hein?"

"A gente estudou juntos, mas ele era mais amigo de amigos, alguém que eu encontrava em casamentos e tal. Em geral não é convidado pras nossas viagens, por motivos óbvios. Se começar a dar trabalho de verdade, eu cuido dele."

Ela assentiu, então se inclinou para trás e apoiou os pés em uma pedra bem grande ao redor da fogueira.

"Uma última pergunta", Leo disse, "para esclarecer as coisas."

Lily hesitou. O fogo estava agradavelmente quente, de alguma forma condizente com a energia que circulava entre eles. Calma. Relaxante. Nada de explosões e faíscas lançadas para o alto. "Manda."

"O que aconteceu com o Duke?", Leo perguntou. "Vocês dois fizeram as pazes? Onde ele tá?"

Lily soltou uma risada irônica e levou a palma da mão à testa. Quantos vespeiros iam cutucar naquela noite?

Mas o início de sua resposta foi sufocado pelo som abrupto de Nicole gritando: "*O que é que você tá fazendo?*".

Antes mesmo que se desse conta, Lily estava de pé, correndo para as barracas. "Tô mijando, princesa!", Terry gritou de volta.

Lily parou, aliviada, então deu a volta em um pequeno agrupamento de rochas e chegou às barracas montadas em círculo. Terry se encontrava na sombra entre sua barraca e a de Nic, com a calça abaixada e o...

"Ah, não!" Lily desviou os olhos na mesma hora.

"Esse idiota estava mijando do lado da minha barraca." Nic estava furiosa, apontando para onde Terry se encontrava, com o pinto na mão. "Tá maluco? Sobe essa calça!"

"É tarde", Terry a lembrou, sarcástico. "Vocês disseram pra não ficar perambulando no escuro, não foi?"

"Tá, mas você pode se afastar uns dez passos pra fazer xixi!"

Decidindo que não se tratava do tipo de crise que exigia a presença das duas, Lily foi embora, inspirando fundo. Estava dividida. À sua esquerda, Terry estava sendo Terry; à sua direita, pairava a esteira de fumaça da conversa bombástica que tivera com Leo, que ainda não se desfizera.

Lily contou até três e deixou que a adrenalina deixasse seu sangue. Mas era um processo lento, e mesmo depois de várias respirações profundas seus dedos ainda tremiam e ela não se sentia firme. A verdade estava se assentando. Ela achava que ele tinha ido embora para ajudar a mãe a se recuperar de uma perna quebrada, talvez uma concussão. No mundo de Lily, as pessoas se machucavam o tempo todo, mas na juventude ela nunca conhecera ninguém que tivesse morrido em um acidente de carro. Nunca lhe passara pela cabeça quando Leo fora para casa que as coisas talvez fossem muito piores do que ela imaginava. Por muito tempo, ela tinha se visto como a parte injuriada da relação, mas agora chegava à constatação muito desagradável de que tinham sido todos vítimas de péssimas circunstâncias.

Leo continuava ali perto, uma presença muda e imóvel.

Lily poderia voltar a seu lugar à fogueira para responder à pergunta que ele havia feito: *O que aconteceu com o Duke?* Mas ela sabia que nada mudaria caso tivessem aquela conversa. Depois que uma tragédia acontecia, não havia como aliviá-la. Leo tinha sido sua faísca, tinha sido um vislumbre do amor, do riso, da segurança em sua vida, mas sua partida só havia provado o que Lily já sabia: nada de bom durava.

Longe da fogueira, o ar estava fresco e seco. Quando Lily olhou por cima do ombro para Leo, viu em seus olhos que ele também sabia que o momento de ambos havia passado.

Leo sorriu e a deixou ir embora. "Durma bem, Lily."

Dez

Nem mesmo sete dias por semana de atividade física de alta intensidade na academia do Upper East Side poderiam ter preparado Leo para a dor que sentia a cada manhã daquela viagem. No quarto dia, as coisas estavam ligeiramente melhores, mas o primeiro passo ao sair da barraca continuava sendo excruciante. Por vinte minutos, Leo mal conseguia andar, e não eram só as costas, as pernas e a bunda que doíam — até respirar fundo era sofrido; se inclinar para cuspir a pasta de dente iniciava espasmos frenéticos na lateral do corpo. Ele não sabia se devia culpar o frio, o ar seco, as horas a cavalo ou as longas noites dormindo no chão, mas acordava sentindo que havia envelhecido uma década.

Dois dias inteiros tinham se passado desde que ele e Lily haviam conversado à fogueira, e ela estava fazendo o que podia para evitá-lo. Tinha perguntado se Leo queria mais salada de batata no almoço e ordenado que não deixasse Ace pastar enquanto cavalgavam, mas os dois não tinham conversado sobre nada significativo desde então, e nunca tinham voltado ao tema da possível reconciliação dela com o pai. Era como um código que não fora totalmente decifrado.

Perto de um pequeno aglomerado de rochas onde Nicole havia improvisado um lavabo — com um jarro de água fresca, sabonete e algumas toalhas de mão limpas —, Leo olhou para a manhã que nascia lentamente, para os pináculos coroados à distância. Haviam passado por alguns sinais de civilização nos dias anteriores — lixo ocasional, um pneu de bicicleta furado, uma marcação no caminho —, mas era fácil perceber que, mesmo tendo avançado poucos quilômetros, já estavam muito mais isolados. Encontravam-se em uma área despovoada, mas também linda de tirar o fôlego, em que o solo arenoso se alternava com declives íngremes e a face cor de cenoura das rochas. Os arbustos verdes eram mais densos e frondosos onde a terra havia sido escavada e a água se acumulava. Árvores de tronco fino comprovavam a persistência da vida, que se apoiava onde podia. O sol nascendo refletia nas pedras vermelhas de todos os ângulos, iluminando a paisagem em tons impressionantes de tangerina, ferrugem, carmim e vinho. Em algumas horas, o céu estaria quase surpreendentemente azul. A claridade já era intensa, e o ar estava tão seco que fazia os olhos arderem.

Com o suave relinchar dos cavalos e o cheiro de fumaça no ar, Leo quase podia imaginar caubóis atravessando aquela passagem levantando poeira, em meio à cacofonia dos bois e dos cavalos.

Até que ouviu um grunhido e se virou para deparar com metade do corpo de Walter para fora da barraca, com a camisa na metade do tórax e o rosto colado na terra vermelha.

Leo guardou a escova de dente na nécessaire. "Oi, Walt."

Ele olhou para Leo com os olhos abatidos, inspirando piedade. "Minha bunda tá sofrendo."

E a coluna de Leo parecia soldada no lugar. "Levei dez minutos para vestir a camisa hoje."

"Acha que vou conseguir voltar a me sentar como uma pessoa normal?", Walt perguntou, com a voz fina. "Não me lembro da sensação de me aproximar de uma cadeira sem medo."

Leo fez uma careta e se inclinou devagar para ajudar o amigo a se erguer. "Gostaria de ser capaz de arrancar minha própria coluna e bater em Bradley com ela." Os dois cambalearam juntos na direção da fogueira.

Nicole, que já estava preparando o café da manhã, pareceu se divertir assistindo às tentativas de ambos de se sentar graciosamente em uma pedra. "Vai ficar mais fácil, eu prometo."

Walter se sentiu traído. "Foi o que você disse ontem."

Leo levantou os olhos a tempo de ver Lily se aproximar com duas mantas de sela nos braços. Como nos dias anteriores, ela evitou os olhos dele. Seu cabelo estava trançado sob o chapéu, sua calça jeans parecia empoeirada. Lily já devia ter feito mais antes das seis da manhã do que a maior parte das pessoas fazia o dia todo. Só vê-la sob a luz suave da manhã já fazia o coração de Leo dar um mergulho dolorido.

"É melhor tomarem ibuprofeno", ela disse. "Hoje vamos passar seis horas cavalgando."

"*Seis?*", Walter repetiu baixo, horrorizado.

Nicole apareceu e lhe entregou uma caneca de café fumegante, que ele agradeceu com uma reverência rígida. Ela passou a segunda caneca a Leo antes de voltar à mesa. De repente, lhe pareceu ridículo que a vida pudesse simplesmente continuar. Alguns dias antes, Leo levava uma vida segura, ainda que entediante, participando de reuniões e respondendo a e-mails nove horas por dia; hoje, ele sentia que havia sido arrancado da terra e replantado de cabeça para baixo e virado do avesso. Em contraste, Lily ia de um lado a outro com ainda mais facilidade que antes da conversa dos dois, como se tivessem coberto o suficiente de sua história para simplesmente fechar a porta e seguir em frente.

Leo não tinha certeza de que queria que aquela porta ficasse fechada. Ainda tinha muitas perguntas sobre os anos que haviam se passado, e parte dele — uma parte que reconhecia ser nova e instável — achava que talvez quisesse simplesmente explodir a porta.

Ele queria concluir a conversa. Não ia deixar que ela se esquivasse.

Seus olhos permaneceram nela enquanto Lily jogava outro pedaço de lenha no fogo e carregava uma panela de ferro para o ponto onde as chamas tinham se reduzido a brasas. Quando endireitou o corpo, ela o pegou enquanto a encarava, mas ele não desviou os olhos.

"Que porra é essa?" Nicole tinha uma bituca de cigarro na mão. "Esses turistas idiotas estão fumando aqui." Ela seguiu a passos pesados até o lixo. "Vão botar fogo no cânion inteiro."

"Alguém ouviu um farfalhar ontem à noite?", Walt perguntou. "Parecia que tinha alguém circulando aqui fora."

"Provavelmente animais procurando comida", Lily disse a ele. "Somos intrusos aqui, acampados na mesa de jantar deles."

A caneca de Walter estremeceu em sua mão.

Uma barraca se abriu e Bradley saiu dela. Ele se alongou ao sol nascendo. Estava um pouco menos arrumadinho do que quando havia chegado e definitivamente mais animado que os outros.

"Dormi bem pra caramba." Quando ele levantou a camisa para coçar a barriga, Leo notou que Nicole e Lily pararam para olhar, e sentiu a irritação queimando dentro dele. Bradley foi até uma pedra mais pronunciada, apoiou uma bota na borda, levou as mãos à cintura e se concentrou na vista. "Eu me sinto vivo aqui. Meu coração bate mais forte, meu sangue pulsa nas veias."

Terry se juntou a eles minutos depois. Parecia apenas um pouco melhor do que Leo se sentia. "Tenho algumas sugestões de rotas pra hoje", ele disse, pegando uma maçã.

"Já cuidamos disso, Terry", Lily falou, então ignorou a cara de decepção dele. "Desarmem as barracas e estejam prontos pra ir depois do café da manhã. Vai ser um longo dia."

Não era modo de dizer. Quando finalmente chegaram ao ponto em que iam acampar, o calor do dia havia acabado com todo o entusiasmo que lhes restava. A sombra de Ace se alongava no chão, distorcida pelos pinheiros e pelos zimbros irregulares que prosperavam naquele solo árido.

Depois de prenderem os cavalos, eles se reuniram a uma distância segura da beirada do planalto escarpado que dava para o vasto cânion mais abaixo.

"Meu Deus, que alto", Bradley disse, tentando ver mais além. Ele levou uma mão à testa. "Fico tonto só de olhar. Onde estamos mesmo?"

"No Mirante do Labirinto. Tomem cuidado", Lily avisou, com um braço estendido. "Se caírem, é morte certa."

Bradley recuou um passo, obediente.

Leo avaliou à distância o trecho de cânion lá embaixo, com suas formações intricadas e sinuosas. "Nem parece de verdade."

"Não mesmo", Lily concordou. "Mal dá pra acreditar que isso foi feito pela água da chuva procurando o mar."

"Isso me deixa um pouco triste", Walter disse.

Pela primeira vez, Leo desejou poder voar. Havia alguma coisa no cânion que o fazia querer explorar, mergulhar do alto de uma pedra vermelha até outra e descer no labirinto literal de fendas entrecruzadas. Era ao mesmo tempo magnífico e assustador.

"Não vamos descer, né?", Walt perguntou.

"Claro que não", Terry disse. "Um bando de bundas-moles como vocês não duraria um dia lá embaixo."

Walter olhou para ele. "Você já desceu, por acaso?"

Terry ergueu os braços como se aquilo fosse óbvio. "Cara."

"Vocês levam grupos lá embaixo?", Leo perguntou a Lily.

Ela procurou no bolso pelo protetor labial que sempre carregava consigo. Só um ferro quente seria capaz de fazer Leo desviar os olhos enquanto Lily o passava na boca. "Levamos, mas só pessoas com experiência, e só a alguns lugares específicos. Essa região é muito remota. Algumas pessoas chegam pelo rio ou em veículos quatro por quatro, mas as estradas só levam até certo ponto, e é preciso fazer o restante a pé." Ela pressionou os lábios, espalhando o protetor. Leo engoliu em seco e finalmente desviou os olhos.

Bradley soltou uma risadinha baixa ao lado dele e lhe deu uma cotovelada nas costelas. "Tudo bem aí?"

"Você pode fazer esse passeio um dia, Walt, se quiser", Nicole disse. "Vai precisar de um bom guia, mas não é impossível. Olha só pra você e Dynamite. Aposto que nunca achou que montaria como um caubói de verdade."

Walter continuou avaliando o labirinto, parecendo ansioso.

Lily se virou para o caminho de terra atrás deles. "Vamos acampar aqui hoje. Mas primeiro..." Ela se debruçou sobre o engradado cheio de suprimentos que havia sido deixado para eles e tirou uma caixinha de madeira de dentro. "Quero que trabalhem nisso juntos enquanto Nic e eu damos ração e água aos cavalos. Vão precisar do que tá dentro se quiserem comer."

Walt olhou para a caixinha que Lily tinha nas mãos. "Nosso jantar cabe aí?"

Terry revirou os olhos. "Sim, Walter, ela vai alimentar a gente com pílulas que se expandem ao chegar no estômago."

"Legal", Walt murmurou, animado.

Leo puxou a aba do chapéu de Walt até cobrir seus olhos. "Deve ter uma chave dentro ou coisa do tipo."

"É exatamente isso." Lily passou a caixinha a Leo sem olhar para ele. "A chave da caixa onde o jantar de hoje se encontra tá aqui dentro. Não vai ser fácil, então é melhor começarem a trabalhar."

Bradley pareceu convencido. "Não quero te decepcionar, Lily, mas aquele quebra-cabeça de deslizar do outro dia foi só a ponta do iceberg. O Leo aqui é capaz de decifrar qualquer coisa."

"Já fiquei trancado do lado de fora do apartamento quatro vezes, e Leo sempre conseguiu me fazer entrar", Walter concordou.

Leo endireitou o corpo, começando a sentir calor sob o olhar fixo e silencioso de Lily. "Você precisa me ver jogando Tetris", ele brincou, desconfortável.

Ela ergueu as sobrancelhas, parecendo achar graça. "Aposto que é fascinante."

"Transformador." A atração era como uma trepadeira abrindo caminho por entre suas costelas e o apertando por dentro. Ele tocou o peito, distraído, como se pudesse acabar com aquilo. Lily era deslumbrante, muito esperta e ainda mais capaz do que anos atrás, mas Leo sabia melhor que qualquer outra pessoa que a vida dos dois eram peças de quebra-cabeças completamente diferentes.

Mas, quando os olhos de Lily se demoraram nele, a trepadeira voltou a apertar, com ainda mais força.

Ela acenou com a cabeça para a caixa nas mãos de Leo.

"Sorte a de vocês. Porque eu tô falando sério quando digo que não vão comer até conseguirem a chave."

"Odeio você, de verdade." Leo olhou para Bradley por cima do quebra-cabeça de madeira ao qual se dedicavam fazia quase meia hora.

"Será que a gente não pode entrar em um acordo pra lavar a louça em troca da chave?", Walter gritou para as guias. "Meu estômago tá devorando a si mesmo."

"Ah, querido, vocês já iam lavar a louça", Nicole disse, com um sorriso fofo.

"Por que vocês não se concentram um pouco?", Bradley sibilou. "Devemos estar chegando mais perto de abrir."

Aquilo não significava nada. Era uma caixinha de uns quinze por quinze centímetros, feita de pranchas de madeira com um pequeno labirinto embutido na superfície de cada uma. Cada labirinto continha um pino, e o objetivo era descobrir como deslizar cada um para que a ripa correspondente fosse removida. O problema era que eles precisavam trabalhar juntos para pôr cada pino na posição correta, e, embora Leo conseguisse visualizar perfeitamente como aquilo devia ser feito, era um desafio trabalharem com suas mãozorras em um espaço tão reduzido. Depois de mais de seis horas na sela, com a proximidade da hora do jantar fazendo suas barrigas roncarem, "desafio" era dizer pouco.

Mas aquele era o objetivo, claro.

O lado positivo era que agora que estavam apenas os três, trabalhavam relativamente bem juntos. Terry havia se afastado sozinho, para fazer só Deus sabia o quê.

"O que você vai fazer com...?" Bradley deixou a frase morrer no ar e apontou o queixo na direção onde Lily e

Nicole cuidavam dos cavalos. "Faz treze anos que a gente se conhece e nunca te vi olhar pra uma mulher assim."

Com uma risada seca, Leo disse a ele: "Acho que não tem clima pra isso essa semana".

"Do que tá falando? Vocês dois ficaram acordados até mais tarde na outra noite. As estrelas, a fogueira, as barracas. Tá tudo pronto."

"Só estávamos esclarecendo umas coisas." Leo balançou a cabeça. "Ela nunca recebeu minhas mensagens. Não sabia da minha mãe. Achava que eu simplesmente tinha ido embora e esquecido ela."

"Coitada", Walt disse.

Bradley ignorou o comentário. "Você não devia ter falado da morte da sua mãe se queria se dar bem. Você não tem noção, Leo."

Leo soltou um dedo de Walt que tinha ficado preso na caixa. "Ela mora em Utah, eu moro em Nova York. Um diagrama de Venn das nossas vidas nem teria intersecção."

"Não tô falando de celebrar um compromisso", Bradley disse. "Só de um pouco de diversão."

"Seria... complicado."

Bradley olhou em volta para garantir que Lily e Nicole não podiam ouvir. "Posso pedir pra Nicole levar a gente pra dar uma volta amanhã de manhã, aí você e Lily podem molhar o biscoito."

"Bradley!"

"Fazer um rala e rola. Um nheco-nheco. Trocar o óleo."

"Eu já tinha entendido da primeira vez." Leo segurou um pino com o indicador e empurrou outro com o dedão no lado oposto da caixa. "Só decidi ignorar."

"Vestir a peruca no careca", Bradley disse, fazendo Leo estremecer e chocando Walter.

"Essa é péssima."

"Achei que você estivesse me ignorando."

"Cala a boca. Acho que já sei." Leo voltou a se concentrar. Usando a lateral do dedão, ele pôs um pino no lugar com um clique. A ripa de madeira deslizou lateralmente e revelou uma pequena abertura.

"Minha nossa!", Bradley disse, levantando. "Você conseguiu!"

Olhando pela abertura, Leo conseguiu distinguir o brilho de uma chavinha presa a um lado. Tentou alcançá-la, mas foi inútil. Sua mão não passava.

"Você consegue?", ele perguntou para Walter.

Walter tentou, mas também foi em vão. "Precisamos de Terry e suas mãozinhas."

"Cadê ele?", Lily perguntou, chegando na hora certa.

Walter deu de ombros. "Foi dar uma volta."

"Quê?" Ela ficou imediatamente irritada. "Era pra todos participarem."

Bradley não parecia preocupado. "Ele deve ter se afastado um quilômetro pra fazer xixi só pra provar um ponto."

"Relaxa." Passos soaram na terra e todos se viraram para ver Terry saindo de trás de uma pedra. "Só estava explorando um pouco."

"Vocês não podem deixar o acampamento sozinhos", Nicole disse. "Se uma fera atacar você, não vou arrastar o que sobrar de você de volta pra cidade."

"Se uma fera me atacar?" Ele riu, chupando os dentes. "Essa fera seria você, no caso?"

Nicole não disse nada por um momento, então deu um passo à frente. Lily a impediu, estendendo o braço na frente dela. "Terry, precisamos te lembrar das regras?"

Ele riu disso também, enquanto se sentava sobre uma pedra grande e assentia para Bradley. "Cara, você comprou o pacote 'mulher mi-mi-mi', foi?"

Lily congelou no lugar. "Como?", disse apenas, em uma voz baixa e controlada.

Mas a atenção de Nicole tinha se desviado para a mochila aos pés dele. "Terry", ela disse, com todo o cuidado, "o que é isso aí?"

Walt se juntou a ela, feliz que tivesse surgido algo para aliviar a tensão. "É, Terry, o que você..." Quando ele percebeu que Nicole não estava de brincadeira, sua expressão se alterou. "Espera. O que é isso, sério? É o diário da Lily?"

Todos os olhos se desviaram para a mochila aos pés de Terry. Entremeada ao zíper, via-se claramente a tira de couro amarelado que mantinha fechado o caderno que Leo vira Lily carregar algumas vezes nos últimos dias.

Terry se inclinou para tentar esconder aquilo, mas o que tinha acontecido era óbvio para todos ali: ele havia pego o diário de Lily.

"Você tá maluco?", Walter perguntou, soltando uma risada confusa.

Lily deu um passo adiante, mas Terry se ergueu de repente, agarrou a mochila e recuou alguns passos. "Parada."

Um silêncio absoluto se fez enquanto todos os outros tentavam entender o que estava acontecendo. Uma nuvem de poeira se levantou em torno das pernas de Terry, que deslizou uma alça da mochila pelo braço, devagar. Ele olhou de lado, como se fosse fugir.

"Hum..." Bradley olhou para os outros. "Que porra tá acontecendo aqui?"

"Terry", Lily disse, franzindo a testa. "Esse diário é meu."

"Esse diário é *do seu pai*", ele corrigiu.

Diante do tom sinistro na voz de Terry, Leo deixou o quebra-cabeça de lado, ignorando o clique metálico dos pinos voltando a se encaixar. A inquietação se espalhava por seu corpo depressa.

"Bom, agora é meu", Lily disse, firme mas calma, "e quero que você devolva."

A expressão de Terry era um misterioso paradoxo: olhos apertados, mandíbula tensa, sorriso duro, narinas abertas. "Eu estava lendo."

"Sei." Ela assentiu, devagar. "Sem minha permissão."

"Ainda não sei qual é o problema." Ele deu de ombros. "Só dei uma olhada em alguns mapas do Duke. Você nem usa os mapas dele, né?"

"Quem é Duke?", Walt sussurrou.

"O pai dela", Bradley sussurrou de volta.

"Pessoal", Leo sibilou.

Walt o ignorou. "Como você sabe?", ele perguntou a Bradley.

"Terry me contou."

"*Pessoal.*"

"Quando foi que..."

Antes que Walt pudesse concluir a pergunta, Terry soltou um "Idiotas" desdenhoso e fez menção de passar por eles.

Sem entender muito bem se aquela maluquice era séria, Leo se apressou a segurar o ombro dele com uma mão. "Ei. Não acabamos aqui. Devolve o diário dela."

Em vez de obedecer, Terry se virou para Leo e deu um soco no maxilar dele. A dor se espalhou pela lateral do rosto de Leo. Ele cambaleou para trás, mas resistiu ao choque e ao impacto do golpe.

Vozes surpresas irromperam de toda parte. Leo entrou em ação, dando um passo à frente e empurrando o peito de Terry. "Que porra foi essa?"

"Meu Deus", Terry disse. "Nenhum de vocês faz ideia de quanto dinheiro tem por aqui, né? Continuem com suas..."

Walt surpreendeu todo mundo ao sair correndo, arrancar a mochila do ombro de Terry e, como se estivesse pegando fogo, jogá-la para Bradley, que a jogou para Leo.

Terry foi para cima dele, mas Bradley e Nicole o seguraram enquanto o outro se afastava. Leo abriu o zíper e sentiu um buraco no estômago assim que viu o que mais havia ali, logo abaixo do diário.

"Terry", Leo disse, passando o diário para Lily e encarando o outro em uma confusão atordoada. "Cara, essa arma é pra quê?"

"Você trouxe uma *arma*?", Walter perguntou, com um grito agudo. "Não pude nem trazer meu bidê portátil!"

Quando Bradley se inclinou para a frente para olhar, Terry se soltou e foi para cima de Leo. Ele arrancou a mochila das mãos do outro e recuou, sacando a arma. Então olhou em volta, descontrolado, e estendeu um braço para Nicole. Antes que Leo pudesse processar o que estava acontecendo, Terry a agarrou e puxou para si, com as costas no peito dele.

Lily soltou um grito desesperado, e o pânico espiralou dentro de Leo.

"Opa, opa, opa", Bradley disse, levantando a voz e as mãos, em choque. "O que tá acontecendo aqui?"

"Terry", Lily disse, com a voz trêmula. Ela jogou o caderno com capa de couro na terra entre eles. "Terry. Ei. Pode levar. Pode ficar com o diário. Tudo bem. Só abaixa a arma."

Leo levantou as mãos também. O medo era como uma lâmina de gelo perfurando seu peito. "Vamos nos acalmar. Só queremos saber o que tá acontecendo."

"O que tá acontecendo é que você tá metendo as fuças onde não é chamado." As palavras saíram acompanhadas de cuspe. Os perdigotos ficaram presos no bigode de Terry. "Por que não se concentra em correr atrás da filha gostosona e esquece o resto, Leo?"

"Esfolem logo esse cretino", Nicole disse por entre os dentes, apesar da arma apontada para ela.

"Nic", Lily sussurrou. "Não fala nada."

"Você não vai atirar nela", Bradley disse. "É só um grande mal-entendido. Você vai baixar a arma e vamos seguir com a viagem normalmente. Vamos fingir que nada disso aconteceu. Certo, Lily?"

Ela engoliu em seco. "Claro."

"Não é assim simples." Terry passou os olhos pela cena: os rostos, a paisagem, a beirada do cânion logo atrás dele, próxima demais. Então avançou, se inclinou para a frente sem jeito, mas sem soltar Nicole, e pegou o diário antes de se afastar de novo.

"Lily", Walt murmurou. "O que é que tem nesse caderno?"

"Só as anotações do meu pai", ela disse, depois engoliu em seco. "Pode ficar com ele. Não tem problema."

"Tá", Leo disse, apaziguador. "O diário é seu, Terry. Agora solta a Nicole."

"Ela vai comigo", ele disse, tenso. "Se seguirem a gente, eu atiro."

Raiva e pânico eram uma maré salgada subindo dentro do peito de Leo. Ele não podia deixar que Terry fosse embora com Nicole.

Poderia se preocupar depois com o que havia no caderno, com o maluco que Terry havia se tornado, com o verdadeiro motivo de tudo aquilo. No momento, precisava se concentrar em fazê-lo tirar a arma do rosto de Nicole. Leo olhou para o cano do revólver tocando a pele macia da bochecha dela. Os olhos de Nicole estavam bem fechados, uma veia pulsava visivelmente em seu pescoço. Sem pensar duas vezes, Leo irrompeu à frente, agarrou o braço que Terry não estava segurando e a puxou para trás de si. Então envolveu a mão de Terry que segurava a arma com a sua e apontou para o alto.

Ouviu-se um tiro. Todos, com exceção de Leo e Terry, se abaixaram para se proteger, aos gritos.

Terry puxou a arma de volta e recuou mais alguns passos. Sua pele pareceu ainda mais vermelha, se é que era possível. A raiva corava seu rosto quando ele apontou a arma trêmula para Walt, depois para Leo, e finalmente para Lily, que estava agachada mais para o lado, com Nicole em seus braços.

"Só... *relaxem, porra!*", ele gritou.

"Terry", Bradley disse, com a voz trêmula. "Cara, abaixa essa arma. Não tô brincando, porra."

"Eu devia saber que ia acabar assim", Terry disse, fervendo de raiva. "Eu tô cercado por um bando de covardes. A gente não devia ter vindo juntos."

"Não faz isso", Bradley disse, baixo. "Por que é que você tá fazendo isso? Não estraga a viagem, cara."

Mas Leo sabia que a viagem já estava estragada fazia tempo. Levantando as mãos trêmulas para que Terry pudesse vê-las, ele deu um passo cauteloso à frente, depois outro, com o coração na garganta. "Terry. Vou me aproximar e vamos abaixar essa arma. Você pode pegar o caderno e ir embora. O que precisar. Não vale a pena."

Leo se aproximou e envolveu o cano com uma mão, mas assim que ele puxou a arma para um lado, Terry concluiu que estava fodido. Ele entrou em pânico e tentou arranhar o rosto de Leo com a outra mão. Antes que Leo soubesse exatamente o que estava acontecendo, os dois estavam disputando uma arma carregada. Leo ouviu Lily chamar seu nome. Seu coração tinha chegado à boca e batia cada vez mais rápido. Tudo em volta deles era poeira, pânico e barulho.

Walt agarrou o braço com que Terry segurava a arma, para ajudar Leo a tirá-la do controle do outro. A arma se soltou e caiu no chão em meio ao corpo a corpo. Bradley segurou o outro braço de Terry, e finalmente conseguiram afastá-lo. Furioso, Bradley agarrou a camisa de Terry com os dois punhos e o levou para longe.

"Você tá maluco?", Bradley gritou na cara dele. Sua expressão normalmente plácida estava tensa com toda a adrenalina e fúria. "Qual é o seu problema?"

Uma poeira vermelha tinha subido, deixando todos desorientados. Leo não fazia ideia se a beirada do cânion estava atrás ou na frente dele, por isso se ajoelhou com todo o cuidado e tateou em volta para se situar. Em algum momento nos trinta segundos anteriores, a gritaria havia parado de soar como palavras individuais e se tornara apenas ruído. Apertando os olhos em meio à poeira, Leo estendeu a mão para agarrar a panturrilha de Bradley, enquanto gritava desesperadamente para que o amigo deixasse Terry ir e se abaixasse.

Bradley obedeceu.

De repente, o choque tomou conta do rosto de Terry, que arregalou os olhos e sacudiu os braços enquanto a poeira baixava e os seis pareciam se dar conta de que apenas a ponta de um sapato dele continuava em contato com a beirada frágil do cânion. Até que essa ponta escorregou conforme o peso de Terry e a cinética o jogaram para trás.

Por apenas um momento, Terry pareceu estar correndo no ar, sem sair do lugar. Leo estendeu o braço, mas agarrou o vazio.

Porque Terry se fora.

Leo ficou embasbacado com a rapidez com que um corpo humano podia cair. Nunca, nem uma vez na vida, ouvira silêncio igual. Foi como se Terry tivesse levado todo o som com ele ao despencar.

Por dois,

cinco,

dez segundos, eles ficaram olhando para o vazio que o corpo de Terry acabara de ocupar, com o coração acelerado.

Leves redemoinhos de poeira dançavam em volta deles, enquanto a luz diminuía. "Não acredito que isso aconteceu", disse Bradley.

"Talvez... talvez ele tenha sobrevivido", Walter sugeriu.

Eles se aproximaram da beirada e olharam para baixo, com dificuldade de recuperar o fôlego. Era uma queda tão longa que ficava impossível ver claramente de onde estavam, mas os cinco estremeceram juntos quando uma nuvenzinha de poeira se levantou do chão à distância.

Mesmo que ninguém tenha dito em voz alta, todos sabiam que Terry não tinha sobrevivido.

Onze

Ninguém se moveu.

A dormência teve início nos dedos de Lily e subiu pelos braços a uma velocidade chocante enquanto ela registrava o que havia acontecido.

"O que foi que eu acabei de ver?", Nic perguntou, em um grito agudo. "O que eu tô vendo *agora mesmo*?"

Bradley se virou com os olhos arregalados e parecendo histérico. Como se tivessem quebrado o vidro que o protegia em caso de emergência, ele gritou: *"TERRY CAIU DA PORRA DO PENHASCO!"*.

Os pensamentos de Lily derreteram como um pedaço de manteiga numa frigideira quente. O rosto de Nic, de Leo, de Bradley, de Walter... todos contavam a mesma história. Tinham mesmo visto Terry cair no cânion.

Ela sentiu a bunda bater na terra. O medo a preencheu por dentro como o mar frio e violento faria com uma caverna. Alguma coisa disparou no grupo. O caos irrompeu. Bradley continuava gritando. Leo começou a gritar para que Bradley parasse de gritar. Walter gritava que seu intestino grosso era muito sensível ao estresse. Nic gritava pra que todos calassem a boca e se acalmassem. Todos lançavam olhadelas e gesticulavam para o penhasco.

Mas, para Lily, tudo soava como se estivesse acontecendo a quilômetros e quilômetros de distância. Era ruído branco rugindo em seus ouvidos. Não era como se alguém tivesse caído do cavalo ou quebrado uma perna. Alguém tinha morrido em uma viagem sua. Um homem estava *morto*.

Se recompõe logo, Wilder. Levanta, porra.

Ela se pôs de pé, deu alguns passos e empurrou todos para longe da beirada. Bradley rolou e parou com o corpo de lado. Enfiou uma mão no cabelo e gemeu. "Puta merda, puta merda, nunca vi alguém morrer."

A voz de Lily passava uma tranquilidade nervosa. "Respira."

"Não consigo acreditar", Walter balbuciou. "Foi tudo tão maluco, tão caótico, tão... Não consigo acreditar..."

"Espera", ela o interrompeu, sentindo as entranhas se contraírem. Os últimos momentos antes da queda de Terry tinham sido uma confusão de grunhidos, poeira, braços, pernas e gritos. "Alguém *empurrou* o Terry?"

Walter apontou e gaguejou: "O Bradley".

"*Foi um acidente!*", Bradley gritou. "Por que disse isso?"

"Ela perguntou!", Walter gritou de volta. "Não quis ser mal-educado."

"Ele estava armado!", Bradley continuou gritando. "Que caralho o cara estava fazendo com uma arma?"

"Só você queria que ele viesse!"

"Eu não queria! Mas ele..."

"*Todo mundo de bico calado!*" Lily mal conseguia lembrar o que havia levado àquele momento: Terry com o diário de Duke, planejando levar tanto ele quanto Nicole consigo para o deserto... A única coisa em que conseguia se concentrar era no modo como num segundo ele estava ali, suspenso no ar, e no outro não estava mais. De jeito nenhum ele poderia ter sobrevivido. "Não consigo nem me ouvir pensar."

"Tá, tá, tá", Bradley balbuciava. "Podemos lidar com isso. O que vamos fazer agora é dar as costas e ir pra casa. Terry foi embora. Deixou a gente. Vinha dizendo esse tempo todo que não precisava de nós pra sobreviver aqui. E se ele foi embora? E se foi embora sem que a gente soubesse? É possível, não?"

"Ah, nem pensar", Nicole o cortou. "Quer que eu minta pra polícia dizendo que Terry continua vivo em algum lugar? Cara, eu voltaria pra Jesus antes de fazer isso."

"Bradley", Leo disse, tentando acalmá-lo. "Vai ficar tudo bem. Tá? Vamos contar à polícia exatamente o que aconteceu. Terry tinha uma arma. E a apontou pra cabeça de Nicole. Todos brigamos e foi confuso. Você não fez nada de errado."

"Claro que fez!", Nicole gritou, frenética. "Se Walt disse que Bradley empurrou o cara, pra mim isso basta. O resto de nós não vai sofrer as consequências por ele. Caso encerrado!"

Lily se debruçou para a frente, pressionando os olhos com a base das mãos. Aquilo era ruim. Era muito ruim. Ela nunca mais ia sair daquele buraco. Uma acusação de homicídio culposo estava por vir, talvez de negligência também. Mesmo que todos dissessem que Terry os ameaçara com a arma, era dever dela garantir a segurança de todos. O que significava nada de armas de fogo, nada de substâncias ilegais. Aquilo nunca fora um problema, portanto Lily parara de revistar as mochilas fazia séculos. Como ela ia se virar agora? Aquilo era tudo o que sabia fazer, além de cuidar do rancho e trabalhar no bar. Já quisera parar, mas não era uma opção no momento. Como ia sobreviver?

E essa é a melhor das hipóteses, não ter como me virar, ela pensou, sombriamente. *Talvez eu acabe presa.*

A discussão em volta dela pareceu ganhar volume. Antes que pudesse registrar o que estava acontecendo, Lily sentiu uma mão em seu cotovelo. Era Leo a puxando de lado.

"Bradley?" A voz de Leo estava marcada por uma rara hesitação. "O que é que você tá fazendo, cara?"

A arma chacoalhava violentamente na mão trêmula de Bradley, que a apontou para Nic, depois para Lily, depois para Nic de novo. "Não foi isso que aconteceu, Nicole."

"Bradley." Agora as palavras de Leo saíam firmes e baixas. "Pensa melhor, cara."

A realidade a atingiu como um trem quando o cano da arma voltou a apontar para ela. "Mas eu não empurrei o cara!", Bradley gritou.

"Ah, sim, você tá parecendo muito inocente neste momento", Nicole retrucou.

"Nic, você não tá ajudando", Lily murmurou.

A alguns metros de distância, Walter estava debruçado para a frente, gemendo com as mãos na barriga. "Ai, meu Deus, vou cagar nas calças."

Lily deu um passo adiante, com as palmas das mãos para baixo. "Bradley. Abaixa a arma."

"Foi um acidente", ele disse, com a voz aguda de pânico.

"Todos sabemos disso!", Leo garantiu. "Não piora as coisas."

"Me deixa pensar", Bradley gritou. "Puta merda, me deixa pensar."

"Vamos começar nos acalmando", Leo disse, devagar. "Se acalma e põe a arma no chão. Você não é assim."

"Por acaso você sabe como usar uma arma?", Walter perguntou.

"É claro que sei usar uma arma!"

Walter franziu a testa. "É que ela tá travada ainda."

Ouviu-se um leve clique, e Walter soltou um "Ih". Lily viu Nic desembainhar a faca, se posicionar atrás de Leo e pressioná-la contra o pomo de adão dele, o que a deixou horrorizada.

"Nicole Michelle!", Lily gritou. "O que é isso?"

Nicole a ignorou. "Larga a arma, Brad."

"Meu nome é Bradley!", ele vociferou.

"Ele não curte nem um pouco ser chamado de Brad", Walter explicou. "Se quiser que ele abaixe a arma, não..."

"Se vocês não calarem a boca e tirarem a arma das mãos de Brad, vou abrir esse homem do queixo até os testículos", Nic gritou.

O estômago de Lily se revirou quando seus olhos encontraram os de Leo, que se mantinham inabaláveis no rosto dela. Não era hora de contar a ele que os pais de Nicole tinham um açougue.

"A responsabilidade é sua", Bradley disse a Lily.

"Não foi ela quem empurrou um homem de um penhasco", Nicole retrucou.

"Vocês são as guias!"

"Vocês assinaram um termo de renúncia!"

Bradley congelou. "Não assinamos um termo de renúncia de vida!"

"Foi literalmente o que vocês assinaram", Nicole gritou. Lily se encolheu ao ver uma linha fina de sangue escorrendo pelo pescoço de Leo.

"Nic", ela disse, com tanta firmeza quanto possível, "você tá cortando ele."

"Quem disse que não foram *vocês* que empurraram Terry?", Bradley acusou. "Vocês odiavam o cara."

Nicole perdeu o controle. "*Todo mundo odiava o cara!*"

Bradley insistiu, implacável. "Temos mais testemunhas que vocês. Podemos dizer o que quisermos."

"Bradley", Leo disse, com as palmas das mãos para baixo. "Se controla. Terry apontou uma arma pra gente. Foi autodefesa. Você não vai atirar em ninguém e não vai botar a culpa nelas. Não piora as coisas. Seja razoável, por favor. Como vou explicar isso pra Cora?"

Bradley soluçou antes de largar a arma, como se estivesse pegando fogo. Irrompeu em lágrimas no mesmo instante. "Merda. Desculpa." Ele caiu de joelhos. "Surtei. Desculpa, desculpa. Eu nunca..."

Nicole correu na mesma hora para pegar a arma e a revirou nas mãos trêmulas, tentando travá-la de novo.

Leo passou a mão pelo pescoço. "Nicole... só..." Ele foi até ela, pegou a arma e acionou a trava de segurança com toda a calma. "Tá todo mundo bem?" Depois de alguns murmúrios em resposta, Leo se virou para Lily. Seus olhos procuraram os dela, e a mão dele pousou em seu rosto. "Você tá bem?"

Lily precisou se esforçar ao máximo para não se jogar nos braços dele, não o enlaçar e ficar assim até se convencer de que Leo estava a salvo. Ela assentiu e afastou a ardência que ameaçava extravasar de seus olhos. Nunca chorava, a não ser por raiva, e no momento estava furiosa.

"E *você*, tá bem?", ela perguntou.

"Tô."

"Ótimo." Lily se virou para Bradley. "*Você*. Sentado." Ela apontou para uma pedra a uns dez metros de distância. Ele abaixou a cabeça e se esgueirou para longe, com lágrimas no rosto.

Nicole olhou feio para ele. "Posso amarrar os pés e as mãos dele?"

"Não", Lily disse apenas. "Precisamos guardar nossas coisas, dar meia-volta, ligar ou... Merda. Não consigo pensar."

Eles estavam no meio do deserto, a horas de distância da civilização, e tinham que lidar com uma morte. Já estava quase escuro.

Lily ficou vendo Leo se aproximar da beirada, se inclinar e recuperar o diário com todo o cuidado. Ele o espanou e o levou para ela. "Estava preocupado que tivesse caído junto."

Grata, ela pegou o diário, pensando em como parecera que seu coração tinha silenciosamente deixado o corpo quando ela vira Leo correr na direção de Terry e da arma para devolver Nic à segurança. Lily afastou a lembrança e olhou para o caderno de couro macio e desgastado em suas mãos, sentindo a presença de Leo logo atrás dela.

Passado o caos, a descarga de adrenalina a deixara fraca e trêmula. Lily não pôde evitar. Ela se recostou na solidez do peitoral de Leo. Sem hesitar, a mão dele envolveu seu quadril com firmeza, para estabilizá-la.

"Tá tudo bem", Leo disse, baixo. "Eu tô segurando você."

"Será que precisamos descer pra buscar o corpo?", Bradley perguntou do seu canto. Quatro cabeças se viraram para ele, quatro pares de olhos raivosos se estreitaram.

"É só que ele tá lá embaixo", Bradley disse, com as mãos levantadas. "Eu... não sei o que fazer, tá? Desculpa."

Um calafrio percorreu o corpo de Lily, o que fez Leo se posicionar ainda mais perto dela.

"Alguém pode explicar qual é a desse caderno?", Walter pediu, erguendo a voz. "E será que ele trouxe a arma por causa disso? Será que estava planejando roubar o caderno esse tempo todo? Por que ele faria isso?"

"O Duke era famoso no círculo de caça ao tesouro." Lily revirou o diário nas mãos. "Anotou tudo o que sabia aqui. São anos de material. Mapas, notas, enigmas, códigos."

"E como o Terry saberia disso?", Walter perguntou.

"Mantenho o diário sempre comigo porque sei que as pessoas pensam que é valioso." Lily inspirou fundo. "Eu nem sabia disso até a morte do Duke, mas aparentemente ele tinha um grande número de seguidores na internet, fãs que concluíram que ele deixaria o caderno pra outro caçador de tesouros. Mas não foi o caso."

Lily sentiu Leo ficar imóvel atrás dela. Os dois não haviam terminado aquela conversa, e ele ainda não sabia que Duke havia morrido. "Muita gente entrou em contato comigo ao longo dos anos querendo comprar ou tentando me convencer a ceder pra alguém da comunidade. Mas ninguém chegou a vir atrás do diário."

"Então esse caderno tem informações sobre tesouros?", Walt perguntou. "Acha que Terry pretendia encontrar o lugar onde Butch Cassidy escondeu seu dinheiro ou coisa do tipo?"

"O pai dela conhecia tudo sobre o Bando Selvagem", Bradley disse, de seu canto. "Todas as histórias, todas as trilhas."

Nicole lançou um olhar feroz para ele, que se encolheu de culpa, mas acrescentou: "Só tô tentando explicar por que acho que Terry fez o que fez". Ele olhou para Walt. "Uma época, o Duke Wilder era um dos guias arqueológicos mais procurados do sudoeste. Saiu até na capa da *National Geographic*."

"Você sabia que a Lily era filha dele quando fechou a viagem?", Walter perguntou a Bradley.

Ele assentiu, olhando para a terra entre suas botas. "Terry comentou comigo, mas só de passagem. Eu não sabia do diário." Ele ergueu o rosto e encontrou os olhos de Leo, acima do ombro de Lily. "E juro por Deus que não sabia que ela era a sua Lily." Um silêncio invernal se assentou sobre o grupo e uma consciência desconfortável dos pontos de contato entre os corpos de Leo e Lily fez com que esquentassem. Leo começou a se afastar, mas Lily o manteve no lugar pondo sua mão sobre a dele. Ela ouviu a respiração de Leo acelerar.

Reconfortada pelo corpo dele atrás do seu, Lily sentiu que o caos em sua cabeça começava lentamente a se organizar. Ela olhou para o diário em suas mãos e o abriu. Duas folhas haviam sido arrancadas do fim, depois enfiadas de volta, de qualquer jeito, como se Terry tivesse pensado em levá-las, depois acabara decidindo pegar o caderno inteiro.

"O que é isso?", Lily murmurou, pegando as folhas.

A primeira era um mapa. Um dos desenhos aéreos que Duke fez de cânions em fenda. Formados pela passagem da água pelo arenito ao longo de milhões de anos, cânions em fenda eram sinuosos e intrincados, às vezes largos como rios, às vezes estreitos como um braço humano, sempre mortais. Sem um mapa, ficava fácil se perder e nunca mais conseguir sair. Mas cada veio principal e cada fenda desenhados à mão naquele mapa eram acompanhados de um pequeno número ou de uma pequena letra.

"Reconhece esse lugar?", Leo perguntou, pegando a folha dela com gentileza para conseguir ver melhor.

Lily balançou a cabeça. "Tem uns vinte desses mapas aqui, todos cobrindo áreas pequenas demais para que eu consiga apontar exatamente onde fica", ela admitiu. "Mas tenho certeza de que é parte do labirinto."

"Vai ver Terry achava que o Duke escondeu alguma coisa aí", Bradley sugeriu, se aproximando um pouco do grupo.

Nic olhou feio para ele. "Cala a boca, Brad."

A segunda folha arrancada era um enigma traçado na letra de Duke, o que fez o coração de Lily parar por um momento.

"O que é isso?", Leo perguntou baixo, perto do ouvido dela.

Lily inspirou fundo. "Um enigma de Duke Wilder."

"Você já tinha visto?", ele perguntou.

"Já, mas nem dei bola", ela explicou. "Esse diário é todo incoerente, e nunca tive um motivo pra sair resolvendo os enigmas dele. Esta folha e a do mapa eram as últimas do caderno."

Leo voltou a olhar por cima do ombro dela, e os dois leram juntos.

> No fim, a resposta é sim.
> Você tem que ir; eu fui.
> Você odeia ir, mas vai.
> Vai precisar ir, mas não lá.
> Independente do que escolher,
> Garanto que não vai sofrer.
> No mínimo, é livre outra vez.
> Por isso, procure o cepo da árvore de Duke na barriga do três.

Lily leu as palavras de novo e de novo, então murmurou: "Não é hora da porra dos seus joguinhos, Duke".

"Só metade rima", Leo murmurou.

"É a cara do Duke", ela disse. "Que *merda*", soltou em seguida, frustrada.

Leo repetiu os versos enigmáticos, pensando a respeito. Lily sabia que ele hesitava em falar alguma coisa, mas não falou.

Ela se virou para olhar Leo. O rosto dele estava próximo, a centímetros de distância. "O que acha?"

"Que Terry estava procurando por essas folhas", Leo disse, baixo o bastante para apenas Lily ouvir.

"Também acho." Ela voltou a olhar para o enigma. "Mas por quê? Esse caderno tem centenas de folhas."

"Eram as duas últimas, né?"

Lily confirmou com a cabeça. "Mas não são diferentes das outras. Um mapa e um enigma. É literalmente tudo o que tem neste caderno."

Leo a encarou. Seus olhos não perderam o foco enquanto ele pensava a respeito. "Fico pensando se Bradley não tá certo", ele sussurrou. "Se Terry realmente acreditava que o Duke escondeu alguma coisa por aqui. Ou que o Duke sabia que tinha alguma coisa por aqui, alguma coisa que deixou pros outros descobrirem. Talvez Terry precisasse dessas folhas pra encontrar o que quer que seja."

"E você tá concluindo isso a partir do enigma?"

Leo virou o corpo dela para que ficassem frente a frente. "Lê o primeiro verso de novo."

Lily passou os olhos pelas palavras. *No fim, a resposta é sim.*

"Se a resposta é sim", ela disse, compreendendo, "então qual é a pergunta?"

"Exatamente."

Claro. Ele ia querer que ela começasse por ali. A aprovação de Duke ecoou em seus pensamentos. *É a primeira coisa que eu me perguntaria também.* Lily fechou os olhos, refletindo. O que as pessoas sempre perguntavam a Duke?

A resposta lhe veio, clara como o dia: se ele tinha encontrado o dinheiro de Butch Cassidy.

Quando Lily voltou a erguer os olhos, Leo a encarava. A compreensão iluminou os olhos dele assim como havia feito com Lily. Um zumbido agudo tomou seus ouvidos de assalto. Ela não era religiosa, mas uma estranha consciência se espalhou por sua pele, como estática.

"Essas folhas são tão importantes assim, Dub?" Nicole se

aproximou e passou uma mão na frente do rosto. "Tá quase escuro e temos um homem morto no fundo do cânion e um homem que ainda acho que deveríamos amarrar aqui conosco."

Lily se virou, instável, para olhar para a amiga. "Acho que Bradley tem razão."

"Viu?", Bradley gritou de sua pedra, mas logo voltou a se encolher quando todos os outros olharam feio para ele.

"Acho que o Duke pode ter encontrado o tesouro e escondido no deserto." Lily engoliu em seco e olhou para Leo, que assentiu. As folhas rasgadas tremiam na mão dela. "Se ele conseguiu mesmo, acho que isso aqui indica onde está."

Doze

Fez-se silêncio por um longo momento, um silêncio que foi se esticando como um elástico enquanto os outros absorviam o que Lily havia dito.

"Você tá falando de um tesouro *de verdade*?", Walter finalmente perguntou. "Do dinheiro... do Butch Cassidy?"

Lily fez que sim, mas sua cabeça girava. "Acho que estas páginas são o início da busca para a pessoa que o Duke gostaria que ficasse com este caderno. Não conheci nenhum amigo dele do círculo dos caçadores de tesouro, então não faço ideia de quem poderia ser."

Bradley olhou para o restante do grupo, passou uma mão pelo cabelo e fixou os olhos no rosto de Lily. "Achado não é roubado. Mesmo que não fosse a intenção do seu pai que o diário ficasse com você, agora ele é seu."

Aquilo doeu mais do que ela gostaria de admitir. Era a bala que vinha evitando, porque se Duke havia encontrado e escondido o dinheiro... isso implicava que o tinha escondido *dela*. Duke não havia deixado o diário para Lily. Na verdade, não havia deixado para ninguém, mas se desejasse que ficasse com a filha, teria dito para ela em algum momento.

"Tem qualquer coisa no jeito como tá escrito aqui", Lily disse ao grupo, se recompondo. "*A resposta é sim*, diz aqui. Se eu estiver certa, a pergunta é: 'Você encontrou o dinheiro escondido?'."

"O que mais diz aí?", Bradley perguntou, esticando o pescoço.

Lily leu em voz alta, voltou a enfiar as folhas soltas dentro e passou o caderno para Nicole, com um dar de ombros. "Não tenho ideia do que o restante significa." Ela virou para Leo. "O que mais tem na mochila?"

"Ah. Hum..." Ele voltou a abri-la e olhou lá dentro. "Um celular. Sem sinal."

"Desliga pra economizar a bateria", Lily sugeriu.

"Boa ideia." Leo fez aquilo, depois entregou o aparelho a Lily e voltou à mochila. "Um carregador de munição. Uma faca enorme." Ele fez uma pausa e voltou os olhos arregalados para ela. "Enforca-gatos."

Nicole se aproximou para pegar as presilhas de plástico branco e duro. "Não são do tipo que se usa pra impedir os cabos da TV de emaranharem. São algemas de plástico."

"Meu Deus", Lily murmurou, e todos se arrepiaram.

"Nossa", Bradley disse, parecendo que ia passar mal. "Pra que ele pretendia usar isso?"

"Me diz você", ela falou, em tom de acusação. "Não era amigo dele?"

"Eu perdi o controle agora há pouco", Bradley insistiu, chegando um pouco mais perto. "Entrei em pânico. Descul..."

"Tá, tá, vamos nos acalmar." Lily torcia para ter soado mais firme do que se sentia. Estava começando a parecer que Terry não era apenas um babaca, mas um cara perigoso. Ela assentiu para que Leo continuasse a revirar a mochila.

"GPS", ele disse, passando o aparelho rebuscado sobre o qual Lily havia discutido com Terry no começo da viagem. "Comida enlatada, água. Camisinhas..." Leo fez uma careta.

"Oi?", Nicole soltou. "Quem aquele cara achava que..."

Leo cortou aquele assunto voltando a tirar o que havia na mochila. "Um telefone via satélite."

"Pelo menos isso vai ser útil", Lily disse. "Mais alguma coisa?"

Leo deu uma última olhada antes de finalmente entregar a mochila. "Nada que o resto de nós não tenha trazido também."

Bradley se aproximou mais um pouco. "Que caralho ele estava pensando?"

"Você conhece o Terry", Leo disse, então se corrigiu, sem jeito. "Ou... conhecia. O cara estava sempre envolvido com essas bobagens de teoria da conspiração. Eu sabia que ele era péssimo, mas nunca pensei que fosse violento."

"A pergunta é: o que vamos fazer a respeito?", Nicole disse. "Não temos fogo e mesmo que dê pra pedir ajuda pelo telefone via satélite, não vão poder fazer nada até amanhã de manhã."

Lily balançou a cabeça para afastar a sensação vaga de que estava à deriva.

"Nic tem razão", ela disse afinal. Odiava aquilo, mas era verdade. O sol tinha se posto e a temperatura, caído. Sem fogueira, só ficaria cada vez mais frio e mais difícil de enxergar. A última coisa de que precisava era de todos se deslocando aos tropeços no escuro, na beira do penhasco. Usariam o telefone assim que amanhecesse. Ela só precisava manter todos seguros durante a noite.

"Primeiro vamos fazer uma fogueira", Lily disse aos outros. "Podemos pensar no resto depois."

Nicole se jogou no lugar vago em volta da fogueira que já ardia, onde todos haviam se reunido. Eles assistiam em silêncio à fumaça subindo em espiral para o céu salpicado de estrelas, cor de cobalto. Uma estrela cadente passou, mas nem mesmo Walter comentou aquilo. O clima estava tenso e cada um deles ruminava o próprio pânico. Até os grilos pareciam estar prendendo a respiração.

Finalmente, Leo iniciou a conversa que todos sabiam que precisava acontecer. "Estamos todos de acordo com o que vamos dizer à polícia?"

"Terry apontou uma arma pra Nic", Lily disse, robótica. "Quando você foi ajudar, ele caiu do penhasco."

Ninguém falou nada. Para surpresa dela, a primeira voz a se erguer no silêncio foi a de Walter. "Será que a gente não devia dizer que ele caiu no escuro?" As palavras saíam trêmulas. "Fico preocupado que a verdade pareça uma história inventada."

"Docinho tem razão", Nic disse, depois olhou para Lily. "A gente pode dizer que, apesar das regras, Terry se aventurou sozinho e se perdeu."

Lily assentiu, resignada. "Tá."

Em frente a ela, Bradley parecia inquieto. "Não devemos falar sobre a possibilidade de haver um mapa pra um tesouro de verdade na sua mochila, Lily?"

Ele olhou em volta. Leo assentiu devagar em concordância, depois falou:

"Ele sabia quem era seu pai. Trouxe uma arma e algemas de plástico. Levamos essa coisa do tesouro a sério? Ou acham que o Terry só era maluco mesmo?"

"Não sei", Lily admitiu. "Mas ele não foi a primeira pessoa a vir pra cá achando que sabia de alguma coisa. Faz mais de cem anos que procuram esse dinheiro. Meu pai era daqui, o que lhe dava certa vantagem, e trabalhou por décadas com diferentes arqueólogos e historiadores. Devia ser a pessoa mais bem-informada que havia sobre a história."

"E qual é a história exatamente?", Bradley perguntou. "Conta a história toda, em vez da versão resumida."

Lily soltou o ar, sem saber ao certo por onde começar. "O Duke começou a caçar tesouros quando ainda era criança. Passava quase todo o tempo livre pesquisando sobre Butch Cassidy. Trabalhou com equipes arqueológicas bem famosas, mas seu grande amor era uma história em particular." Olhando para o fogo, ela tentava dar uma ordem àquela narrativa. "Já contei um pouco sobre Butch Cassidy a vocês, mas esse nem era o nome real do cara, e sim Robert LeRoy Parker. Ele nasceu aqui, em Utah, em 1866. Na adolescência, começou a trabalhar num rancho onde um cara chamado Mike Cassidy o ensinou a montar a cavalo, atirar e roubar. Os pais do Robert eram fazendeiros mórmons. Se matavam de trabalhar, mas não tinham nada. Mike Cassidy sabia como tirar vantagem das coisas, e era aquilo que o Robert queria."

Lily olhou para os outros um a um e constatou que nenhum deles piscava. Até mesmo Nicole — que provavelmente já tinha ouvido aquela história mais vezes do que gostaria — parecia saber que aquela noite era diferente.

"Pula pra 1889", Lily prosseguiu. "A febre do ouro estava no auge, atraindo homens do país inteiro. Robert estava em Telluride, no Colorado, que tinha o nome de To Hell You Ride ('A Caminho do Inferno') porque saloons, bordéis e apostas proliferavam lá. Ele trabalhava carregando as mulas com minério de ouro pra descer a montanha. Como os pais, não tinha nada. Mas bem ali, na esquina, ficava o Banco do Vale de San Miguel. Era o banco pra onde levavam o ouro, e o Robert sabia disso. Ele pensou em quando a maior quantia estaria acumulada lá e em quem estaria trabalhando. E o mais importante: pensou em como fugir." Lily pegou um graveto e o arrastou pela terra a seus pés, desenhando pequenas espirais.

"O Robert era um cara carismático. Tinha se dado ao trabalho de conhecer as pessoas de fora da cidade, fazer amigos, gastar dinheiro, guardar cavalos em seus estabelecimentos. No dia do roubo, ele e seu amigo Matt Warner esperaram até que houvesse um único funcionário trabalhando. Matt apontou uma arma pro cara enquanto o Robert limpava o cofre. Os dois fugiram e a notícia do roubo se espalhou. Robert se envolveu com um crime, mas não queria envergonhar a mãe mórmon. Por isso começou a usar o nome de Butch Cassidy."

"Espera aí", Walter disse. "Esse Matt é o tal do Sundance Kid?"

"Não. O Sundance Kid se chamava Harry Longabaugh. Ele era da Filadélfia. Como todos os outros garotos da época, sonhava em ir pro Oeste. Se mudou pro Colorado e trabalhou em um rancho até uma tempestade acabar com noventa por cento do gado e dos trabalhos. Ele foi pego roubando um cavalo, uma sela e uma arma nos arredores de Sundance, em Wyoming."

"E quando foi que encontrou o Butch Cassidy?", Bradley perguntou.

"Em 1896", Leo respondeu, depois olhou nos olhos de Lily, do outro lado da fogueira. Ela se perguntava quanto daquilo ele recordava. Quanto havia ouvido durante o curto período no rancho Wilder, quanto havia aprendido com os livros de Duke. Lily pensou em si mesma deitada na barriga de Leo, os dois lendo juntos na cama, ao som da lareira estalando.

Ela também se lembrava de ter deixado o livro de lado uma noite, persuadido Leo a deixar o seu e passar horas perdida em seu corpo.

Como se também se lembrasse daquilo, Leo piscou para afastar os pensamentos e retomou a fala. "Eles se conheceram na Trilha dos Foras da Lei."

"É verdade que nunca atiraram em ninguém?", Walter perguntou.

Lily confirmou com a cabeça. "Nem precisavam. Repassavam dinheiro a pessoas que corriam o risco de perder suas fazendas pros bancos. Por isso, em vez de entregar o bando à polícia, as pessoas davam comida a seus membros, cuidavam de seus cavalos e mentiam por eles."

Bradley assobiou baixo, impressionado, cutucando o fogo com um graveto comprido.

"É, e isso deixava os bancos e as ferrovias putos", Leo acrescentou. "Envolveram a Agência Nacional de Detetives Pinkerton na história. Tinham um monte de agentes e informantes por todo o país."

Walter parecia genuinamente preocupado. "Ah, *não*."

"As coisas começaram a dar errado quando Butch e seu bando roubaram um trem da Union Pacific em Wilcox, Wyoming", Lily disse. "Eles explodiram um vagão com dinamite. Em menos de vinte e quatro horas, praticamente todos os homens da folha de pagamento da Pinkerton estavam atrás deles. E não se contentaram em vigiar os trilhos. Eles listaram o número de série de todas as notas que o bando de Butch havia roubado e passaram a informação a bancos, ferrovias, hotéis e lojas. A recompensa pela captura dele era de quatro mil dólares. Depois virou cinco. Oito. Em 1899, já sabiam que era questão de tempo até serem pegos." Ela parou e olhou em volta. Ninguém se movia.

"E?", Bradley perguntou, ansioso.

"Reza a lenda que esconderam o dinheiro em algum lugar da Trilha dos Foras da Lei", Lily disse, "sabendo que seriam pegos se gastassem um dólar que fosse. E fugiram pra Argentina."

"Espera aí." Bradley jogou um graveto no fogo. "No filme, os dois morrem em um tiroteio lá. Tá dizendo que esconderam o dinheiro e nunca voltaram pra buscar?"

"Alguns acham que sim."

Walter se inclinou para chamar a atenção dela. "E você acha que seu pai encontrou a grana e em vez de embolsar escondeu em outro lugar?"

"Ou isso", Lily disse, dando de ombros, "ou pretendia conduzir a pessoa pra quem pretendia deixar esse diário até a localização original do dinheiro." Ela inclinou a cabeça, mordendo o lábio enquanto pensava que ambas as possibilidades faziam seu estômago revirar. "O Duke vendeu nosso terreno em Wyoming e provavelmente pretendia viver com esse dinheiro. Dependendo de quando — e se — encontrou o dinheiro do Butch Cassidy, talvez achasse que nem precisava dele. 'A aventura é mais importante que os bens materiais', ele costumava me dizer. No meu aniversário, às vezes me obrigava a decifrar um código pra encontrar um pacote de chicletes embrulhado ou me levava pra fazer uma trilha e ficava me testando sobre os pontos de referência, dizendo que meu presente era o conhecimento adquirido."

Bradley olhou em volta. "Alguém procura no Google quanto o roubo do trem em Wilcox rendeu."

"No Google?", Nicole repetiu. "Com o quê? Esta pedra e um garfo?"

"Eles roubaram sessenta mil dólares", Lily disse, cortando os dois com um gesto. "Devem ter gastado um pouco, mas imagino que tenha sobrado uns cinquenta mil, mais ou menos."

"Só isso?", Walter disse. "Terry ia matar a gente por *cinquenta mil*?"

"Mas isso em 1899, né?", Bradley disse, olhando para os outros em busca de confirmação. "Hoje deve valer muito mais."

"E isso só nesse assalto", Lily disse, baixo.

Leo olhou para ela. "Quanto Duke achava que eles esconderam?"

"No total? Uns cento e cinquenta mil dólares."

"Cento e cinquenta mil dólares em 1899", Bradley disse, impressionado. "Aposto que algumas das moedas de ouro são tão raras que quase nem se ouviu falar delas. Devem valer milhões agora."

"Pelo menos dez milhões, o Duke achava", Lily disse, olhando para o fogo.

Walter piscou. "Engraçado, por um momento achei que você tinha dito dez *milhões*."

"Ela disse mesmo", Leo respondeu, e todos ficaram muito, muito quietos.

"Puta merda." Bradley levantou e começou a andar de um lado para o outro. "Puta merda."

Nicole entrou no caminho dele. "Anda, senta. Ainda não confio em você."

Ele obedeceu na mesma hora.

"A maluquice", Walter disse, devagar, "é que o Terry já veio preparado, com arma, GPS e essas coisas todas. Ele estava superinteressado na caça ao tesouro." Ele olhou para Bradley, parecendo perplexo. "Mas foi você quem planejou a viagem, não?"

Todos os outros olharam para Bradley também. Seus ombros se curvaram. "Então, bom, não fiquem bravos." Ele abriu um sorriso nervoso. "Eu disse que ele poderia vir se escolhesse o destino e planejasse tudo."

"Meu Deus do céu, Bradley", Leo disse. "Você é a pessoa menos confiável que já conheci na vida."

"Eu estava superocupado!", ele protestou.

Leo olhou feio para ele. "Superocupado que nem quando você ficou de planejar meu aniversário de trinta anos e acabamos num fast food? Ou que nem quando fomos comemorar a promoção do Walter?"

Walter, sempre leal, fez questão de dizer a Bradley: "Gosto mais de cupcakes de supermercado mesmo".

"Não podemos simplesmente jogar todos eles do penhasco?", Nicole perguntou a Lily. "Pelo menos ficaríamos em silêncio."

"Se o dinheiro existe mesmo", Walter disse, fazendo todos voltarem a focar no assunto, "e Terry precisava do seu diário pra encontrar, isso não significa que temos o mapa do tesouro?"

"Hipoteticamente, sim", Lily disse.

Bradley olhou para os outros em volta da fogueira. "Vamos fazer isso, né? Vamos seguir as pistas do Duke pra encontrar o dinheiro do Butch Cassidy."

"E o que te faz pensar que ficaria com uma parte da grana?", Nicole perguntou, olhando feio para Bradley. "O mapa é da Lily."

"Por causa do código", Walter disse. "Dos foras da lei. Lembra?"

Bradley sorriu. "É isso aí, Walt."

"Acho que estamos perdendo o foco aqui", Leo disse. "Terry *morreu*. Se voltarmos e comunicarmos às autoridades que ele caiu, há uma boa chance de não virarmos suspeitos de assassinato. Sair em uma caça ao tesouro vai pegar bem mal."

"Mas se o nosso plano é dizer pra eles que Terry sumiu, porque não acrescentamos que fomos atrás dele?" Bradley fez uma pausa, como se esperasse que alguém discordasse na mesma hora. Diante do silêncio de Lily, ele prosseguiu, mais corajoso. "Já estávamos planejando uma caça ao tesouro de mentirinha pros próximos três dias. Por que não fazemos uma de verdade?"

"Dub", Nicole disse, baixo. "Não suporto esse cara, então Deus sabe que odeio ter que admitir isso, mas... Brad tem razão. Por que não pagamos pra ver?"

Os olhos de Lily procuraram os da amiga. "Achei que você tinha dito que não ia mentir pra polícia."

"São dez *milhões* de dólares." Nic deu de ombros como se dissesse: *Desculpa, mas você sabe que estou certa.* Depois olhou para o restante do grupo. "O que quer que eu diga aqui fica aqui, tá? Tô só lançando uma ideia. Mas... poderíamos seguir em frente como se estivéssemos procurando por ele. Quantas vezes o Terry não disse que conhecia esse lugar melhor que todos nós? Talvez tenha se mandado e caído. Talvez eu possa convencer meu cérebro a acreditar nisso. Talvez", ela disse, com a voz marcada pela emoção, "a gente deva ir atrás do dinheiro."

"Quanto tempo levaria?", Walt perguntou. "Pra ir e voltar?"

Lily avaliou o mapa desenhado à mão, sentindo a pulsação nos ouvidos enquanto batia um dedo na perna, de nervoso. "Se formos de cavalo até o labirinto e depois continuarmos a pé? Três dias, talvez quatro. Mas é uma região muito traiçoeira. Imprópria pra famílias e turistas. É preciso apresentar um roteiro de viagem pra conseguir uma autorização. Assim eles vão atrás do seu corpo se você não voltar. Precisaríamos fazer uma parada e nos reabastecer de suprimentos."

"Com você de guia, podemos fazer qualquer coisa", Bradley exultou, totalmente confiante. "Ligamos pra polícia do outro lado. Com o dinheiro. Você topa, né?", ele perguntou para Walter.

Depois de um momento de hesitação, Walter assentiu. "É a minha chance de recomeçar, lembra?" Ele olhou para

Leo, sério. "Isso vale pra todos nós. Quando vamos ter outra chance dessas?"

"Não é como sair pra caminhar à tarde, Walter", Lily disse. "É perigoso. O que fizemos até agora foi fácil."

"*Fácil?*", ele repetiu.

Lily o encarou. "Não foi nada em comparação."

A única coisa que se ouvia era o barulho do fogo estalando.

Ela esperava que alguém fosse insistir. Só não esperava que as palavras que ecoaram na escuridão viessem de Leo: "Mas acha que conseguiríamos?".

"Leo. Tá me dizendo que quer mesmo fazer isso?"

"Não sei o que eu tô dizendo", ele admitiu. "Mas tem alguma coisa no enigma, Lil. Sei que você também sentiu." Ela piscou e alisou os pelos arrepiados do braço. *Lil.* Fazia anos que ninguém a chamava assim.

E ele estava certo: alguma coisa dentro de Lily lhe dizia para não ignorar aquilo. Leo insistiu. "Sei que todo mundo aqui achava o Terry um babaca, mas ele acreditava nessa história a ponto de trazer uma arma. De fazer Nicole refém. Ia atirar na gente? Ia fazer Nicole guiar ele até o cânion lá embaixo?"

"E não esquece as algemas de plástico", lembrou Bradley. "Ninguém carrega algemas de plástico pra usar em linces ou pumas."

Leo deu a volta na fogueira, se ajoelhou na frente de Lily e pôs uma mão sobre o diário. "Terry precisava do que havia aqui. E agora tá com você."

Uma faísca fraca de esperança resistia sob as costelas de Lily; ele a reavivou com a surpreendente voracidade em sua expressão. O que queria que ela dissesse? Parecia coisa demais para processar junto. Deixando a morte de Terry de lado por um momento... No fundo, ela sabia que o enigma era mais do que apenas um jogo.

No entanto, Duke não havia lhe deixado o diário. Não havia lhe dito que tinha encontrado o tesouro. Simplesmente vendera o lugar preferido dela no mundo todo e a deixara sem dinheiro e sozinha. Lily estava cansada de ter sua vida decidida por Duke Wilder.

Mas... será que não valeria a pena dar só uma olhadinha?

"Walt e eu estamos com Nicole", Bradley disse. "Topamos."

"Eu tô com *Dub*", Nicole esclareceu. "O que quer que ela diga. Somos uma dupla." Depois de um momento, ela acrescentou: "Mas acho mesmo que é possível decifrar o enigma e não nos encrencarmos por causa da morte de Terry."

Bradley se virou para Leo. "O que você acha?"

Leo continuava agachado na frente de Lily, mas tinha baixado os olhos para a terra aos pés deles. O fogo lambia as sombras em sua face, fazendo os contornos de suas maçãs do rosto e mandíbula brilharem. Depois de um momento, ele voltou a erguer o queixo para encará-la. "Vou fazer o que Lily mandar."

Ela tentou reprimir a faísca em seu peito. Voltou a olhar para o mapa e para as palavras na caligrafia de Duke.

A resposta é sim.

"Vamos pensar a respeito esta noite", Lily disse. "Não há nada que a gente possa fazer antes de o sol nascer."

Treze

Leo não tinha certeza de como havia conseguido pegar num sono tão profundo, mas acordou em sua quinta manhã no deserto com o ombro tão rígido que mal devia ter se movido a noite toda. Não se lembrava de ter sonhado, não se lembrava de nem um segundo de consciência entre o momento em que fechou os olhos secos e exaustos e aquele. Grato, considerando a alternativa, Leo se apoiou em um cotovelo e esfregou os olhos. Então tudo voltou a ele, com uma pontada no estômago: a descoberta desconcertante da arma, a visão de Terry caindo da beirada do cânion, o mapa que sugeria que havia um tesouro de verdade por ali.

Ele se perguntou se Lily tinha conseguido dormir um pouco que fosse.

Não ouvira barulho de bicho na noite anterior, nenhuma criatura perambulara pelo acampamento. E, no momento, nenhum pássaro recebia o dia com seu canto. Eram pouco mais de cinco e meia, e através das paredes cinza-claro da barraca dava para ver que o céu era de um azul-marinho de uma manhã que ainda não estava totalmente banhada pela luz do dia.

E então um gemido doce cortou o ar fresco, um som que Leo havia ouvido centenas de vezes na realidade e milhares de vezes em sua mente: Lily se espreguiçando ao acordar para o dia. Mesmo separado dela pelo tecido da barraca, Leo visualizava tudo perfeitamente: os braços dela se alongando acima da cabeça, o modo como seu corpo se retorcia, tal qual o de um gato, da esquerda para a direita. Lily costumava inclinar o rosto para o céu, de olhos fechados, e soltar aquele gemido baixo e sexy, que mais de uma vez havia feito com que ele a puxasse de volta para a cama. Instintivamente, o corpo dele ficou tenso. Seu fluxo sanguíneo se tornou tão intenso que ele se sentiu meio tonto. Era curioso que, dadas as circunstâncias e a merda total em que se encontravam, seu cérebro não tivesse problema nenhum em recordar imediatamente como era bom ter o corpo quente dela ao lado do seu.

Mas, na verdade, Leo achava que podia encarar qualquer coisa com Lily de novo ao seu lado.

Ela já tinha acordado e dado início ao dia. Leo estava prestes a fazer o mesmo quando ouviu outra voz a poucos passos de sua barraca, mais perto da fogueira. "Conseguiu dormir?", Nicole perguntou.

Leo ouviu o barulho da água sendo despejada na chaleira, depois o som metálico da chaleira raspando na grelha ao fogo. "Não muito. E você?"

"Um pouco."

As duas ficaram em silêncio. Leo voltou a se acomodar, com a cabeça apoiada na mão, e ficou ali ouvindo, sem nenhuma vergonha. Ele podia culpar a surrealidade nebulosa remanescente do dia anterior ou o modo como Lily de repente parecia ao mesmo tempo familiar e imprevisível, mas queria saber como ela estava, e não sabia se ela seria sincera com ele.

"Então, Dub", Nicole disse. "O que você acha?"

Lily respondeu baixo, como se preocupada que alguém pudesse ouvir. "Fiquei pensando a respeito a noite toda."

"Eu também."

"Não podemos simplesmente ignorar a situação." Depois de uma pausa, ela completou: "Do Terry, quero dizer".

"Claro que não. Não tô sugerindo isso."

"Mas você tem razão. Voltar agora não vai mudar o fato de que ele morreu."

"Não mesmo." Fez-se silêncio por alguns segundos. Leo se perguntou se teriam ido para mais longe, mas então Nicole voltou a falar. "Eu vejo a coisa assim: a gente pode só encarar essa merda, ou pode encarar essa merda com os bolsos cheios de ouro."

"Nic, nem sei se o Duke encontrou alguma coisa. E se encontrou... bom, é coisa demais pra minha cabeça."

"Eu sei."

"Achei que ele nunca mais poderia me decepcionar." Leo sentiu uma pontada no peito diante do modo como a voz de Lily afinou e falhou no finzinho.

"Eu sei, mas talvez haja uma chance de tirar alguma coisa de bom de tudo o que ele fez", Nicole disse, com gentileza. "Vamos dizer que o Duke não encontrou nada. Que é um jogo, que estamos erradas quanto ao enigma. E daí? Estamos falando de dois dias no máximo. Ir e voltar. Se não encontrarmos nada, diremos à polícia que Terry sumiu e fomos procurar por ele, que achávamos que sabíamos pra onde ele tinha ido, mas estávamos enganadas."

"Uma hora vão encontrar o corpo dele no fundo do cânion, na altura do local em que acampamos", Lily a lembrou.

"E o que é que a gente diz pros turistas logo no primeiro dia? Pra não ficarem andando sozinhos. Todos nós vimos o cara fazer isso antes. Quem vai dizer que ele não caiu no escuro? Ninguém duvidaria disso."

"Eu sei."

"Na pior das hipóteses, não encontramos o tesouro, mas pelo menos teremos mais alguns dias de esperança, vivendo o sonho. E você pode ficar secando aquele nerd bonitão um pouco mais..."

"Nic. Cala a boca."

Opa. Quê?

Leo quase precisou enfiar um travesseiro na cara. Se pudesse arrancar os olhos das órbitas e rolá-los até onde as duas estavam para ver a expressão de Lily enquanto falava aquilo... passaria a eternidade cego de bom grado.

Ele mal conseguiu ouvir quando ela sussurrou: "Não tô secando".

"Você tá brincando, né?", Nicole disse, decididamente mais alto. "Você mente pior que eu."

"Não tô!"

"Bom, ele com certeza tá. O cara te olha cheio de tesão."

Um calor subiu pelo pescoço dele. Tinha certeza de que Nicole estava certa.

"Bom, voltando. Vamos imaginar que seja real", Nicole disse, recuperando o foco. "Imagina encontrar pelo menos um pouco de dinheiro. Mesmo que você ache que a chance de o Duke ter encontrado seja de, sei lá, cinco por cento... uma fração do dinheiro de Butch Cassidy já basta pra comprar seu rancho de volta. Isso poderia mudar nossa vida. Não acha que é coisa do destino? Bem quando o rancho é colocado à venda essa oportunidade cai no seu colo?"

Leo ficou olhando para o teto da barraca, confuso. O rancho Wilder estava à venda?

Longos segundos se passaram. "Eu sei."

"É tudo o que você sempre quis."

O segundo "Eu sei" saiu ainda mais baixo.

Leo voltou a se recostar no travesseiro. Seu coração se

retorcia tão dolorosamente no peito que ele mal conseguia respirar direito.

É tudo o que você sempre quis.

E tudo o que ele sempre quisera era ela.

Leo se sentiu inadequado, como se tivesse sido enfiado em um espaço pequeno demais, como se não coubesse em sua própria pele. Tinha sido arrancado de sua realidade, da monotonia, da rotina e da solidão da vida em Nova York. Apesar de tudo o que acontecera no dia anterior, apesar de não fazer a menor ideia do que os próximos dias trariam, não estava nem um pouco pronto para voltar para aquilo.

Leo não ficou surpreso ao ver que foi o primeiro homem a se levantar, mas tampouco ficaria surpreso se os outros tivessem ficado deitados como ele ficara, olhando para o teto da barraca, tentando descobrir como deveriam se sentir. Seus pensamentos eram como uma bola de elásticos emaranhados, mas Leo precisava encontrar Lily.

Ela estava de pé no fatídico ponto na beirada do cânion, olhando para a frente, segurando uma caneca de lata cheia de café. Seu cabelo escuro não tinha sido trançado; caía solto, macio e liso, entre as omoplatas. O corpo esguio estava rijo. Talvez fosse por causa da conversa que Leo acabara de ouvir, mas a leve curvatura de coluna que a fazia parecer vulnerável o deixava louco para puxá-la para seus braços. Com medo de assustá-la, ele pigarreou a alguns passos de distância e a viu sair de seus pensamentos e abrir um pouco os ombros.

"Oi." Leo se pôs ao lado dela, lutando contra a vontade de chegar ainda mais perto.

"Oi."

"Correndo o risco de fazer uma pergunta idiota: como você tá?"

Ela soltou uma risada seca e levou a caneca fumegante aos lábios. "Tonta pra caralho."

"É", ele concordou, sorrindo com cautela para a vista. "O mesmo aqui."

"Não é uma situação que eu achava que ia enfrentar um dia", Lily admitiu.

"Imagino."

"Não só a parte do Terry." Ela voltou o rosto para o céu. "Que é uma tragédia, claro, mas eu estava falando sério quando mencionei o risco de morte."

"Então de qual das outras partes você tá falando?", ele brincou.

Ela riu, soltando uma única sílaba surpresa e afiada, mas o sorriso logo deixou seu rosto. "É esquisito, sabe? Por um lado, é claro que ele encontrou o dinheiro de Butch Cassidy. Faz sentido. Estamos falando de Duke Wilder, afinal. Se alguém encontrou, foi ele. Por outro lado, pensar que encontrou e não me contou é tão absurdo que tenho dificuldade de entender."

"Entendo total." Leo fitou os olhos em sua caneca enquanto tentava formular a próxima pergunta. No fim, era bastante simples. "Quando foi que ele morreu?"

"Faz uns sete anos."

Leo assoviou baixo. "Nossa. Já faz um tempo, então."

Lily tomou um gole de café, assentindo. "Ele teve um derrame." Leo percebeu que ela olhava para seu rosto de lado e se virou para encará-la. "Algumas semanas depois que você foi embora. Algumas semanas depois de ter vendido o rancho."

O coração de Leo despencou no estômago com um baque

pesado. Acontecera tudo de uma vez, quando ela tinha apenas dezenove anos. Era demais.

"O hospital demorou um tempo pra conseguir entrar em contato comigo", Lily prosseguiu. "Eu tinha saído do rancho, estava sem telefone." Ela deu uma risada desprovida de humor e soltou o ar com força. "Duke não conseguia mais andar ou falar. Eu o levei de volta pra nossa cabana na cidade. A única coisa que ele dizia era 'Lily'. Era 'Lily' quando queria água, 'Lily' pra ajustar o travesseiro, 'Lily' pra mudar de canal. Uma enfermeira vinha ajudar alguns dias por semana, pra que eu pudesse trabalhar. Senão eu talvez tivesse matado o Duke." Ela deu uma risada, para que Leo soubesse que estava meio que brincando. "Acho que o lado bom de ele ter vendido o rancho foi ter dinheiro pras despesas médicas. Ele sobreviveu assim quase três anos." Lily olhou para Leo e tentou sorrir, quase como se tivesse ouvido como sua voz soava dissociada e sem emoção, como se estivesse repetindo o que ele havia pedido para o jantar, e não se abrindo sobre a maneira como seu pai definhara.

"Não sei o que é pior", ele disse, com empatia. "Perder alguém de repente ou depois de um longo período doente."

"Perder alguém de quem você é próximo", ela respondeu na mesma hora. "Independente de como. Sei que você e sua mãe eram bem ligados. Cuidar do Duke foi difícil, e tenho certeza de que eu e ele nos arrependemos de muita coisa no final, mas meu pai nem me conhecia bem o bastante pra saber o quanto você significava pra mim. Andei pensando: ele poderia ter me repassado seu recado se tivesse tentado de verdade. Talvez não tivesse mudado nada, mas pelo menos eu ficaria sabendo do que tinha acontecido com você."

Leo não sabia o que dizer, por isso soltou um grunhido abafado de concordância e assentiu. Teria significado alguma coisa para ele também, saber que Lily não o havia simplesmente esquecido. "Acho que ainda tô tentando entender como foi que você acabou guiando expedições e caças ao tesouro", Leo admitiu afinal.

"Eu trabalhava em um bar em Hester e vivia sem grana", ela disse. "O dono sabia de umas pessoas que precisavam de guia, e eu conhecia a região. Fiz como um favor, mas acho que eles se divertiram e contaram aos amigos a respeito. A coisa se espalhou no boca a boca. Já faz uns sete anos. Não era nem um pouco meu trabalho dos sonhos, mas parecia uma maneira de ganhar dinheiro e recuperar meus cavalos. Concluí que podia usar a reputação do Duke pra alguma coisa." Ela pareceu inquieta. "Sempre pensei nisso, sabia?"

"No quê?" Ele olhou para Lily, prendendo o fôlego. Ela usara outro tom de voz, mais baixo, reservado.

"No nosso reencontro."

O coração de Leo pulou para a garganta. "Eu também."

"Às vezes me imaginava indo pra Nova York com Nicole e trombando com você na rua ou coisa do tipo."

"Achei que, se fosse acontecer, seria quando estivesse viajando com meus amigos mesmo", Leo disse. Era tão fácil relembrar aquela fantasia que as palavras simplesmente jorravam dele. "Você apareceria com marido e filhos. Eu morreria de vontade de botar a conversa em dia, mas teria que levar um Bradley bêbado de volta pro hotel e perderia minha chance. Mas, na verdade, achava que você estava vivendo seu sonho no rancho."

Ela balançou a cabeça e riu para o chão. Com a ponta da bota, desenhou um círculo na terra vermelha à sua frente. "Recebi uma carta um dia antes de virmos pra cá. De Jonathan Cross, o cara que comprou o rancho. Ele vai se aposentar e queria me dar a chance de recuperar o terreno."

"E você vai fazer isso?"

Uma risada escapou pelo nariz de Lily. "Com que dinheiro?"

Leo queria dizer a ela: *Tenho minhas economias. Não é muita coisa, não chega perto de ser o suficiente, mas é um começo.* Então se deu conta de que era uma ideia maluca. Não fazia nem quatro dias. Não podia se oferecer para comprar o rancho para ela.

"Bom", Lily prosseguiu, sem jeito, "não tô dizendo que tá tudo bem. Tá uma zona, na verdade. Mas fico feliz por ter você aqui comigo enquanto passo por isso. Morri de saudades, Leo."

No silêncio que se seguiu, ele se manteve imóvel.

Lily permaneceu focada no céu à frente deles, e Leo se sentiu grato por aquilo. O contato visual direto acabaria com ele. Afinal, tinham sido os olhos firmes e confiantes dela que haviam feito Leo se apaixonar naquele primeiro dia, dez anos antes. O peso e o calor da atenção de Lily o levavam a aproximar suas mãos, a procurar alguma pele exposta mais vezes do que seria capaz de contar. Leo sabia que tinha sido a única pessoa a quem ela confiara seus pensamentos mais íntimos. O modo como ela admitia em voz alta o que sentira fazia a adrenalina disparar por seu corpo.

"Fiz tudo o que pude pra te esquecer", ela continuou. Quando Leo se virou para ela, viu que seus olhos estavam fechados. "Me transformei em uma pessoa diferente. Só bebia, transava e trabalhava sem parar. Nada importava."

Leo contava sua própria respiração. Era todo restrição e desejo, não sobrava espaço para palavras. Finalmente, conseguiu dizer a ela: "Senti tanta saudade sua que foi fisicamente debilitante".

Lily olhou nos olhos dele.

Leo a encarou por um momento, depois desviou o olhar, avaliou suas mãos e passou um dedão pelos nós dos dedos. "Foi preciso eu chegar a um ponto em que não queria nada. Meio que tive que bloquear tudo", ele disse, soltando o ar devagar. "Mas tô aqui agora. Com você. Não quero dizer... Bom, você é importante pra mim. Mesmo que agora sejamos desconhecidos. Eu tô aqui pra você, pro que precisar."

Lily voltou a encarar o cânion. "Minha vida inteira acreditei que o Duke era só papo", ela disse. "Agora, parece que minha única chance de recuperar o rancho depende de o Duke *não ser* só papo."

"É isso que você quer?", ele perguntou. "O rancho?"

Ela inspirou devagar, tamborilando um ritmo ausente na caneca. "É, sim. Quero meu rancho, uma família, não ter que me preocupar com a possibilidade de não ter dinheiro pra alimentar os cavalos ou pagar Nicole. Quero o que *eu* quero, pra variar um pouco. E você?", Lily perguntou. "O que você quer?"

Quando sorriu, Leo teve certeza de que ela não sabia qual era a graça — mas sua resposta era quase totalmente oposta à dela. "Quero virar minha vida de cabeça pra baixo."

Ela se virou para encará-lo. "Como assim?"

"Eu topo se você topar."

O sol nascente deixava os olhos cor de avelã de Lily com um brilho dourado. "É?"

"É." *Eu seguiria você aonde fosse*, Leo pensou.

"Eu precisaria ter controle total", Lily disse, sem tirar os olhos dos dele. "Ficaria com a arma. Só eu poderia tocar nos mapas. Não confio em ninguém além de Nicole." Ela fez uma pausa. "E você." Outra pausa. "Acho."

As costelas dele eram como uma gaiola de Faraday prendendo seu coração, que estalava de eletricidade.

Lily o encarou por longos segundos.

"Então tá", ela disse, baixo.

"Então tá", ele repetiu. "Precisamos decifrar o enigma antes?"

"Podemos pensar a respeito a caminho do labirinto", Lily disse. "Mas, se há uma árvore envolvida, tem que ficar perto do rio, e conheço alguns dos lugares preferidos do Duke lá. É certeza que tá no labirinto. Vamos precisar chegar lá. Não quero colocar os cavalos em risco e, de qualquer maneira, depois de certo ponto teríamos que seguir a pé."

Os braços dele se arrepiaram. "Tá."

"Conheço um cara que pode nos ajudar, em uma cidadezinha não muito distante daqui. Mas eu estava falando sério sobre a trilha ser perigosa", Lily alertou.

"Vamos dar um jeito", Leo disse, e ela soltou o ar bem devagar.

"Foda-se", Lily sussurrou. "Vamos fazer isso."

Uma explosão detonou no sangue dele. Seus dedos coçavam de vontade de se entrelaçar aos dela. Leo queria firmar aquele acordo gritando para o céu, com a boca na dela, as mãos na pele dela. Ele sempre fora daquele jeito, não sabia esconder seus sentimentos. Estava perdidamente apaixonado outra vez.

"É uma segunda chance." Ela levou a caneca aos lábios e terminou o café. "Se não encontrarmos nada, no mínimo nossa vida não vai piorar."

Aquilo tinha que ser o bastante no momento. Porque borbulhava nas veias de Leo a constatação de que, se fosse verdade, ela poderia ter tudo o que sempre quisera, e talvez ele também.

Catorze

"É péssimo eu não me sentir péssimo?" Bradley ajustou as rédeas de Bullwinkle nas mãos enluvadas. Leo se perguntou como o amigo reagiria se pudesse se ver agora. Sua barba estava por fazer, os óculos escuros estavam sujos e ele carregava um cantil na cintura. Parecia simplesmente acabado.

Leo com certeza se sentia diferente. De algumas maneiras, parecia que tudo tinha ocorrido num piscar de olhos, entre descer do cavalo pela última vez em Laramie e montar em Ace no primeiro acampamento ali. De outras, parecia que ele havia dormido a década inteira e ficado sem usar seus sentidos e músculos.

"Eu me sinto péssimo." Walter se endireitou na sela. "Não gostava do Terry, mas não queria que ele morresse."

Bradley tirou o boné e o usou para ajeitar a parte de trás do cabelo rebelde. "Sinto muito que o cara tenha morrido, mas cansei de me sentir culpado."

Leo olhou para o amigo sem expressar sua surpresa. Bradley pedira desculpas de novo e todos haviam concordado que as emoções tinham saído do controle, o que era justificável, mas Nicole ameaçara estripá-lo se voltasse a tentar qualquer coisa do tipo. Ela teria que entrar na fila atrás de Leo.

Eles avançaram em silêncio, descendo a cavalo rumo ao cânion. Nos dez quilômetros de ziguezague, a trilha era relativamente larga, mas a beirada continuava brusca o bastante para que todos se mantivessem no outro canto, conscientes do fato de que eram apenas cinco naquela manhã, em vez de seis.

Lily garantira que os cavalos já haviam feito aquilo e consideravam até uma espécie de brincadeira. Era verdade. Eles relincharam e chamaram uns aos outros durante todo o caminho descendo a montanha, com as orelhas e o rabo eriçados. Calypso parecia ser a mais entusiasmada. Leo não tinha certeza se era porque não precisava suportar o peso de ninguém em cima dela ou se estava feliz por ter se livrado especificamente de Terry, mas Lily e Nicole gritaram para ela se acalmar pelo menos duas vezes antes de chegarem ao terreno arenoso mais abaixo.

O roteiro não estava mais sendo respeitado, claro, de modo que depois de um intervalo os homens se ocuparam do almoço enquanto Lily e Nicole cuidavam dos cavalos. Eles cavalgaram por pelo menos mais três horas antes de pararem à entrada da cidade em que encontrariam o amigo de Lily, Lucky.

Ela fora bastante generosa ao usar a palavra "cidade".

"É só isso?", Leo perguntou quando finalmente pararam diante do vago princípio de uma estrada de terra. Não passava de duas passagens paralelas e algumas construções pequenas e mambembes.

"Parece uma Radiator Springs caipira", Bradley murmurou.

Leo olhou em volta. "Isso é um insulto aos caipiras."

Desanimado, Walter admitiu: "Quando você falou 'cidade', achei que a gente ia poder fazer uma massagem".

"É só descer do cavalo que eu piso no seu pescoço de graça", disse Nicole.

Walter ficou vermelho e Bradley olhou para os dois sem expressão. "Nunca vi ninguém flertar de maneira mais bizarra."

"Bem-vindos a Ely. População... sei lá, duas pessoas?" Lily ignorou a comoção atrás dela e apontou para uma construção pré-fabricada com cobertura na entrada. "Aqui é o posto de patrulha. Se vamos adiante com isso, é melhor nos precavermos." Leo continuava avaliando a cidade com os olhos arregalados, o que a fez acrescentar: "É melhor realinhar suas expectativas de garoto da cidade".

"Que nem fizemos com a 'estação de ônibus'", Bradley recordou. "Ou com o que vocês chamam de 'papel higiênico' aqui."

Lily se inclinou para que Bonnie andasse. Leo se endireitou na sela e fez sinal para que Ace a seguisse. "Quem é esse Lucky?"

Eles passaram por outra construção antiga e torta com a palavra "coma" pintada em uma placa de madeira do lado de fora. Havia dois quadriciclos parados de qualquer jeito — Leo duvidava que houvesse vagas de estacionamento ali — e algumas bicicletas encostadas a um mastro vazio. "Um grande amigo do Duke."

Os cascos dos cavalos faziam barulho no chão de terra.

"E não tem problema você simplesmente aparecer?"

"Espero que não, porque não tive como entrar em contato antes." Lily olhou para ele, sorrindo. Um arrepio desceu pela coluna dele ao ver o velho fogo se acender dentro dela. "Ele fica por aqui por causa dos idiotas que chegam com caminhonetes gigantescas e acabam atolando em trilhas ou em valas."

Ao fim da "estrada" havia outra construção pré-fabricada. O terreno ao lado parecia um cemitério de quatro por quatros. Também havia um pequeno celeiro, muito melhor que o trailer, e um cercado com um punhado de cavalos dentro. Bonnie relinchou para eles na mesma hora, o que os fez retribuir.

"Pelo visto ela já esteve aqui antes", Leo disse, acenando com a cabeça para Bonnie.

"Ela adora este lugar", Lily comentou, com uma voz que sugeria que não compartilhava do sentimento.

"Não é dos seus lugares preferidos?"

"Não." Ela olhou para Leo e soltou uma risadinha. "Essa cidadezinha representa tudo o que temo que minha vida futura venha a ser: é seca, empoeirada e decrépita."

Uma hora depois, estavam reunidos em volta de uma mesa na construção caindo aos pedaços com a placa de "coma" na frente. Era uma espécie de bar, com cerveja, uma jukebox, dois banheiros bem apertados nos fundos, mas pelo menos banheiros de verdade, e muitas, *muitas* fotos de Duke Wilder nas paredes: sua capa da *National Geographic* emoldurada, ele com uma equipe de Princeton, debruçado sobre uma lona grande com uma coleção de artefatos empoeirados, montando a cavalo, de moto, numa trilha de Moab, sentado diante de uma fogueira, sob as estrelas. Tinha até uma foto dele ao lado de uma Lily de cinco anos de idade sem os dentes da frente, segurando uma galhada de cervo.

"Uau, Lily", Walt disse, perdendo o ar de tanta admiração. "Seu pai era bem famoso."

Eles observaram tudo por um longo e silencioso minuto. A magnitude da história de Duke parecia preencher o ambiente enquanto eles se sentavam nas primeiras cadeiras de verdade que suas bundas viam em dias para tomar cerveja bem gelada em copos que não combinavam. Graças a Lucky — o velho caubói por excelência, magro, bigodudo e cético em relação aos outros homens —, os cavalos mastigavam feno alegremente no estábulo e os caçadores de tesouro agora tinham um jipe emprestado estacionado na frente do lugar. Também tinham água fresca e suprimentos nas mochilas, botas mais apropriadas para o terreno pedregoso e um punhado de mapas abertos à frente deles.

Lily olhou para um desenho topográfico do Parque Nacional de Canyonlands. Mais especificamente, analisou o labirinto, um quebra-cabeça de arenito com cânions que se entrecruzavam e becos sem saída e risco de morte por afogamento e/ou desmembramento a cada curva. Era a parte mais remota daquele parque nacional, e como os socorristas podiam levar dias para chegar em caso de problemas, todos os grupos que desciam precisavam submeter seu itinerário para aprovação. Eles queriam que o mínimo de pessoas possível soubesse o que pretendiam, claro, por isso arriscariam descer sem autorização.

Leo observou Lily e Nicole analisarem o mapa. Lily fazia anotações e esboçava rotas, mencionando alguma coisa no diário de Duke ou recordando fatos aleatórios que tirava do nada. Leo sabia que ela era capaz de praticamente qualquer coisa, fosse cuidar de cavalos, gerenciar um rancho inteiro sozinha ou conhecer todas as plantas, minerais e animais da região. Mesmo uma década antes, ela não precisava de Leo para nada, mas ele queria que ela o quisesse mesmo assim.

Todos se debruçaram sobre a mesa, acompanhando o deslocamento do dedo de Lily pela linha sinuosa do rio Green. "O mapa deve ser um recorte de algum lugar por aqui. Infelizmente, são quilômetros e quilômetros de terra vazia." Ela grunhiu, frustrada.

"Sinto que eu tô olhando pra uma daquelas imagens de 'olho mágico' que costumava ter no shopping", Walter disse, sem piscar. "Tipo aquela que primeiro era só um monte de linhas e de repente virava um gato?"

"Um autoestereograma", Leo disse. "Uma imagem dentro de outra."

"Como é que você sabe essas coisas?", Lily perguntou, olhando para ele.

Bradley riu. "Pura nerdice."

Leo acenou com a cabeça para os papéis abertos à frente dela. "Como é que você sabe *essas* coisas?"

Lily se recostou na cadeira e esfregou as têmporas. "Sinto que não sei mais nada de nada."

"Não tá reconhecendo nada?", Walter perguntou. "Um lugar que poderia ser importante pro Duke?"

Nicole traçou um círculo no mapa com a ponta do dedo. "Se estivéssemos sobrevoando a área, diríamos que o mapa do Duke é de algum lugar nesta região. Parece pequena no desenho, mas na verdade é enorme."

Leo puxou a folha com o enigma, que estava em cima da mesa. "Vamos ver se alguma coisa aqui desperta sua memória."

"*No fim, a resposta é sim*", Lily leu, depois ergueu os olhos para encará-lo. "Concluímos que isso significa que o Duke encontrou o tesouro. Depois: *Você tem que ir; eu fui*. Acho que significa que ele já fez sua caça, e agora é a vez de quem está lendo."

"Certo", Leo concordou. "Aí vem: *Você odeia ir, mas vai*. O que pode querer dizer?"

Lily balançou a cabeça, confusa. "Se ele escreveu isso

pra um amigo, pode ser uma piada interna, e não teríamos como descobrir."

"A menos que a ideia fosse levar quem quer que encontrasse o enigma ao esconderijo do Butch. Talvez seja algo universal."

Ela assentiu, devagar. "Tá, então qual é o lugar a que todos odiamos ir, mas vamos mesmo assim?" Depois de um momento, Lily balançou a cabeça de novo. "E depois vem: *Vai precisar ir, mas não lá*. Esses dois versos... não sei." Ela deu uma batidinha no fim da página. "Acho que a gente deveria tentar descobrir onde fica isso. A árvore do Duke."

Todos pareceram se dar conta de algo ao mesmo tempo, levantando o rosto para olhar as fotos nas paredes. Depois de um momento, a atenção geral se voltou ao enigma. Nenhuma das fotos mostrava uma árvore.

"O que 'barriga do três' significa?", Bradley perguntou, se debruçando para a frente.

"O Duke costumava chamar as curvas dos rios de barrigas", Lily explicou devagar. "Esta parte aqui" — ela apontou para o mapa das Canyonlands — "parece um três." Lily passou o dedo por uma série de curvas no rio Green. "Mas ainda que essa seja a localização exata, não seria como ir até um cofre. É literalmente um labirinto lá embaixo. Sinto que eu tô deixando alguma coisa escapar." Desanimada, ela se levantou e se dirigiu à jukebox.

Leo a viu se afastar e pensou em ir atrás. Às vezes Lily queria companhia quando estava tentando decifrar alguma coisa, embora com mais frequência não quisesse. Ele resistiu à pontada no peito e ao desejo de ir atrás dela. Levando a cerveja aos lábios, deu uma olhada em volta, se perguntando quantas Duke não devia ter tomado naquele mesmo lugar. Devia adorar ver fotos de si em toda parte.

Seus olhos pararam no atendente do bar, um cara bonito de trinta e poucos anos, depois seguiram para o objeto de seu foco inabalável: Lily. Ele definitivamente não olhava para ela como alguém que se perguntava se a bebida de um cliente tinha acabado. O cara jogou o pano de prato de lado e começou a atravessar o bar na direção dela. Antes que tivesse consciência de sua própria decisão, Leo se afastou da mesa, com o ciúme e a possessividade o dilacerando por dentro. A cadeira arrastou no chão de madeira desgastado. Em três passos, ele estava atrás de Lily.

Bem pertinho.

Leo não sabia bem qual dos dois tinha ficado mais surpreso com sua aparição repentina, mas Lily soltou um "Ah, oi" baixo, e ele ficou preso ali, em uma crise de machismo. Mas o calor dela, a consciência de seu corpo tão perto do dele, o impedia de ir embora. Leo apoiou uma mão no vidro amarelado da jukebox e passou um dedo pela lista de músicas.

"Esta aqui", ele disse, batendo no acrílico onde estava escrito "Rock You Like a Hurricane". "Os *baby boomers* adoram."

Com uma risada travessa, Lily apertou a tecla F e depois a 5. As notas de abertura de "Go Your Own Way", do Fleetwood Mac, começaram a tocar pelos alto-falantes minúsculos.

"Ai", ele disse, se fingindo de magoado. "Essa doeu."

"Me pareceu mais apropriado." O sorrisinho dela para a jukebox dizia a Leo que aquilo era mais uma piscadela que um tapa na cara. Ele se pegou olhando para uma pinta pequena na nuca dela. Lily tinha duas pintas: uma ali, outra logo acima do osso do quadril esquerdo.

Uma lembrança o atingiu, de uma tarde ensolarada, com Lily estirada nua na cama dele. Como se aquilo tivesse acontecido horas atrás, Leo se lembrava do facho de sol entrando pela janela, quente na parte de trás de suas coxas nuas, e da sensação do osso do quadril de Lily em seus lábios enquanto ele beijava a marquinha.

De repente, seu coração pareceu pesado demais para o corpo.

Leo achou que Lily não tinha se dado conta de quão próximos estavam quando se inclinou para a frente e sua bunda tocou a virilha dele. Por instinto, ele pegou os quadris dela e disse baixo: "Lily".

Ela se endireitou, sobressaltada. Se virou para ele e se recostou na jukebox. Estreitou os olhos, desconfiada. "O que você tá fazendo, Leo?"

Ele olhou por cima do ombro. O atendente estava atrás do bar, observando os dois com um sorriso cretino no rosto.

"Só vim ver se você tá bem. Pareceu frustrada com o mapa e o enigma."

"Porque você se lembrou de como adoro quando as pessoas me perguntam se eu tô bem?", ela questionou, encarando Leo.

Não.

"Ou", Lily prosseguiu, baixinho, "porque não queria que eu ficasse sozinha aqui na jukebox?"

Ela podia ver no rosto dele, e não havia nada que pudesse fazer para evitar; as lembranças fluíam depressa pela mente de Leo: as noites passadas sozinho na cama do rancho — antes que Lily o notasse —, se perguntando qual seria a sensação do corpo dela contra o seu. Leo fechava os olhos e imaginava que beijava Lily, tocava sua pele, provava a água que escorria por seu pescoço quando ela saía do chuveiro externo. Ele se lembrava com a mesma nitidez do alívio estonteante do primeiro toque: a palma da mão dela sob a camiseta dele, pressionando sua barriga como um ferro quente.

Estavam todos cobertos de terra, tinham deixado um homem morto para trás e estavam prestes a descer para um dos lugares mais perigosos dos Estados Unidos, em busca de um tesouro que poderia ou não estar ali, mas Leo não se sentia tão vivo desde que ela deslizara aquela mão por baixo da camiseta dele e o puxara para as sombras consigo. Com uma clareza surpreendente, ele decidiu naquele bar no meio do nada que não deixaria Lily escapar tão fácil daquela vez. Mesmo que houvesse apenas um por cento de chance de que ela o aceitasse de volta, Leo ia se arriscar.

"É, foi isso mesmo", ele disse, olhando bem nos olhos dela. "Eu não queria que você ficasse sozinha aqui na jukebox."

Ela espalmou uma mão no peito dele e hesitou por alguns segundos conflituosos antes de forçá-lo a recuar um passo. "Então para com isso."

Lily o contornou, mas para alívio de Leo não se dirigiu ao bar: foi até a mochila procurar moedas. Ele soltou o ar devagar. Poderia ter sido muito pior. Sabia que não devia ir atrás dela outra vez e concluiu que era melhor se acalmar um pouco. Quando passou pela mesa para ir ao banheiro, Bradley sorria maliciosamente para ele.

O banheiro era apertado e escuro, tanto pela madeira cheia de veios quanto pela lâmpada fraca brilhando no alto. Leo precisou de alguns segundos para que sua vista se ajustasse. Um cano exposto se destacava no telhado empenado. A pia estava torta e tinha um vazamento que formava no chão abaixo uma melancólica mancha cor de ferrugem em meia--lua. O mictório ficava em um canto tão úmido que chegava a ser desconcertante. Parecia que qualquer caminhão pesado que passasse o arrancaria da parede com o tremor. Havia uma foto emoldurada em cima dele. Leo apreciaria o luxo de um banheiro interno, mas não tinha certeza de que aquele servia. Com os pensamentos emaranhados e contaminados por Lily, e o ardor ao mesmo tempo familiar e renovado que corria em seu sangue, ele olhou atordoado para a parede à sua frente.

Devagar, a foto foi entrando em foco. Era velha, estava amarelada nas pontas e tinha alguma coisa escrita à mão no canto. Uma estrutura... árvores retorcidas... um homem. Leo arqueou uma sobrancelha, surpreso. Duke devia ter impressionado enormemente o dono do bar, se o banheiro parecia um santuário devotado a ele. A foto era de muito antes de Leo conhecer Duke, mas o bigode, o cabelo escuro, o chapéu característico, a postura arrogante: era ele, sem sombra de dúvida.

A constatação foi como uma dose de adrenalina. As palavras do enigma invadiram seus pensamentos: *Por isso, procure o cepo da árvore de Duke na barriga do três.*

Ele se aproximou, inclinando-se. No canto inferior da foto, quase claro demais para ler, palavras haviam sido rabiscadas a lápis. *A árvore de Duke.*

Puta merda.

Quinze

Lily levantou os olhos da jukebox e se deparou com Leo Grady, que havia tido um estranho ataque de possessividade antes de deixá-la poucos minutos atrás, todo bonitão em seu jeans velho e sua camiseta branca, sair do banheiro masculino parecendo um... homem-placa. E todo molhado.

"Oi?", ela murmurou, tentando entender o que ele havia enfiado debaixo da camiseta ensopada.

Com o cabelo pingando, Leo se apressou na direção dela, sorrindo enquanto abria a carteira e pegava dinheiro mais do que suficiente para cobrir o punhado de cervejas que tinham tomado.

"O que foi que você...?", Lily tentou perguntar.

"Pessoal", ele disse aos rapazes e a Nicole, andando depressa. "Estamos indo. Agora."

Com cuidado, Leo enfiou a mão no bolso da frente do jeans dela e pegou a chave do carro. Ele a girou no dedo e deu uma piscadela, como se tivesse total consciência de que a breve intrusão na calça havia disparado uma faísca entre as pernas de Lily. Leo jogou a chave na mão espalmada de Bradley e puxou Lily pelo pulso na direção da saída.

Enquanto ele a arrastava porta afora, Lily olhou para trás por cima do ombro a tempo de notar um fino rastro de água escoando em silêncio por baixo da porta do banheiro masculino.

"Leo, o que você tem embaixo da...?"

"Pro carro", ele disse, cortando Lily outra vez. "Todos vocês. *Agora*."

Com alguma dificuldade, eles enfiaram um Walt perplexo no bagageiro e entraram no banco de trás, enquanto Nicole e Bradley iam para os bancos da frente.

"O que acon...?" A pergunta de Bradley foi interrompida pelo atendente do bar, que corria na direção deles, aos gritos.

"Anda", Leo pediu, batendo na parte de trás do descanso de cabeça do banco do motorista. "Vai, vai, vai."

Sem esperar mais instruções, Bradley ligou o motor e saiu com o carro rugindo. "Eba!", ele gritou, abaixando o vidro do motorista. "Foi pra fazer esse tipo de coisa que a gente veio!"

Partículas de poeira entraram no jipe, suspensas no ar como poeira estelar, e uma energia indômita tomou conta do carro. Nicole estendeu o braço para ligar o rádio, que começou a tocar um honky-tonk crepitado. "Não sei o que foi isso, mas me sinto uma verdadeira fora da lei", ela comentou.

Lily se virou no banco para encarar Leo, pronta para exigir que explicasse que porra estava acontecendo, mas ele foi mais rápido: já estava tirando o que escondia embaixo da camiseta ensopada. Por alguns segundos, as palavras lhe faltaram. Ela afastou do rosto o cabelo chicoteado pelo vento para olhar melhor para a foto emoldurada que Leo tinha em mãos. O vidro estava molhado, mas protegera a foto. Era uma foto de seu pai, do lado de fora de uma cabana pequena. A estrutura inclinada de madeira era flanqueada por duas árvores. Duke, de cabelo castanho e bigode cheio, estava apoiado na árvore da esquerda, com uma cerveja na mão e um sorriso fácil para a câmera.

"É a árvore do Duke", Leo disse, orgulhoso, batendo com

o indicador nas palavras rabiscadas na foto. "*Por isso, procure o cepo da árvore de Duke na barriga do três*. Se conseguirmos descobrir onde a foto foi tirada, não vamos nem precisar desvendar o restante do enigma. Essa é a resposta!"

Lily podia jurar que o ar estava sendo lentamente arrancado de seus pulmões. "Sei onde fica."

Leo olhou para ela. "Espera... é sério?"

"Acho que sim", Lily disse, assentindo. "Nas poucas vezes em que o Duke me levou com ele em excursões de cartografia, paramos em uma cabaninha no interior de um cânion. Bom, era mais um barraco que qualquer outra coisa, e não vou lá desde que era pequena, mas..." Ela mordeu o lábio, sentindo a mente girar. "Acho que tenho uma ideia de onde fica."

"Boa!", Bradley gritou, batendo no volante.

Lily balançou a cabeça e disse: "Nunca vi essa foto".

"Bom, ela estava pendurada no banheiro masculino", Leo explicou.

Ela olhou para ele, piscando enquanto absorvia aquilo. "E você decidiu simplesmente roubar?"

"Na hora me pareceu mais fácil que perguntar pro cara do bar se ele aceitava de boa deixar o mictório sem decoração." Ele fez uma pausa. "Só que houve um probleminha com o encanamento quando tirei a moldura da parede."

"Um probleminha com o encanamento?", ela repetiu, sentindo um buraco no estômago.

"Quanto menos você souber, melhor", Leo disse. "Acho que a moldura estava pregada num cano. De jeito nenhum aquele banheiro passaria por uma fiscalização." Leo ergueu a bainha da camiseta e enxugou o rosto com ela. Os olhos de Lily baixaram para sua barriga chapada e a linha de pelos escuros logo acima da cintura do jeans. "Talvez seja bom não voltar ao lugar por um tempo."

"Você poderia ter pegado só a foto!"

"Eu me empolguei." Leo olhou para ela e abriu aquele seu sorriso imprudente. "Além do mais, fui bem generoso ao pagar por aquela cerveja aguada de merda. Pensando a respeito, acho que paguei pela foto também, indiretamente." A expressão de Lily fez com que ele finalmente cedesse. "Eu mando um cheque, tá bom?"

"Por que não *tirou uma foto da foto*?", ela perguntou, embasbacada, enunciando cada palavra como se falasse com uma criança.

Leo deu risada. "Com o quê? Um copo de cerveja? Você pegou nossos celulares."

"Isso é demais", Walter disse atrás deles, com os joelhos recolhidos junto ao corpo. "É como se fôssemos os Goonies."

Lily recostou a cabeça para organizar os pensamentos. Se estivesse certa e a foto houvesse sido tirada diante da cabana que mencionara, talvez já tivessem desvendado a pista mais importante para descobrir aonde deviam ir. Assim que ela se acalmasse, talvez pudesse até agradecer a Leo por ter simplesmente pegado a moldura e fugido. Afinal, para que perder tempo?

Nicole baixou o vidro do passageiro e um ar quente delicioso invadiu o jipe. Lily voltou a olhar para a foto, tentando bolar um plano. Os pontos de acesso ao labirinto eram um borrão. Estava elétrica com o fato de Leo — o cara tranquilo que estava ali na frente dela — ter roubado a foto, pescado a chave em seu bolso, dado uma de possessivo na jukebox e destruído o banheiro. Ele mal dissera dez palavras naquela primeira manhã, mas agora parecia vivo, e vê-lo saindo da concha era maravilhoso. Parecia que o tempo que os separava estava se desfazendo.

A adrenalina se espalhou por seu sangue quando ela se

lembrou do modo como as mãos de Leo haviam segurado seus quadris e a puxado para ele. *Eu não queria que você ficasse sozinha aqui na jukebox.*

Ela olhou feio para ele. Sim, precisavam da pista, mas Leo poderia ter lidado com aquilo de inúmeras maneiras em vez de simplesmente arrancar a moldura da parede. Se *ele* não conseguia manter o controle, o que Lily podia esperar dos outros?

"Eu não queria desperdiçar a oportunidade", Leo gritou por cima do barulho do vento, lendo corretamente a expressão dela.

"Axl é um maluco!", ela gritou de volta. "Não notou as espingardas no bar?"

Bradley voltou a bater no volante. "Por que é que todo mundo tem arma agora?"

"O nome dele é Axl?" A expressão de Leo se abrandou. "Aquele cara? O atendente?"

Lily fez uma pausa, olhando nos olhos de Leo em busca de compreensão. "É, por quê?"

"Só tô..." O rosto dele voltou a se contrair, um pouco como se achasse graça, mas também com ódio. "Eu tô tentando aceitar a ideia de que você teve um lance com um cara chamado *Axl*."

Ela fechou a boca e arregalou os olhos, chocada. "O que foi que disse?"

Leo passou uma mão pelo rosto. "Esquece."

"Como foi que você...?"

"Quer saber como?", ele a cortou e deu uma risada dura. "O cara olhava pra você como se tivesse todo o direito."

"Isso foi...", ela começou a dizer, irritada, depois recomeçou. "Não foi nada. Faz um século. Já esqueci."

"Hã, pessoal", Walter murmurou do bagageiro. "Não quero interromper, mas... acho que estamos prestes a morrer."

Todas as cabeças no jipe com exceção de Bradley viraram juntas para trás, a tempo de ver uma caminhonete preta gigante se aproximando a toda. Ela desacelerou, ziguezagueando e pressionando, e se manteve a uns quinze centímetros da traseira deles, o motorista o tempo todo com a mão na buzina. Bradley soltou um grito de guerra, ergueu um punho e socou o teto de metal do jipe.

"Nasci pra isso!", ele gritou para o céu.

Com pneus do tamanho de uma casa, a caminhonete tinha holofotes no teto e, pintada à mão no capô, uma águia-careca com as asas abertas e segurando uma bandeira dos Estados Unidos com as patas. Atrás do volante estava Axl, o que não surpreendeu Lily nem um pouco. Um dos amigos idiotas dele se encontrava no banco do passageiro, gritando alguma coisa.

Leo deu risada com vontade. "Você só pode estar brincando comigo! Olha só essa caminhonete!"

"A gente vai morrer mesmo", Walter gemeu.

"Não dá nem pra acreditar!", Leo prosseguiu. "É exatamente o tipo de carro que eu imaginava que ele teria!"

Mas Bradley não ia aceitar aquilo. Pisou fundo no acelerador, e o jipe respondeu com alguns ruídos abafados antes de ganhar velocidade, obrigando Axl a pisar fundo também. Os dois carros continuaram correndo pela estrada esburacada e detonada; um movimento errado e o jipe seria esmagado pelo tributo sobre rodas aos pintos pequenos de todo o mundo de Axl.

"Ele tá puto!", Bradley gritou, adorando. "Nossa, Lily, o que você fez com o cara? O Axl não sabe que você é a filha do maior herói dele?"

"Sabe, mas também sabe que nunca dei a mínima pro tesouro!", ela gritou por cima do vento que rugia.

Bradley botou o braço para fora da janela, mostrou o dedo do meio e gritou: "Quer sua foto de volta? Chupa o meu pau".

Axl e o amigo idiota ficaram com o rosto vermelho. Eles passaram na frente, fecharam Bradley e frearam com tudo. O jipe atravessou a estrada, engasgando. Bradley reagiu virando para a esquerda para evitar bater no para-choque traseiro da caminhonete. Uma buzina soou e Bradley gritou, virando ainda mais para a esquerda para desviar do carro que vinha na direção oposta e pegar uma estrada lateral ainda mais esburacada que aquela em que se encontravam antes.

Axl deu meia-volta, formando um tornado de poeira, e acelerou na direção deles. Ouviu-se um tiro, depois outro. As balas fizeram a terra mais à frente do jipe espirrar.

"Estão atirando na gente!", Nicole gritou.

Leo protegeu a cabeça de Lily com os braços e a puxou para seu peito. "Eles trouxeram uma *arma*?"

"Eu tô com a mochila do Terry!", Walter gritou por cima do caos. Ele tirou a arma de dentro e a sacudiu. "Querem que eu atire?"

"NÃO!", todos gritaram juntos. Leo estendeu o braço e tirou a arma de Walter com todo o cuidado. Lily levou as mãos ao rosto, se esforçando ao máximo para não vomitar.

A mão fria de Leo tocou seu pescoço. Ela esqueceu o fato de que queria dar um soco no estômago dele e deixou que Leo a abaixasse. Com a testa apoiada na coxa dele, Lily se concentrou em respirar e ignorar o sacolejo violento do jipe, a buzina soando atrás deles e o fato de que aquela estrada provavelmente terminaria em menos de um quilômetro e eles teriam que encarar o cano de uma espingarda só porque Leo havia roubado o bar.

Com delicadeza, ele tirou o cabelo do rosto dela antes de massagear sua nuca. Aquilo era tão gostoso que Lily quis gritar.

"Vai ficar tudo bem", Leo falou no ouvido dela.

"Eu tô furiosa com você."

"Só respira, agora. Depois você fica furiosa."

"Pode deixar."

Lily sentiu uma pressão no topo da cabeça e se deu conta de que ele havia dado um beijo ali. Quando ouviu outro tiro, ela agarrou a coxa de Leo por instinto.

"Esses idiotas atiram supermal", Nicole disse. "Qual é a dificuldade de acertar um carro?"

Bradley mandou que todos se segurassem. Nicole gritou alto quando o jipe virou com tudo para a direita e passou para o campo. Eles foram sacudidos pelo que pareceu uma eternidade, até que, com um solavanco, os pneus voltaram a tocar o asfalto liso. "Eles estão ficando pra trás!", Bradley gritou por cima do ombro.

Ouviu-se um guincho forte e metálico. Lily deu um pulo quando todos comemoraram, olhando para trás. A caminhonete de Axl havia caído numa vala e tombado de lado. Bradley tirou o pé até uma velocidade razoável. Axl e o amigo saíram da caminhonete e correram atrás do jipe sem muita vontade antes de parar no meio da estrada e ficar gritando de lá.

Walter se esticou todo para enfiar a cabeça pela janela do lado de Lily e berrar: "Ele vai mandar um cheque pela foto!".

Com Axl e o amigo ficando cada vez menores no retrovisor, Bradley pegou leve no acelerador.

"Puta merda, que maluquice", Leo disse, passando as mãos pelo cabelo. "Não teria sido melhor o cara, sei lá, *ficar no bar e desligar o registro?*"

"Já entrei naquele banheiro", Nic disse. "Você provavelmente fez um favor pra ele."

"Não consigo acreditar que você namorou esse cara",

Leo murmurou, voltando seus olhos escuros, profundos e ardentes para Lily.

"Eu não disse que a gente *namorou*."

Leo sorriu e ela deu um tapinha em seu ombro, sem desfazer o contato visual. Ele estava morrendo de ciúmes.

Por que Lily gostava tanto daquilo?

Walter continuou olhando pelo vidro de trás do carro. "Acham que a gente devia conferir se tá tudo bem com eles?"

"Os caras estavam atirando na gente há trinta segundos", Nicole o lembrou, incrédula.

"O celular funciona aqui", Lily disse a Walter. "Eles podem ligar pra pedir ajuda." Ela ficou vendo a caminhonete ficar cada vez menor atrás deles, até desaparecer de vista. Então se debruçou entre os bancos da frente e apontou através do vidro. "Continua nessa estrada", ela disse a Bradley. "Depois de uns quinze quilômetros, você vai virar à esquerda, logo depois de passar por um cânion na direita."

Bradley bateu continência, olhando para ela através do retrovisor, então voltou a se concentrar na estrada. Estava radiante, e Lily podia apostar que nunca tinha se sentido tão feliz. Quando ela se virou, Leo estava com a cabeça inclinada para trás e os olhos fechados, sentindo as rajadas de vento quente no rosto.

Só respira, agora. Depois você fica furiosa, ele havia dito.

Lily prometeu a si mesma que faria aquilo enquanto Leo estendia a mão até os dedos que ela não parava de tamborilar de ansiedade e os puxava para sua coxa.

"Cara, fico muito feliz de estar aqui", ele disse.

Dezesseis

Quando pararam para montar acampamento para a noite, o ar estava elétrico. Eles tinham um mapa, tinham uma pista de Duke que os levaria ao próximo passo, e Lily sabia aonde precisavam ir. Leo sentia o peito e os membros leves. Todos pularam para fora do jipe energizados.

Leo e Bradley descarregaram as mochilas e barracas. Nicole e Lily cavaram um buraco para acender uma fogueira com segurança enquanto Walter saiu atrás de qualquer coisa que parecesse lenha. Quando o fogo finalmente começou a estalar e o sol já se punha, eles se reuniram em volta de uma pedra chata, puseram todos os materiais nela e começaram a planejar a rota pela qual iam se embrenhar ainda mais no labirinto na manhã seguinte. Com a caneta, Lily traçou o caminho, indicando quanto tempo cada trecho provavelmente levaria, onde parariam para descansar e onde acampariam para passar a noite antes da última trilha, em meio às cavernas mais traiçoeiras. Com sorte, encontrariam o que esperavam desesperadamente que continuasse escondido ali.

"Preciso que todos vocês prometam que farão exatamente o que eu disser", Lily pediu.

"Vamos fazer", Leo garantiu.

Quando Lily franziu a testa, Leo concluiu que ela tinha levado a sério o que ele dissera sobre "ficar furiosa depois". Se sentiria mal por ter roubado a foto se... Bom, Leo não sabia ao certo o que faria com que se sentisse mal depois de um cara com quem ela havia ficado tê-los perseguido pela cidade com uma espingarda carregada. Sinceramente, Leo queria ter aproveitado e levado algumas garrafas de bebida também.

"Vamos descer aqui", Lily disse, indicando um ponto no mapa que parecia a uma vida de distância de onde estavam acampados. "Se eu estiver certa, a cabana fica a uns três quilômetros subindo o rio."

Puta merda. De repente, a vida dele em Manhattan parecia distante a ponto de soar como ficção. Os dias passados sentado à escrivaninha para criar um algoritmo que não podia ser hackeado, as noites em seu apartamentinho, o ruído constante da cidade mais abaixo — aquilo tudo lhe parecia completamente estrangeiro. Ele fitou o perfil de Lily e se sentiu puxado da garganta às entranhas. Fazia muito tempo que não se sentia tão presente. O ar roçava sua pele de maneira diferente, entrava em seus pulmões com mais vigor. Leo estava consciente de como seu coração batia acelerado e de quantas vezes havia rido alto nos últimos dias. Ali, tudo era cor, som, calor. *Ela* estava ali. Ele não tinha certeza de como conseguiria deixá-la ao fim da viagem.

Quando inspirou para acalmar os nervos, Leo se deu conta de que o ar estava mesmo elétrico: dava para ver os relâmpagos à distância, e a escuridão pesada de uma tempestade preocupantemente baixa assomava, pairando como uma enorme nave alienígena. Era impactante ver a força viva de uma nuvem: a massa cinza bloqueando o sol ao se aproximar, a chuva caindo como uma cortina prateada que ia do céu à terra.

Lily notou a mesma coisa. "Merda. Tá vindo direto pra cá." Ela olhou para Nicole, depois para o restante do grupo. "Tá. Arrumem suas coisas e vão pras barracas. Não vamos poder cozinhar hoje à noite, então peguem algumas barrinhas de proteína do jipe, mas não exagerem. A comida precisa durar mais dois dias."

Eles levantaram depressa e se dispersaram. Foram atrás das mochilas e começaram a armar as barracas. Lily ajudou Walter. Quando Leo terminou de armar a dele, Lily estava indo buscar a dela. Ele foi trotando em sua direção e a ajudou a tirar a barraca do saco.

"Pode deixar", Lily disse, puxando a barraca de volta. Ela a esticou no chão e tirou as estacas de metal do saco estreito em que ficavam. Pegou um martelinho e começou a fixar os cantos na terra seca.

Leo se agachou ao lado dela, esticou um canto e usou seu próprio martelinho para fincar uma segunda estaca, depois foi atrás de outra.

Ele sentiu que Lily tinha congelado ao seu lado. Quando se virou para ela, viu que o encarava.

"O que foi?", Leo perguntou.

"O que você tá fazendo?"

"Eu tô ajudando", ele disse, confuso.

Lily se esticou para arrancar a estaca da mão dele. "Pareço alguém que precisa de ajuda pra armar uma barraca?"

"Claro que não." Com todo o cuidado, Leo pegou a última estaca. Quando fez uma pausa, os olhos de ambos se encontraram, e ele teve que se esforçar para disfarçar o desejo em sua voz. "Só tô te ajudando pra ir mais rápido."

Ela se levantou devagar e o olhou de cima. O céu estava estranhamente carregado; parecia que a umidade escaldante da tempestade tinha se instalado bem em cima deles.

"Posso ter uma palavrinha com você em particular?"

Leo olhou para a barraca dela — ainda uma pilha de tecidos e estacas no chão —, depois para as nuvens cinza que se aproximavam. "Agora?"

"Agora."

Sem esperar, Lily se virou e se afastou, desaparecendo no crepúsculo, atrás de uma grande formação rochosa.

Ele quase correu para conseguir alcançá-la, mas ao passar pelas pedras viu que Lily estava mais longe do que imaginava, andando de um lado para o outro entre duas rochas vermelhas enormes. Ela parou diante da aproximação de Leo e se virou para ele. "O que você pensa que tá fazendo?"

Leo fez uma pausa. Por algum motivo, desconfiava que não estavam mais falando da barraca. "Como assim?"

"O lance da jukebox", ela disse. "Tocar meu pescoço no carro. Me ajudar com a barraca."

"Ninguém nunca te ajudou a fazer nada?"

"Você sabe que não é disso que eu tô falando. É o *jeito* como você me ajudou. O que você tá fazendo, Leo?"

A tensão no maxilar dela e a vulnerabilidade e raiva em seus olhos indicavam que Lily sabia exatamente o que ele estava fazendo. De modo que era melhor admitir. "Quero ficar perto de você." Quando ela pareceu pasma, Leo acrescentou: "Ainda gosto de você".

Lily balançou a cabeça. "Não."

"Não?"

"Não", ela repetiu. "Para com isso."

Ele sentiu uma pontada no coração. "Lily..."

"Tem ideia de como foi difícil seguir em frente?" As narinas dela estavam bem abertas. Ele notou que o queixo dela tremeu de leve antes que Lily conseguisse controlá-lo.

Leo assentiu e disse a ela: "Claro que sim, eu...".

"Agora sei que você ligou. Eu entendo. Mas na época não sabia. A esperança de que você voltasse não se foi de um dia pro outro, Leo. A dor era constante." Lily pressionou o punho contra o peito, com os nós dos dedos brancos. "Durou *anos*." Ela trancou a mandíbula e o olhou com uma dor declarada, que se espelhou no mesmo instante no peito dele. "As promessas que fizemos significavam alguma coisa pra mim. Sei que o que aconteceu também partiu seu coração. Eu entendo, de verdade. Mas quando você faz esse tipo de coisa... quando fala sobre seus sentimentos, quando me toca. Pra você, talvez seja só um romance de férias, mas isso me leva de volta ao momento mais difícil da minha vida. Se eu tivesse podido contar com você, mesmo que em Nova York, teria aguentado tudo. Mas não pude. E não vou passar por isso de novo."

Leo deu um passo na direção dela, mas se encolheu quando uma gota de chuva gorda caiu em sua testa. "Quero continuar essa conversa", ele garantiu, "mas pode ser dentro da minha barraca? Tá começando a chover."

"E entendo que por um tempo você também ficou na pior", ela prosseguiu, ignorando o que ele havia dito. "Mas eu tô na pior desde que você foi embora." Seus olhos ficaram vermelhos e lacrimejaram quando ela expressou a dolorosa verdade: "Odeio minha vida. Odeio, porra. Com exceção dos meus cavalos e de Nic, não tenho nada". Ela inspirou fundo pelo nariz algumas vezes e balançou a cabeça. "Então o que te dá o direito de entrar na minha vida de novo, me tocar e me olhar assim, como se não fosse totalmente presunçoso..."

O céu se abriu com um estalo ensurdecedor, engolindo o restante da frase dela.

"Lily", Leo gritou por cima da cacofonia da chuva batendo nas pedras. "Vamos voltar!" Uma cascata gelada caiu sobre os dois. Leo deu um passo à frente e abriu as laterais da jaqueta para proteger Lily, que o empurrou.

"Não preciso que você me proteja da chuva, Leo." A água escorria pelo rosto dela e encharcava a camisa xadrez azul, deixando seu sutiã visível, delineando cada curva de seu corpo. Leo arrastou seus olhos de volta para os dela. A cabeça dele girava, as emoções o atingiam como rochas.

"Não preciso de você", ela insistiu, daquela vez com menos ardor.

"Tá", ele disse, paciente, "mas não tô fazendo isso porque você precisa de mim. Tô fazendo isso porque quero." Leo olhou em volta à procura das palavras certas, mas encontrou apenas as mais simples. "Quero *você*."

"Não quero que você me queira."

Ele fechou os olhos e enxugou o rosto. Quando voltou a abri-los, Lily estava ensopada da ponta do cabelo aos cílios, bochechas e lábios.

Sob a pressão da atenção dele, Lily lambeu a água da chuva. O movimento e o modo como olhava para Leo só aumentaram o desejo dele, que lembrou da primeira vez em que a fizera gozar. Muito depois de os gritos dela terem parado, Lily olhara sem fôlego para Leo, que se encontrava entre suas pernas. Os olhos cor de avelã, um pouco mais escuros em torno da íris, naquele momento pareciam ter sido engolidos pelas pupilas, pretos de desejo. O cabelo escuro dela era como um halo caótico em volta da cabeça. A blusa e o sutiã estavam levantados, o short solto em um tornozelo. Lily parecia uma estrela que irrompera pelo teto: esgotada, mas irradiando luz.

"*Para*", ela disse agora, vendo o desejo no rosto de Leo.

"Desculpa." Ele fechou os olhos e apontou com o queixo para o acampamento. "Vamos... vamos voltar."

Ela não se moveu. "Por que você sempre me olha assim?"

Leo não sabia o que dizer. Não sabia como estava olhando para ela, mas não tinha como esconder seu interesse. Estava se apaixonando de novo. Nunca tinha se desapaixonado. Desviou os olhos. "Desculpa."

Ele congelou quando Lily estendeu a mão e passou o dedão em seu lábio inferior, olhando para a boca de Leo como se quisesse devorá-la. O desejo cresceu dentro dele, mas então Lily piscou para afastar o ardor dos olhos.

"Não", ela disse, baixo. E depois, mais decidida: "Não vou fazer isso".

Leo continuou parado, com o coração na garganta. "*Lil*. O que você espera que eu faça agora?"

Lily inclinou o rosto para o céu. "*Porra*", ela soltou com o ar, a voz devastadoramente entrecortada. "Não sei."

Ele se inclinou e tirou uma mecha de cabelo dos lábios dela. "Tudo bem."

"Não."

Se ela não ia ser a primeira a voltar para o acampamento, então ele seria. Mas, assim que Leo se virou, Lily o pegou pelo pulso, puxou de volta e em um momento de arrebatamento pegou seu rosto nas mãos e puxou sua boca para a dela.

Algo explodiu nas veias dele, impelindo Leo à frente, forçando uma rajada de ar a escapar da garganta dela quando suas costas bateram na face da rocha. O beijo de Lily era quente e raivoso, mas quando ela respirou fundo um ar fresco tocou os lábios e a língua dele, e a sensação foi de um chicote estalando, o que triplicou seu desejo. Leo nunca ia se cansar daquilo. A maciez dela, o gosto, o barulho que produziu no fundo da garganta. Por toda a sua vida, Leo nunca quisera algo do mesmo modo como queria Lily, e a sensação do beijo desenfreado dela dissolveu qualquer reserva que ele ainda tivesse. Os dois bebiam a água da chuva da pele do outro, se beijando tão profundamente que os gemidos dela faziam o corpo dele vibrar.

As mãos de Lily agarraram a camiseta dele, mantendo-o preso enquanto ela cravava os dentes em seu lábio inferior e o atacava com a língua voraz. Leo gemeu, dando a ela tudo de si, seus lábios, seu queixo, seu pescoço, para morder e chupar. As mãos de Lily escorregaram pela frente do corpo dele e entraram por baixo da camiseta. Era como se Leo ficasse febril diante das palmas frias dela. Lily arfou e desceu as unhas pelo peito dele, pelos mamilos. A sensação era de um diapasão sendo tocado. As mãos frenéticas dele chegaram às bochechas dela, ao pescoço, e desceram, apalpando as curvas delicadas dos seios. Leo lambeu a água que caía na pele dela, chupou seu maxilar, seu pescoço, soltando fragmentos de seus pensamentos agitados sobre desejá-la e ter sentido sua falta, se perdendo no modo como ela agarrava seu colarinho como se fosse puni-lo se parasse com aquilo.

Leo desabotoou a camisa de algodão dela, abriu e beijou cada centímetro molhado daquela pele macia e agora exposta, pescoço, clavícula, esterno e abaixo, enganchando um dedo na alça do sutiã e deslizando-a pelo ombro para revelar o seio. Com a própria sanidade se acumulando na poça de água a seus pés, ele levou a palma da mão ao corpo dela, sentindo, lembrando. Seus dedos se fecharam sobre o mamilo em um beliscão provocativo.

Os gemidos de Lily cortaram a tempestade. Seu corpo respondia indefeso, as unhas se fincavam nos ombros dele, levando a boca dele aonde ela queria seus beijos, estremecendo de prazer com o calor dessa mesma boca envolvendo o mamilo. Leo trocou de lado, frenético, perdido no gosto de Lily, pensando que preferiria se afogar na chuva a afastar os lábios da pele dela. Com um gemido, Lily o puxou para cima e agarrou seus cabelos, reivindicando Leo com sua boca febril e arfante, os lábios e a língua resfriados pela chuva.

Os beijos foram ficando mais lentos, lânguidos e profundos. Leo pegou o rosto dela nas mãos, mordiscando delicadamente o lábio inferior de Lily antes de voltar a...

Lily virou a cabeça para o lado abruptamente.

"Merda." Ela fechou os olhos, contraiu o rosto, levou as palmas ao peito dele e o afastou com um empurrão. "*Merda*."

O ar resfriou. Leo sentiu um buraco no estômago. Ela começou a fechar os botões da camisa com as mãos trêmulas.

"Lily..."

Sem dizer mais nada, ela se virou, passou correndo por ele e voltou para o acampamento.

Dezessete

Tão rápido quanto chegou, a chuva se foi, mas quando Lily saiu da barraca na manhã seguinte, estava tudo de cabeça para baixo — incluindo a vida dela. A fogueira tinha se apagado, suas botas estavam molhadas e ela havia beijado Leo. Com voracidade. Agressividade. Sem reservas.

E agora estava morrendo de medo de vê-lo.

Enquanto calçava um par de botas secas, ela deu uma olhada nos danos em todo o acampamento. A terra endurecida pelo sol não fora capaz de absorver tanta água tão depressa. Eles tinham armado as barracas numa área alta o bastante para que a maior parte da água escoasse e se acumulasse em depressões agora escorregadias ou corresse por áreas mais baixas, mas os equipamentos deles estavam molhados e a lama vermelha lambuzara quase tudo. A saída que supostamente seria rápida e organizada levaria o dobro do tempo.

O céu clareava por trás das enormes pirâmides de terra. Os tons de rosa e dourado eram um tímido pedido de desculpas pelo aguaceiro inesperado da noite anterior. Lily acendeu o fogo e deixou suas botas tão próximas dele quanto possível, pendurando as roupas para secar nos galhos de um zimbro todo retorcido. Estava começando a fazer o café quando ouviu passos abafados pela lama.

Ela havia imaginado que Leo seria a primeira pessoa que veria naquela manhã. Não teria ficado surpresa em encontrá-lo do lado de fora de sua barraca, atrás de uma explicação. Ele merecia uma. Por sorte, era apenas Nicole.

"Quem diria?", Nic disse, passando uma mão pelos cachos loiros. "Achei que fosse ouvir a barraca do Leo vir abaixo ontem à noite."

Com aquela imagem, uma onda de eletricidade percorreu o corpo de Lily, chegando a partes que ansiavam por serem tocadas. Ela poderia ter ido para a barraca de Leo. Com certeza queria ter ido. E ele a teria deixado entrar. Lily sabia que Leo teria feito ou dito o que ela pedisse. Sempre fora assim.

"Obrigada por ter armado minha barraca", ela disse a Nicole. "Não sei o que eu estava pensando."

"Ah, acho que *eu sei* o que você estava pensando." Nicole passou uma perna por cima de uma pedra larga e se sentou de frente para Lily. "Normalmente eu te diria pra fazer a festa e montar no cara como se fosse um cavalo selvagem, mas achei que tínhamos que manter o foco nisso." Nic apontou para os cânions e a paisagem erma e tortuosa que sem dúvida exigiria toda a atenção delas nos dois dias que se seguiriam.

Lily mediu com todo cuidado o pó de café, evitando os olhos da amiga. Nicole estava arriscando tanto quanto ela ali. Ambas seriam responsabilizadas se alguma coisa desse errado. Leo era uma distração desnecessária. "Claro", Lily garantiu a ela. "Eu não estava pensando direito ontem à noite, só isso. Fora que nunca daria certo entre a gente."

"Isso eu não sei." Nicole inclinou a cabeça. "Só quem tem dinheiro pode dizer que ele não resolve todos os problemas." Ela pegou o bule e derramou a água fervida devagar sobre o pó. "Se a gente encontrar o tesouro, tudo vai mudar pra você. Talvez eu até compre o terreno ao lado do seu rancho. Imagina só!"

Lily gostou bastante do plano. Tanto que nem queria ficar pensando naquilo. "E se não estiver à venda?"

Nic fez uma careta. "Pra quem tem dinheiro, tudo está à venda."

Alguém pigarreou atrás delas. Quando se viraram, viram Leo com uma braçada de roupas molhadas. Todos os três sabiam exatamente o que havia deixado as peças naquele estado, o que fez as bochechas de Lily queimarem.

"Posso pendurar aqui?" Ele acenou com a cabeça para a árvore baixa em que Lily havia pendurado suas próprias roupas molhadas.

Nicole ficou de pé com os lábios esticados em um sorriso presunçoso. "Vou desarmar minha barraca e acordar os outros."

Leo foi estender as roupas. Lily entregou a ele uma caneca de café bem forte.

"Podemos conversar sobre ontem?", ele pediu.

"Eu preferiria que a gente não conversasse."

Ele tomou um gole e olhou para o líquido escuro. "Tá. Tudo bem."

Mas Lily sabia que não estava tudo bem. Fora ela que o afastara. E fora ela que o beijara.

"Preciso que você não..." A frase morreu no ar. *Preciso que você não me olhe assim.* Lily piscou para o fogo, parecendo procurar as palavras ali. "Eu não deveria ter te beijado. Sinto muito."

"Não acho que você sinta muito por ter me beijado", Leo disse, e Lily olhou para ele na mesma hora, surpresa. "E *eu* não sinto muito por você ter me beijado. Se fizesse de novo, eu não te impediria."

"Não vou fazer", ela disse, firme. "Não somos mais adolescentes, Leo."

"Eu não era um adolescente quando fui trabalhar no rancho." Leo sorriu, mas ergueu as mãos quando Lily cerrou a mandíbula e olhou feio para ele. "Tá bom, parei."

Bradley se aproximou, ainda bocejando e com as ondas rebeldes do cabelo parecendo chamas douradas. "Cara, que tempestade ontem à noite." Ele se serviu uma caneca de café, sem perceber a tensão pairando no ar. "Achei que fôssemos ser levados pela água."

"*Pff.*" Lily fez, minimizando aquilo com um aceno. "A chuva de ontem não foi nada."

Walter se juntou a eles, desalinhado e arrastando os pés. Parecia pertencer àquele lugar. O visual desgrenhado lhe caía bem. Lily lhe serviu uma caneca de café enquanto ele procurava onde se sentar.

"Quando vamos descer?", Bradley perguntou. "Vai chover mais hoje?"

"Eu nem sabia que chovia no deserto", Walter comentou.

"Chove uns duzentos e cinquenta milímetros por ano", Lily explicou a ele. "A maior parte na primavera." Ela olhou para o alto. Os tons pastel do céu tinham cedido espaço a um azul bem forte. Tudo parecia calmo. Não havia nenhuma nuvem à vista. "A previsão era de trinta por cento de chance de chuva ontem, mas era pra estarmos bem mais no alto, então nem me preocupei. Mas não deve chover pelo restante do caminho."

"Só que vai ficar escorregadio pra caralho, então tomem cuidado", Nicole acrescentou.

"Posso fazer uma pergunta meio boba?", Leo disse, olhando para baixo enquanto virava um graveto nas costas dos dedos.

"Manda", Nicole disse.

"Agora que temos a fotografia e uma ideia de pra onde vamos, o que exatamente estamos esperando?" À luz fraca da manhã, ele ergueu os olhos para Nicole e depois para Lily. "Digamos que a gente encontre a cabana quando descermos. Com sorte, o tal toco de árvore também. Concluímos que foi lá que o Duke escondeu tudo?"

"É possível, mas acho que não." Lily fez uma careta. "Lembra como meu pai era louco por quebra-cabeças e jogos? Bom, se um código ou enigma próximo ao cepo não indicar onde tá o dinheiro, com sorte pelo menos vai nos levar ao passo seguinte. Aposto meu braço esquerdo que, se a caça ao tesouro for real, ele deixou pistas por toda parte."

Nada fácil vale a pena, Duke sussurrou na mente dela.

Bradley se inclinou. "Mas onde estamos agora em relação a pra onde vamos?"

Lily abriu o mapa e apontou para onde tinha desenhado um quadrado. "Agora estamos aqui." Ela deslizou o dedo vários centímetros. "Este é o cânion Jasper, pra onde vamos."

"É tão cheio de... ondas", Walter disse, contraindo o rosto.

"É. São curvas de nível. Vamos descer até o nível do rio." Todos tinham visto o rio à distância e sabiam que teriam um longo caminho pela frente. "Logo mais vamos ter que deixar o jipe e seguir a pé. Não vai ser fácil."

Os três homens se entreolharam, enquanto Lily olhou para Nicole. Seriam dois dias complicados.

Bradley foi o primeiro a romper o silêncio. "Então é melhor começarmos logo", ele disse. "Vamos comer e cair fora daqui."

O café da manhã não foi muito variado — mingau de aveia instantâneo, castanhas e nozes e frutas vermelhas. Eles acabaram com a comida fresca, sabendo que as refeições seguintes teriam que ser leves, não perecíveis e ricas em proteína. Ninguém mencionou as roupas de Lily e Leo, que o calor do fogo já tinha quase secado, mas pairavam ali como sombras cheias de culpa.

Todos desarmaram as barracas e carregaram o jipe, depois dirigiram por algumas horas lentas pela estrada cada vez mais acidentada e traiçoeira antes de decidir que era hora de seguir a pé.

Verificaram as mochilas para se livrar de tudo que não fosse absolutamente necessário. Lily não deixaria a arma no jipe de jeito nenhum, por isso a guardou junto com o diário de Duke, seu telefone via satélite e os telefones de Terry dentro de um saco plástico tipo zip bem grande.

Leo pôs uma mão sobre o telefone de Terry, que já estava guardado. "Será que é bom levar? Não vai pegar mal pra gente?"

"Não. Todos os guardas florestais da região foram meus amigos de infância. São caras legais. E não é como se fosse o FBI."

Quem precisava trocou de sapato. Separaram uma muda extra de roupa, barras de proteína, carne seca, água e latas de comida, e amarraram o saco de dormir e a barraca à mochila. Nic pegou o kit de primeiros socorros.

"Mantenham a mochila o mais leve possível", ela lembrou a todos. "Sei que você quer levar o máximo de coisas, Bradley, mas prometo que não vai precisar de caxemira lá embaixo."

Ele pareceu ofendido, mas não disse nada, só tirou uma blusa da mochila e devolveu ao jipe.

Em relativo silêncio, partiram. O clima era de esperança e apreensão... Mas talvez a energia tranquila que Lily sentia no grupo também fosse foco. Nunca haviam feito nada do tipo. Tinham um rio intermitente como guia, mas o caminho não estava claro.

"Lembra como o celular pegava mal no rancho?", Leo perguntou, surpreendendo-a com sua proximidade.

Lily olhou para ele por cima do ombro, confusa. "De onde veio isso?"

"Sei lá. Eu só estava pensando em como os hóspedes ficavam putos quando se davam conta de que havia basicamente um espaço de dez centímetros quadrados em toda a propriedade em que *às vezes* tinha sinal. Isso me lembrou de que faz dias que não verifico o celular, o e-mail ou o que quer que seja. Acho que aquele verão foi a última vez que fiquei assim desconectado."

"O que você acha que tá rolando na internet?", Walter perguntou, franzindo a testa para os próprios pés.

"O mesmo de sempre", Leo disse. "Alguém bravo. Alguém dando palestrinha. Memes de gatos."

"Alguém postando no Instagram uma selfie sem camisa no banheiro", Bradley disse.

Leo deu risada. "Metade do seu feed é de selfies sem camisa no banheiro."

Bradley olhou feio para ele. "*Metade*, não."

"Aqueles retângulos infernais transformaram vocês em zumbis", Nicole disse. "Instagram? Twitter? Se odeiam tanto assim, é só apagar."

"É claro que a gente odeia." Bradley riu. "Esse é o ponto. A gente usa esses aplicativos pra se sentir superior e se irritar."

"Walt, não", Leo disse. "Tem quase um milhão de seguidores no TikTok, que não se cansam do seu conteúdo sobre animais." Ele olhou para o amigo enquanto passavam por um trecho relativamente plano do caminho. "Qual foi o primeiro post que viralizou mesmo?"

"Aquele sobre como cuidar de um furão de maneira responsável", Bradley disse, rindo.

Walter balançou a cabeça. "Não, era sobre os hábitos de acasalamento do sapo co..." Suas palavras foram cortadas por um grito agudo quando ele perdeu o equilíbrio, caiu e escorregou rocha abaixo.

"Merda!" Nicole correu até Walter e se ajoelhou para verificar o tornozelo que ele segurava enquanto rolava de dor. "O que aconteceu? Você tá bem?"

Walter fez uma careta e apontou para um montinho de pedras soltas escondido atrás dos galhos emaranhados de um zimbro caído. "Tropecei naquelas pedras", ele disse, com a voz tensa por entre os dentes cerrados.

Eles o transferiram para um trecho mais plano. Leo se ajoelhou ao lado do amigo e tirou a bota e a meia dele depressa.

"Ah, merda", Bradley sussurrou quando o tornozelo, que inchava rapidamente, ficou visível. Um hematoma roxo já se formava na pele clara de Walter.

"Tá muito ruim?", Lily perguntou.

Leo foi apalpando o pé do amigo a partir de baixo. Quando chegou à parte de cima do tornozelo, Walter inspirou fundo de dor e soltou um palavrão.

Quando apertou de novo aquele ponto, a dor pareceu dominar Walter, que ficou suado e pálido. "Não aperta aí de novo, por favor", ele pediu, com a voz fraca.

Leo olhou para Lily, preocupado. "Acho que quebrou."

"Consegue mexer o tornozelo?", ela perguntou para Walter.

Ele tentou virar o pé, mas arfou na mesma hora. "Não."

Lily ficou de cócoras, com o medo parecendo dedos que tocavam sua pele. "Bom, então é isso."

"Então é isso o quê?", Bradley perguntou.

"Walter tá machucado. Precisamos voltar."

Bradley tirou o chapéu e o jogou no chão. "Mas que droga."

"Não seja babaca, *Brad*", Nicole o repreendeu.

"Desculpa mesmo, pessoal", Walter disse. "Talvez a gente possa enfaixar e ver como está amanhã de manhã. Me ajudem aqui."

Eles o ajudaram a levantar e verificaram se conseguia apoiar um pouco de peso naquele pé, mas Walt gritou quase imediatamente. Lily olhou para Nicole. As duas sabiam o que aquilo significava. A expedição já era. O dinheiro já era.

O rancho já era.

E ainda tinha um cadáver no cânion.

A decepção foi como um soco no estômago de Lily. Ela procurou o kit de primeiros socorros na mochila de Nic enquanto a amiga e Leo ajudavam Walt a se sentar.

"Temos que voltar." Lily apertou o botão de uma compressa instantânea até ouvir o clique e o conteúdo esfriar, então a segurou contra o tornozelo de Walter. "Eu já estava preocupada com descermos todos. Não sabia se vocês conseguiriam mesmo com os dois pés, imagine com um só." Lily abriu um sorriso triste para Walter, sabendo que ele devia estar se sentindo culpado. "É melhor prevenir que remediar."

Leo e Bradley olharam para Walter enquanto Nicole passava a Lily a bandagem de compressão e as duas trabalhavam para imobilizar o pé dele.

Bradley pigarreou. "Leo e eu vamos continuar a busca."

"Vamos?", Leo perguntou com uma risada incrédula, enquanto Nicole desdenhava.

"Perdeu a porra do juízo?", ela perguntou a Bradley. "Você mal consegue encontrar o banheiro sozinho."

"Tá", ele disse, refletindo. "Se estão preocupados com como vai funcionar, pode ser assim: Leo e Nicole vão levar Walter de volta e vão comunicar o desaparecimento de Terry à polícia e dizer que Lily e eu fomos procurar por ele. Enquanto isso, vamos atrás do dinheiro."

"Não", Lily disse. "Não vamos nos separar."

"Depois de tudo isso vamos simplesmente desistir?", ele perguntou, erguendo a voz.

"Brad", Nicole o alertou.

"Bradley", Walter a corrigiu baixo.

"De jeito nenhum." Bradley começou a andar de um lado para o outro. "Tem alguma coisa ali." Ele apontou para o labirinto e olhou para os outros. "Quantas vezes na vida vamos poder dizer que fizemos alguma coisa assim? Algo corajoso, arriscado, com a possibilidade de um retorno gigantesco?" Bradley se virou para Lily. "Você vai passar a vida toda sem saber se seu pai encontrou o tesouro mais famoso da história dos Estados Unidos? É isso, galera, essa é nossa grande aventura. Não podemos voltar agora."

"Talvez você possa ir, Dub", Nicole disse, baixo.

Lily virou para encará-la. "*Quê?*"

"Você já esteve lá. Conhece o diário, conhece os joguinhos, conhece o Duke. Tem que ser você."

"Pois é", Bradley disse. "Como eu falei. Nicole e Leo levam Walter de volta, eu e Lily seguimos em frente."

Os olhos de Lily se fixaram na bandagem no pé de Walter enquanto ela pensava. Não importava o quanto queria o dinheiro, o rancho, uma resposta definitiva quanto a seu pai ter escondido sua maior vitória dela — seria capaz de fazer aquilo? Simplesmente... mandar Walter para o hospital e seguir em frente? Já não era terrível terem deixado Terry no fundo do cânion?

Mas... se eles voltassem e avisassem às autoridades pelo menos pareceria que haviam tentado fazer a coisa certa. Não era uma péssima ideia...

"Leo", ela disse de repente.

Bradley piscou, confuso. "Leo?"

"Eu vou com o Leo." Lily endireitou o corpo e firmou o maxilar para exalar uma falsa confiança em sua decisão.

Bradley resistiu. "Por que não nós dois?"

"Quanto menos pessoas inexperientes, menores os riscos. Leo foi escoteiro e tem mais experiência na natureza que você." Ela fez uma pausa. "Sinceramente, não acho que eu conseguiria sem ele. O Duke não gostava de facilitar as coisas. Se tiver deixado enigmas, vou precisar do Leo pra decifrar."

Quando Leo olhou em seus olhos, Lily piscou. Uma vez, havia lhe perguntado como ele entendia as coisas tão depressa. Leo explicara que via códigos e quebra-cabeças como imagens na cabeça. Mudava as coisas de lugar, deslocava mentalmente peças e números, juntando e separando, até ver com clareza a solução. Depois, a testava de novo e de novo. Se fosse um código, confirmava a tradução de cada número, letra ou símbolo. Nos quebra-cabeças era mais fácil: previa como mexer cada peça e tinha a confirmação de que estava certo na prática.

Para Lily, parecia mágica. Ela não entendia como o cérebro dele funcionava sem a ajuda das mãos, mas não precisava entender. Já tinha visto aquele cérebro em ação, e sabia que precisava dele.

"Vocês não podem me deixar pra trás", Bradley disse.

"Não é você quem toma as decisões aqui. E, pra ser sincera, não confio em você sob pressão. Já apontou uma arma pra nossa cabeça e envolveu a gente em uma perseguição em alta velocidade."

"Tecnicamente, foi o Leo quem envolveu a gente em uma perseguição em alta velocidade", Bradley resmungou.

Leo ficou olhando para Lily, com as mãos nas alças da mochila. Ela sabia que era o único jeito, mas a mera ideia de ficar sozinha com ele encheu seu coração de adrenalina. Precisava manter a cabeça no lugar. "Vocês voltam com Walter. Leo e eu precisamos de dois dias", ela disse a Nicole. "Diz pros guardas florestais que Terry queria seguir outra rota e se mandou, e que eu e Leo fomos procurar por ele."

Nic assentiu, com um olhar intenso.

"Espera a gente ligar", Lily prosseguiu. "Damos um jeito de conseguir sinal."

"E se vocês não ligarem?", Walter perguntou.

"Vamos ligar."

Ninguém disse nada, embora todos pensassem a mesma coisa: se não ligassem... era porque tinham acabado como Terry.

Dezoito

Quando chegaram ao jipe, o tornozelo de Walter já tinha dobrado de tamanho e assumido um tom azul preocupante. Bradley definitivamente não estava feliz com a mudança de planos. Apesar da culpa e do desejo de aventura, Walter parecia até aliviado em estar de volta ao carro.

Já Leo não sabia como se sentia. A distância entre a segurança de sua mesa no trabalho e o lugar onde se encontrava agora não podia ser medida em quilômetros, só em galáxias. O perigo que encaravam era real. Terry estava morto. Walter provavelmente havia quebrado o tornozelo. Leo e Lily poderiam facilmente se afogar ou morrer esmagados lá embaixo e ninguém ficaria sabendo. Cora passou rapidamente pela cabeça de Leo. Ele se perguntou o que ela estaria fazendo e como reagiria se alguma coisa lhe acontecesse.

Ainda assim, o zumbido em seu sangue era de ansiedade, e não medo. A adrenalina da aventura e a perspectiva de ficar a sós com Lily de novo o dominavam. Leo podia sentir a guerra travada dentro de Lily — a atração, o medo — e sabia que aquilo precisava ser escolha dela. Quase tudo na vida de Lily lhe fora forçado. Ele queria que ela o escolhesse.

Os dois abriram as mochilas e reavaliaram o que realmente precisavam; deviam dividir todos os suprimentos em duas partes. Bradley estava usando a mochila de Terry, que era de um tipo especial para montanhismo, toda tecnológica e cara. Lily a pegou para si e começou a carregá-la. Leo a viu hesitar diante do saco com o diário, os telefones e a arma.

"Acho melhor levar", Leo disse. "Eles não vão precisar."

Com um suspiro resignado, Lily enfiou tudo em meio às roupas.

Quando estava tudo pronto, Leo ajudou a acomodar Walter no banco de trás do jipe.

"Tem certeza de que você sabe o que tá fazendo?", Bradley perguntou a Leo, com uma mistura de preocupação e inveja.

"Acho que sei o que eu tô fazendo", Leo respondeu, cauteloso. "Mas, mesmo que não saiba, Lily sabe." Ele olhou alguns passos adiante, para onde ela e Nicole conversavam baixo. "Temos que agradecer por ela estar disposta a seguir em frente."

"Você é mesmo louco por ela", Walter disse, com uma risada dolorida.

"É, é, é uma gracinha, mas por favor", Bradley disse. "Se tenho que voltar com a mamãe ali e quem vai seguir em frente é você, se concentra." Ele fez um gesto abarcando os três. "Vamos dividir tudo, certo? Então não vai se distrair molhando o biscoito."

Leo recuou, perdendo o controle e sentindo a pulsação nas têmporas. "Que porra é essa, Bradley?"

"Desculpa por ser direto, mas isso é sério!" Ele se afastou do jipe e passou uma mão pelo cabelo, frustrado. "Walt e eu precisamos saber que você dá conta do recado."

"Sei o que preciso fazer", Leo disse. "E você, sabe?" Ele começou a listar, contando nos dedos. "Levar Walt pro hospital. Dizer à polícia que Terry sumiu e que estamos procurando por ele. Se encontrarmos o dinheiro, vamos pegar o que conseguirmos carregar e ligar assim que tivermos sinal." Sem desviar os olhos, Leo apoiou as mãos nos ombros de Bradley. "Você vai ter que confiar em mim. Beleza?"

Bradley assentiu, relutante.

Todos se endireitaram quando Lily e Nicole se juntaram ao grupo.

Nicole ajeitou a bolsa de gelo que Walter tinha no tornozelo. "Como você tá se sentindo?"

"Bem", ele disse. "Desculpa de novo por ter estragado tudo."

"Não precisa pedir desculpa", Lily disse. "Poderia ter sido pior." A frase ecoou por um momento. "Óbvio." Ela fechou bem os olhos e respirou fundo uma vez, para se acalmar. "Vocês foram verdadeiros caubóis esta semana", ela disse, tomando o cuidado de olhar para cada um deles. Leo sentiu um calorzinho no peito ao ver como ela era boa naquele trabalho, mesmo naquelas condições. "Você conseguiu seu recomeço. Espero que esteja orgulhoso."

As duas mulheres trocaram um olhar. Nicole foi abraçar Lily. "Fica bem." Ela se virou para Leo. "Quanto a *você*... se não trouxer minha amiga inteirinha, vou decepar todos os seus membros."

"Entendido", ele disse, então se virou para Lily. "Pegamos tudo?"

Lily deu uma última conferida na mochila. "Acho que sim."

"Espera!", Walter disse, então ergueu uma mão suja de terra para tirar os cachos escuros da testa. "Eu só queria dizer pra Nicole e pra Lily que essa foi uma das melhores viagens que a gente já fez." Ele olhou para Bradley e Leo. "Não é, pessoal?"

"Fora a parte da morte, foi ótimo", Leo concordou.

"Verdade", Walter disse, com uma risada nervosa. "Fora essa parte, claro. Bom, eu só queria agradecer. Nunca vou esquecer a experiência."

Com um sorriso relutante, Lily se inclinou para abraçá-lo. "Você é muito fofo, Walt. Não deixa a Nicole te atacar."

"*Ei*." Com a testa franzida, Nicole entrou no banco do motorista. Leo ficou vendo Bradley entrar no banco do passageiro. O motor ganhou vida e Nicole olhou para eles pela janela. "Te vejo em alguns dias, Dub."

Ao lado de Leo, Lily assentiu, com uma expressão intensa no rosto. Os dois homens acenaram em despedida. Os olhos de Leo e Lily acompanharam Nicole tentando dirigir suavemente pela estrada esburacada.

O jipe finalmente desapareceu de vista. "Acha que eles vão ficar bem?"

"Vão, sim." Lily pôs a mochila de Terry nos ombros. "É com a gente que me preocupo."

Eles voltaram a descer, refazendo seus passos, mais atentos ao caminho e às armadilhas dessa vez. Não conversavam, mas uma trégua não declarada estava no ar. Reconheciam o que havia acontecido na noite anterior, mas compreendiam que não aconteceria de novo. Estavam focados na jornada que tinham à frente.

Depois de cerca de meia hora, no entanto, a realidade de que estavam totalmente sozinhos pareceu abrandar alguma coisa. Eles começaram a falar um com o outro, avisando o que evitar ou apontando para a vista. Leo perguntou a ela sobre uma planta florida (um chaparral) e sobre um pássaro pequeno com o topo da cabeça cinza que parecia cacarejar (uma perdiz-chucar). Lily perguntou a ele sobre Cora. Como ela era, se estava num relacionamento, que especialidade da medicina ele achava que ela seguiria. Agora que estavam só os dois, o ritmo era mais rápido. Eles conversavam enquanto caminhavam pela terra vermelha e solta, pontuada por tufos de grama e arbustos. Quando Lily virou à direita, o caminho se tornou mais pedregoso e a descida, mais íngreme, exigindo concentração total. Eles seguiram por quilômetros, e Leo começou a sentir as coxas queimarem no declive.

"Pisa exatamente onde eu pisei", Lily disse por cima do ombro.

Ele obedeceu, mudando a largura da passada para que seus passos espelhassem os dela.

"Tá vendo ali, onde a terra é mais escura?", ela perguntou, apontando.

Leo fez que sim com a cabeça. Fora do caminho que seguiam, o chão era irregular. A terra parecia coberta por algum tipo de matéria orgânica. "O que é isso?"

"Solo criptobiótico. Segura a umidade quando chove e ajuda com a erosão, mas pode levar centenas de anos pra se formar, e é muito frágil. Nunca passe por cima."

Ele tomou o cuidado de seguir os passos dela conforme avançavam pelo terreno que parecia mais de cascalho que de terra, depois mais de pedra que de cascalho. Aos poucos, o espaço se estreitou em uma fenda. As faces escarpadas das pedras assomavam sobre eles, formando túneis e bloqueando o sol. Leo se sentiu na cidade, esmagado entre dois prédios.

Ele estendeu o braço e deixou os dedos roçarem a parede de pedra. Algumas partes eram retas, outras curvas como ondas. A superfície era quase listrada, com camada sobre camada de rocha sedimentar erodida pela água ao longo de milhões de anos. Nem parecia real.

"Você já ouviu falar de Manhattanhenge?", ele perguntou a ela, virando-se de lado para passar por uma parte especialmente estreita.

"Manhattanhenge?" Lily riu. "Parece uma coisa inventada."

"Em Nova York, a gente não consegue ver o sol nascer ou se pôr, porque os prédios bloqueiam o horizonte. Só que duas vezes ao ano o pôr do sol se alinha com as ruas que cortam a cidade de leste a oeste, e aí dá pra ver tudo, se você estiver no lugar certo. Eu gosto de ficar na esquina da rua 42 leste com a Terceira Avenida."

Lily parou e se virou, com um olhar distante, como se tentasse imaginar um dia sem pôr do sol. Então balançou a cabeça, como que para afastar a ideia. "Não consigo decidir se isso é horrível ou estranhamente mágico."

Leo olhou para a estreita faixa de céu mais acima, uma avenida azul espremida entre as pedras vermelhas. "Provavelmente é as duas coisas. Fui a uma festa com Bradley uma vez e, quando ia inventar uma mentira pra ir pra casa, ele me puxou pra fora. Uma multidão tinha se reunido. Foi como se a cidade toda ficasse em silêncio por um segundo enquanto via o sol se pôr."

"Você sente falta da cidade?", ela perguntou.

Leo pensou a respeito. "Não me entenda mal, eu amo Nova York. Cresci lá, era onde minha mãe morava, é onde Cora ainda mora. Pelo menos por um ou dois meses. Mas lá eu tô sempre inquieto. Tô concorrendo a uma promoção importante no trabalho e, sinceramente, se não conseguir não sei o que vou fazer. Talvez mudar de empresa."

Leo pensou no último Manhattanhenge que havia testemunhado. Marcara um encontro com uma mulher, mas não conseguia lembrar o nome dela. Maggie? Margie? Ficara claro desde o começo que não havia química. O pôr do sol fora lindo, mas nem chegava perto do pôr do sol ali, em que as bordas do céu pareciam pegar fogo, mal deixando espaço para respirar. Fazia sentido Lily nunca ter ido embora.

"Acha que vai conseguir?", ela perguntou.

"A promoção? Provavelmente."

Lily deu risada. "Você não parece muito animado. Não vai ser bom?"

Leo deu de ombros, com um sorriso no rosto. "Vou ganhar mais dinheiro, mas também vai ser menos divertido."

"Dinheiro é uma coisa boa", ela argumentou.

"Acho que é."

Ele sentiu que Lily o observava. Sabia como o que havia dito tinha soado. Mas admitir que de repente a promoção parecia uma bela porcaria, que desde que havia chegado não conseguia se imaginar voltando ao trabalho, que estar ali o fizera ver como sua vida em Nova York era rotineira e estéril, também seria admitir o papel dela naquela epifania. Muito daquilo tinha a ver com estar perto dela de novo, e Lily pedira explicitamente que ele guardasse aquele tipo de coisa para si. Portanto, Leo guardou.

Eles passaram a hora seguinte se deslocando por cima e por baixo de pedras de apoio presas entre as paredes verticais. Leo não era claustrofóbico, mas era desorientador não conseguir se situar com a ajuda do sol, do céu e das montanhas. A dificuldade acentuada do terreno tornava a descida mais lenta naquele ponto. O desconforto de haver apenas um caminho e o esforço físico exigido não chegavam ao ponto de causar pânico, mas já estavam começando a cansá--lo quando a fenda voltou a se abrir. Como Lily fazia aquilo parecer fácil? Ambos respiravam com dificuldade quando ela parou para verificar o mapa, mas, fora isso, ela parecia perfeitamente tranquila. Leo não havia notado como a sombra refrescara até que voltaram ao sol e ele precisou pegar o cantil. O ar estava seco e empoeirado.

Lily enxugou a testa com as costas da mão. Estava banhada por cor e luz, com a pele refletindo o brilho dourado das pedras em volta. A imagem era tão linda que Leo quase perdeu o fôlego. "Pronto?"

Ele assentiu, desviando os olhos antes de tomar um longo gole de água e devolver o cantil à mochila. "Pronto."

"Vamos continuar descendo, mas pegando o caminho mais fácil. Acho que você tá cansado demais pra fazer rapel." Lily voltou a dobrar o mapa.

"Não tô cansado", Leo mentiu.

Ela o ignorou. "Vai pisando nas minhas pegadas", Lily o lembrou. "E não fica na beirada das pedras."

Infelizmente, Leo não tinha o equilíbrio dela, e precisou usar os pés e as mãos naquela parte da descida.

"Esse é o caminho mais fácil?", ele perguntou.

"Não se você ficar reclamando o caminho todo."

Leo abriu a boca para fazer um comentário sarcástico, mas um lagarto passou por cima de sua mão. Ele deu um pulo, surpreso, e seu pé escorregou. Num segundo estava ali, no outro, estava em queda livre, se perguntando se Terry havia se sentido igual.

O chão desapareceu, a gravidade o fez deslizar por um trecho salpicado de xisto e pedregulhos em menos de um segundo, o grito de Lily já parecia impossivelmente distante. Leo tentava se agarrar ao que fosse — plantas, galhos, pedras —, mas seus dedos só agarravam terra enquanto o mundo virava de cabeça para baixo, de novo e de novo. Seu estômago revirava, as pernas pareciam separadas do corpo. Alguma coisa cortou sua palma e arranhou seu rosto. Todo o ar deixou seus pulmões quando ele finalmente aterrissou em cima da mochila, no fundo de... algum lugar.

Seus ouvidos zumbiam; terra e poeira queimavam seus olhos e embaçavam a vista. Ele não tinha certeza de onde estava até Lily aparecer, sem fôlego, e passar as mãos freneticamente por seu peito, suas pernas, seu rosto.

"Leo..." A voz morreu no ar enquanto Lily tirava a mochila dos ombros dele e apalpava seus braços, depois levava os dedos ao pescoço de Leo para sentir a pulsação. "Achei que tivesse morrido."

Ele tentou se sentar, mas tudo doía. Especialmente a bunda. "Talvez tivesse sido melhor", Leo disse, gemendo.

"Acha que quebrou alguma coisa?"

Leo olhou para a própria mão: tinha um corte, mas não era muito feio. Ele passou a mão no que imaginava que fosse um arranhão na bochecha e franziu a testa. Verificou todo o resto: cotovelos, pulsos, joelhos, pés. Tudo se moveu. "Acho que não."

Ela se encolheu no chão e o puxou para si. "Achei mesmo que você tinha morrido", repetiu, com a voz tão carregada que o deixou desconfiado. Lily apoiou a cabeça de Leo em seu ombro e apertou o rosto dele contra seu pescoço. O calor e o suor da pele dela o deixaram tonto de novo.

"Eu tô bem, Lil." Leo tentou se erguer, mas ela o segurou com mais força, e a desconfiança dele se aprofundou. "Ei", ele murmurou, abraçando-a e passando a mão devagar em suas costas. "Olha pra mim. Eu tô bem."

Finalmente Lily se permitiu inclinar o queixo e olhar no rosto dele. Leo sentiu um aperto intenso e delicioso no coração. Aquela mulher ponderada, de aço, estava chorando. Por causa dele.

Leo estendeu o braço e passou o dedão pela bochecha

molhada de Lily, que voltou os olhos cheios de lágrimas para os dele, ainda que relutante. Leo se apresentaria como voluntário para sofrer a mesma queda mais uma dezena de vezes se todas as vezes ela olhasse para ele daquele jeito. "Viu? Não morri. Não perdi nem um dente, perdi?" Leo sorriu.

Ela franziu a testa, porque não estava pronta para brincadeiras. "Você tá bem mesmo?"

Apesar da dor, o sorriso dele se alargou. "Eu tô bem mesmo."

"Então tá." Sua respiração continuava trêmula, mas ela assentiu. Seus olhos procuraram a confirmação na expressão dele. "Leo?", Lily chamou, baixo.

Ele olhou para os lábios dela e se inclinou. "Sim?"

Lily deu um tapinha no topo da cabeça dele. "Eu te falei pra tomar cuidado."

Dezenove

Foram necessários uns bons vinte minutos para a adrenalina de Lily baixar. Quando isso aconteceu, o rugido poderoso do rio a lembrou de que a descida supostamente era a parte fácil. Podia ouvir a voz grave de Duke dizendo: *Isso foi uma aula de introdução aos cânions. Não me diga que não está preparada.*

Mancando um pouco, Leo parou atrás de Lily e externou o que ela estava pensando: "Pô. É mais água do que eu esperava".

Só de olhar para o rio, Lily sentiu um buraco no estômago. A correnteza formava ondas, que colidiam umas contra as outras e se emaranhavam. Pequenos redemoinhos giravam em espirais graciosas. Obstáculos desconhecidos faziam a água desviar, e pelo modo como ela corria plana no meio do leito, Lily sabia que era profunda.

Não, Duke, não estou nem um pouco preparada pra isso.

Uma travessia de rio não vai tirar sua vida, o pai dela respondeu. *Sua mochila é à prova d'água?*

Lily respirou fundo para acalmar os nervos. Na melhor das hipóteses, as mochilas eram *resistentes* à água, mas ela só estava contando com águas calmas e até as canelas. Isso era parte do motivo que a levara a descer por onde descera, para atravessar ali. Tirando a possibilidade de arruinar os mapas e os telefones via satélite, se as coisas dentro da mochila se molhassem, eles não conseguiriam acender uma fogueira ou vestir uma roupa seca depois...

Ela nem concluiu o pensamento. Nunca tinha imaginado a própria morte, mas, sob pressão, diria o que qualquer um pelo menos um pouco otimista diria: esperava ir quando estivesse velha, depois de uma vida longa e feliz. Não esperava nem um pouco morrer no rio Green, perseguindo um sonho lunático do pai.

Leo tirou a mochila dos ombros, verificou todos os zíperes e laços para garantir que a barraca e o saco de dormir estavam bem firmes. Lily apoiou a dela no chão e fez o mesmo.

Ele olhou em volta. "Também tem mais verde do que eu esperava."

A maior parte da vegetação ali nunca sobreviveria às condições de umidade do deserto em volta. Naquela zona ribeirinha, choupos e oliveiras-do-paraíso ofereciam uma sombra salpicada, sob a qual aglomerados de arbustos e gramíneas cresciam com o pé na água corrente.

"A umidade se manteve mais alta este ano. Este lugar pode estar diferente na próxima primavera."

"Vamos torcer pra que estejamos aqui pra ver." Leo assentiu e soltou o ar devagar para se acalmar. "Tá. Vamos conseguir", ele disse, olhando rio acima. Lily sabia que devia estar chegando à mesma conclusão que ela: quanto mais perto da confluência chegassem, mais difícil ficaria cruzar. "Só precisamos ir devagar."

Ela pegou um galho e o atirou na água, para avaliar a velocidade da corrente. Ele afundou na mesma hora e ressurgiu alguns passos adiante antes de começar a girar, pego por um redemoinho voraz. Lily gemeu.

"Mesmo assim, é melhor atravessar aqui e armar acampamento por perto para secar os sapatos." Leo deu uma olhada rápida para Lily, antecipando uma discussão. "Podemos gastar algumas horas, Lil. O que não podemos é caminhar com as botas molhadas ou atravessar um rio assim descalços."

Ele estava certo, mas Lily odiava aquilo. Odiava como as coisas estavam se complicando, odiava não ter tudo planejado, odiava ainda mais que sua vontade de seguir em frente superasse sua vontade de desistir. "A caminhada de amanhã vai ser mais longa, mas não sei bem se podemos fazer alguma coisa quanto a isso." Ela o olhou de cima a baixo. Leo parecia bem. Mal mancava. Ainda assim, Lily perguntou: "Tem certeza de que consegue? Foi uma bela queda".

"Tenho certeza." Leo se debruçou e começou a dobrar a barra da calça — uma mistura de náilon e elastano —, que parecia cara. Lily se arrependeu de não ter incluído nada parecido em sua bagagem. Por outro lado, como poderia imaginar tamanho desvio de rota?

Leo conseguiu dobrar a calça até a metade da coxa. Lily sentiu seus pensamentos cessarem, aos trancos e barrancos.

Tinha se esquecido das pernas dele. Na verdade, tinha se forçado a não lembrar delas de maneira muito vívida. Eram coxas surreais, definidas e grossas, a parte mais surpreendente de um corpo que no todo era magro. Ombros largos, cintura estreita, coxas que poderiam esmagá-la como se fosse uma noz. Lily adorava aquelas coxas.

Ela procurou se controlar e baixou os olhos para sua calça jeans. Não tinha como subi-la o bastante para mantê-la seca, mas atravessar o rio só de calcinha, com Leo ao seu lado, provavelmente era o número noventa e nove da lista de cem coisas que não queria fazer, logo à frente de enfiar um garfo na própria perna.

Mas paciência.

Sem olhar para ele, Lily tirou os sapatos, desafivelou o cinto, abriu o zíper e baixou o jeans. Tentou não pensar em suas coxas e em como estavam da última vez que Leo as havia visto. Ela não tinha mais dezenove anos. Trabalhava duro e comia bem quando podia, mas, diferente de Leo, nunca tinha entrado numa academia. Lily embolou a calça e a enfiou na mochila, junto com a energia que desperdiçaria se preocupando com seu corpo. Ficar bem de calcinha não a levaria à outra margem do rio mais rápido. Ela voltou a calçar as botas, endireitou o corpo e pôs a mochila nos ombros como se fizesse aquilo todos os dias.

Lily percebeu que Leo estava estranhamente quieto. "Quê?", perguntou, cortante.

Ele pigarreou. "Boa ideia", Leo comentou, e mais nada. Quando Lily voltou a olhá-lo, ele desviou o rosto na mesma hora. "Vai se sentir melhor se eu tirar a calça também?"

"NÃO", ela respondeu, rápido.

Rápido demais.

Leo sorriu. "Então vamos."

Juntos, eles se aproximaram da beirada e olharam para baixo. A água estava perturbadoramente escura e turva.

"Desafivela a mochila na cintura e no peito", ela o lembrou.

Se um dos dois caísse, o peso da mochila gigantesca poderia virá-los ou puxá-los para baixo. Elas também poderiam ficar presas em obstáculos. Sim, com a mochila solta, Lily poderia perder tudo o que tinha nela — incluindo a calça jeans —, mas era melhor que a outra alternativa.

Ela já havia atravessado aquele rio muitas vezes, mas nunca com ele tão cheio ou tão veloz. Era um dos riscos que se corria nas profundezas de um cânion — a chuva podia inundar tudo rapidamente. A tempestade da noite anterior fora curta, mas forte. De onde estava, Lily via algumas cachoeiras pequenas saltando sobre as pedras vermelhas quando olhava para cima. A travessia não ia se tornar mais fácil se ficassem ali esperando.

Lily enfiou um pé na água e encarou a corrente, depois enfiou o outro. Encontrou o equilíbrio e manteve os olhos na outra margem, tomando o cuidado de não os baixar para não ficar tonta com a água se movimentando em torno de suas pernas.

"Procura não sair do banco de areia", ela disse.

À sua direita, Leo entrou na água num ponto ligeiramente mais para cima do rio. Lily sentiu um aperto no coração quando percebeu que ele estava quebrando a corrente para protegê-la. Leo estendeu a mão para pegar a dela. Os dois começaram a se mover a passos curtos e arrastados na água, que ia até o joelho.

Quando tinham dado uns cinco passos, a água de repente chegou à cintura deles. A temperatura gelada fez Leo respirar fundo. Lily olhou para ele, tensa. Não estavam nem na metade da travessia.

"Vamos ter que segurar as mochilas no alto", ela disse. "E torcer pra que a água não fique mais funda no meio."

Seria mais difícil manter o equilíbrio, mas, se fossem devagar, ficariam bem. Tiraram as mochilas das costas e as ergueram acima da cabeça.

"Um passo por vez", Leo disse, com os olhos fixos nos dela. "Tudo bem aí?"

Lily confirmou com a cabeça, concentrada na margem oposta e se permitindo apenas algumas olhadelas para o rio, muito embora o fundo nem estivesse mais visível. A água gelada passava por sua cintura, suas costelas. Seus pés escorregaram em pedras, gravetos, juncos. Cada passo era um longo processo que envolvia estender a perna alguns centímetros, tatear o fundo, encontrar um apoio sólido e transferir o peso com cuidado. Ela percebia o mesmo foco e o mesmo cuidado em Leo.

Tudo estava indo bem. Ainda assim, Lily estava inquieta. Tinha uma sensação sombria, instintiva.

"Acho que não foi uma boa ideia", ela disse.

"Vamos conseguir", Leo murmurou, com os olhos na margem oposta. "Um passo por vez. Estamos quase na metade."

Eles chegaram ao meio do rio, que estava tranquilo, e para sua surpresa a água só subiu alguns centímetros. Leo olhou para ela, triunfante. "Viu?", ele disse. "Estamos quase lá."

Ela sorriu, mas um som agudo foi arrancado de sua garganta quando seu próximo passo foi em falso. Seu pé escorregou da beirada de uma pedra irregular. Lily gritou, se esforçando para segurar a mochila acima da cabeça, o que exigia cada vez mais dela. "Você tá bem?", Leo perguntou, com os olhos arregalados.

Um "sim" quase saiu pelos lábios dela, mas de repente Lily não estava bem. Ela se desequilibrou para um lado e, para compensar, deu um passo rápido de lado, que a aproximou de um redemoinho. Quando Lily inclinou o corpo para se equilibrar, tropeçou em um obstáculo invisível. Ela caiu de costas e, por um segundo assustador e ofegante, ficou submersa.

A corrente girou seu tronco, jogou suas pernas para cima e a puxou rio abaixo. Lily entrou em pânico e começou a chutar a esmo em busca do chão.

Ela voltou à tona, tossindo e piscando para o sol forte, desesperada para se situar. A água a castigava sem dó, passando por ela em uma torrente alegre. De repente, a mochila ensopada era o menor dos problemas de Lily. Quando ela perdera o equilíbrio e fora levada mais para baixo, seu pé entrara em um emaranhado de galhos e pedras... e ficara preso. Lily não tinha onde se segurar, não tinha nada que pudesse tentar alcançar para se içar dali. Leo deu alguns passos precários em sua direção e estendeu um braço, mas com uma única mão não conseguia segurar sua própria mochila direito. Quando quase a derrubou, ele recolheu o braço em um esforço para se manter de pé. Seria catastrófico se os dois derrubassem a mochila na água.

"Lily", ele disse, com a voz firme. "Me diz o que tá acontecendo."

"Meu pé tá preso." Ela tentou não deixar nada transparecer em sua voz, mas sentiu o pânico aumentar mesmo assim, quente e intumescido, afastando qualquer racionalidade. Quando puxou a perna para trás, em uma tentativa de se soltar à força, descobriu que não só tinha pisado em um emaranhado de galhos: alguma coisa tinha enroscado em seu tornozelo, e ela não conseguiria se soltar sem perder o equilíbrio. Lily poderia até abaixar e se soltar, mas precisaria sacrificar a mochila, e ainda não estava pronta para fazer aquilo. "Não tenho como me soltar sem deixar a mochila cair."

Leo olhou para ela, depois para a margem, que devia estar a menos de cinco metros de distância. Seus olhos escuros voltaram ao rosto dela, procurando alguma coisa. O caos da manhã tinha atrasado a partida deles, e agora o sol estava baixo, um círculo preguiçoso no céu nublado. Mesmo que sacrificassem as duas mochilas e fossem nadando até a margem, mesmo que por um milagre conseguissem sair do cânion antes de o sol se pôr, ainda teriam que caminhar por quilômetros no escuro, ensopados, antes de chegar a um telefone.

"Você tá firme aí?", ele perguntou.

"Se ficar parada, sim", ela disse, com os dentes batendo.

"Vou me aproximar da margem até conseguir lançar a mochila lá, depois volto pra te ajudar, tá bom?"

Lily assentiu com os olhos fixos nos dele, como se eles a segurassem ali. A água empurrava seus quadris; usar o peso do corpo para resistir a ela a deixara com a sensação de que a corrente estava acelerando, de que o rio travava uma batalha contra ela. A parte externa da mochila estava ensopada, mas a possibilidade de que alguma coisa lá dentro talvez ainda estivesse seca — o telefone via satélite, a arma, *meu Deus do céu, o diário* — a mantinha firme em sua determinação de segurá-la acima da cabeça, com as mãos tremendo e a água pingando de seus braços cansados.

Ela precisava que Leo fosse rápido, mas seu coração se apertava diante da ideia de que ele precisasse correr para ir e voltar, de que ficasse preso, de que os dois não conseguissem nem chegar um ao outro. Lily voltou a pensar em uma coisa que pensara antes, e foi como um tapa na cara: ela nem sabia o que faria se alguma coisa acontecesse com Leo. Erguendo o queixo e ignorando a pulsação trovejante, ela o incentivou a avançar. "Toma cuidado."

"Vou tomar." Com uma última olhada para ela, Leo se virou para a frente e moveu um pé, depois outro, acelerando e correndo um risco que antes não correra. Seu pé escorregou algumas vezes, mas ele conseguiu manter o equilíbrio. Lily viu os músculos tensos dos braços dele usarem a mochila como contrapeso. Era como se ela tivesse uma bola de chumbo na garganta. Leo tropeçou e quase caiu para a frente. Lily gritou seu nome. Parecia que o pânico a preenchia por dentro; sentia-se fria e aterrorizada. Seus braços fraquejaram e ela teve que descansar a mochila sobre a cabeça para que não caísse na água.

Inspira, expira.

Olhar para Leo não estava ajudando, só a deixava mais assustada. *Só tenho controle sobre mim mesma*, ela pensou. *Leo pode fazer isso, ele se mantém calmo sob pressão. Fica paradinha que ele vai vir te ajudar*. Lily procurou relaxar, ignorando o fato de que costumava estremecer diante da ideia de dependência. Ela abriu os olhos quando ouviu a mochila de Leo aterrissar em segurança em um arbusto. Ele se virou na mesma hora, usando os braços e aproveitando o impulso para se movimentar mais rápido pelo leito irregular do rio.

Abaixo de Lily, alguma coisa aconteceu. Em um instante, seu pé estava livre, mas sua posição já não era mais sólida. Vitorioso, o rio a empurrou para a frente, voltando a puxar suas pernas para cima e a levando para longe de Leo. A última coisa que Lily vislumbrou foram os olhos dele se arregalando em choque, os lábios pronunciando seu nome. Água gelada inundou sua boca e seus olhos. Ela lutou para se manter à tona, cuspindo e tossindo, até bater com tudo em uma pedra. Com o impacto, todo o ar escapou de seus pulmões. A água subiu com uma força esmagadora, chegando ao seu pescoço e prensando Lily contra a pedra.

Ela não conseguia enxergar nada, não conseguia se concentrar em nada além do fato de que talvez fosse morrer. *Espero que Leo encontre o dinheiro*, ela pensou. *Espero que encontre o dinheiro, compre o rancho em minha homenagem e more lá sozinho, com os cavalos e Nicole. Espero que ele nunca supere a minha perda.* Uma risada se formou dentro dela e subiu por sua garganta, mas se transformou em um soluço de choro quando Leo emergiu à frente dela, com o cabelo quase cobrindo os olhos, estrelinhas formadas pela luz do sol cintilando nas pontas dos cílios. Ele estendeu os braços e puxou Lily para longe da pedra, colocando tanto ela quanto a mochila encharcada nas costas antes de voltar a enfrentar a determinação e a força da corrente, um passo por vez.

Eles chegaram à margem e tombaram ali. Leo rolou Lily para a grama, se arrastou para perto e segurou sua cabeça enquanto ela cuspia água.

Agora que estavam em terra firme, a histeria tomou conta de Lily, que soluçava e ofegava. Conforme o choque passava, ela se dava conta de que teria se afogado se Leo não tivesse chegado no instante em que chegara.

Ele tirou a camisa ensopada e a usou para limpar Lily, com todo o cuidado. "Lily", ele disse, baixo. "Respira, linda. Tá tudo bem. Você tá bem."

Cedendo às emoções, ela o agarrou e o puxou para si. O tronco dele aterrissou sobre o dela, sólido e quente através das roupas molhadas. Lily abriu as mãos nas costas nuas dele, esticando os dedos para cobrir o máximo de pele possível. O tum-tum-tum forte do coração de Leo martelava o esterno dela com uma vitalidade tranquilizadora. Lily se perguntou se ele também sentia o coração dela bater. Se perguntou se ele estaria se lembrando da primeira vez que haviam feito amor (era a primeira vez que Lily havia feito amor com quem quer que fosse), e do modo como o corpo dele desmoronara sobre o dela depois, da mesmíssima maneira. Naquela noite, parecera que o coração de Leo estava tentando sair do corpo dele e entrar no dela a marteladas.

Tudo poderia ter acabado naquele rio, e por quê? Por causa de dinheiro?

"O que a gente estava pensando?", ela conseguiu dizer. "Isso é *idiotice*."

Leo se afastou e passou uma mão na bochecha dela e depois no cabelo. "A gente estava pensando que uma briguinha com um rio vale a pena pra você ter a chance de recuperar seu rancho."

A contragosto, ela soltou uma risada irônica e tossiu ao mesmo tempo. "Por um segundo, achei mesmo que ia morrer."

Pelo modo como Leo olhava para ela, notando cada traço de seu rosto, Lily sabia que a mesma coisa passara pela cabeça dele. "Tive que abrir mão de você uma vez", ele disse. "Acha que vou deixar que aconteça de novo?"

Vinte

Um longo momento se passou. As palavras de Leo ecoaram entre os dois até que o rosto dele se contraísse e ele se afastasse.

"Temos que secar você", Leo murmurou.

Assim que eles se levantaram, Leo começou a juntar gravetos para fazer uma fogueira. Lily queria ajudar, mas parecia estar paralisada. Em consequência da confissão de Leo, de sua experiência de quase morte no rio e das circunstâncias em que os dois se encontravam. Pela segunda vez no dia, a adrenalina inundou sua corrente sanguínea. De repente, Lily tremia tanto que mal conseguia dar um passo à frente. Ela fechou os olhos e cerrou o maxilar. Estava tentando se recompor quando sentiu que Leo se aproximava.

Ele estendeu o saco de dormir entre os dois, para protegê-la.

"Tira o restante da roupa. Vamos ter que deixar secando durante a noite. Pode usar minha muda de roupa seca."

Lily olhou para ele por cima do saco de dormir. "Leo, você não..."

"Você tá tremendo tanto que vai acabar caindo. Sabe que vai esfriar assim que o sol se puser." Ele virou de costas, com o maxilar cerrado. "Prometo que não vou olhar."

"Não me importo com isso." Lily tirou a camisa ensopada por cima da cabeça, sentindo-se fraca e instável. Depois arrancou as meias, deixando os pés pálidos e molhados à mostra. Então hesitou por um momento, olhou para Leo — que continuava concentrado em alguma coisa à distância — e tirou o sutiã e a calcinha.

"Pronto", ela avisou, baixo.

"Aqui." Com os olhos fechados e o rosto virado, Leo entregou a ela sua própria muda de roupa. "Veste isso."

O pescoço dele estava vermelho, e suas bochechas também. Uma veia do pescoço saltara.

"Pronto", ela repetiu quando acabou de se vestir. "Já me troquei."

Leo deu um passo à frente e a enrolou no saco de dormir. Então se inclinou, pegou a pilha de roupas molhadas de Lily e a camiseta dele, e foi pendurar tudo vários metros adiante, sobre uma pedra plana ainda quente do sol que se punha depressa. Ele tirou a barraca dela e o saco de dormir do invólucro, e abriu ambos sobre outras pedras quentes. Deixou as botas de ambos de lado, pegou a mochila de Lily e mostrou a ela que, embora a carne seca estivesse molhada, os celulares, a arma e o diário, que tinham sido sabiamente guardados envoltos por outras coisas — continuavam secos dentro do saco tipo zip.

"Graças a Deus", Lily disse, baixo.

"É."

Ela ficou olhando enquanto Leo, sem qualquer constrangimento, tirava a calça e as meias e as estendia também. Deveria ter ficado mais surpresa ao ver a pele dele, ou com o fato de tanto dela estar exposta de repente. Seus ombros largos, sua cintura fina e suas coxas grossas estavam ali, à mostra, macios e definidos. O corpo adulto de Leo era muito mais musculoso. Mas aquele corpo continuava sendo o dele, e olhá-lo — especialmente depois que o pânico passara — despertava o desejo nela.

Ele ficou de cueca e voltou descalço e com todo o cuidado para o acampamento improvisado, onde recomeçou a reunir galhos e folhas secas.

Assim que as pernas de Lily voltaram a funcionar, ela foi até a mochila dele — a única seca —, e pegou a barraca.

"Acho que vamos ter que dormir juntos", ela disse.

"Eu monto." Leo sorriu para ela de onde estava, agachado diante dos gravetos, com a pederneira na mão. "Seu trabalho é ficar sentadinha aí, só me olhando."

As bochechas de Lily ficaram quentes. Ela tentou entender se Leo a estava provocando por ter ficado brava com ele na noite anterior ou insinuando que seria difícil vê-lo bancar o montanhista só de cueca preta molhada.

Lily decidiu então que não se importava. Sentou-se em uma pedra e se permitiu um minutinho para desfrutar da visão. Com cuidado, Leo acendeu o fogo e o cercou de pedras. Quando a chama pegou bem e Leo teve certeza de que não ia apagar, sentou-se de frente para ela e estendeu as mãos para aquecê-las.

"Quer isso?", Lily perguntou, falando do saco de dormir dele.

"Não, tô bem." Ele olhou nos olhos dela e acrescentou: "De verdade".

A temperatura ainda devia estar perto dos vinte graus e, como não havia brisa, o clima estava bastante razoável. Mas, embora seu corpo tivesse parado de tremer violentamente, Lily ainda se sentia um pouco febril. Ela envolveu o corpo mais firmemente com o saco de dormir.

"Quer uma barrinha de proteína ou uma barrinha de proteína pro jantar?", Leo perguntou, rindo.

Lily se inclinou para revirar a mochila dele. "Por sorte, temos umas setecentas." Ela pegou algumas barrinhas para cada um e jogou as dele uma por vez por cima do fogo, que ganhava força.

Leo as pegou e a olhou com descrença, brincando. "Vivendo perigosamente."

"Você me conhece. Quase morri, então nada pode me abalar agora. E quanto a você? Se machucou feio hoje."

Ele abriu uma embalagem e comeu meia barrinha de uma vez só. Então olhou para seus cortes e arranhões. "Vou ficar bem."

"Desculpa por ter derrubado a mochila na água."

Ele balançou a cabeça e terminou a primeira barrinha. "Você tá viva. As coisas vão secar."

"Não a tempo da hora de dormir."

Leo se inclinou e cutucou o fogo com um graveto. "Podemos dividir meu saco de dormir."

Ele manteve os olhos fixos nas chamas enquanto Lily o encarava. *Podemos?*, ela se perguntou. Leo se mostrava sempre calmo, capaz de se adaptar. Olhando para ele, Lily se deu conta de que Leo considerava desafios uma parte esperada do caminho. Por sua vez, ela se ressentia de cada obstáculo.

Talvez não fosse má ideia se Lily desfrutasse da aventura em vez de ficar ruminando silenciosamente a possibilidade de seu pai ter escondido um tesouro dela. Afinal, o passado não podia ser mudado.

"Você tá bem mesmo?", Lily perguntou. "Não ficou dolorido?"

Com Leo praticamente nu, ela podia ver alguns arranhões em seu braço esquerdo e um hematoma se formando nas costelas.

Ele assentiu, sorrindo para o fogo. "Foi um dia muito louco."

Isso a fez rir. Leo olhou para ela, satisfeito com o que ouvia. O coração de Lily palpitou. Só de olhar para Leo, já sabia como ele se sentia. Era impressionante que não tivessem mudado, pelo menos naquele aspecto.

Não vai se apaixonar por ele de novo, ela ordenou a si mesma.

"Eu tô tentando imaginar como vamos caber os dois no saco de dormir", Leo comentou, erguendo o queixo. "Suas mãos não vão poder ficar passeando."

Ela quebrou um pedaço da barrinha e jogou nele.

O plano era acertar na testa, mas Leo se abaixou e pegou com a boca.

Lily deu um grito e apontou. "Não é possível!"

Ele ficou tão orgulhoso que chegava a ser engraçado. "Você viu isso?"

"Tá, mas será que você consegue repetir?" Ela jogou outro pedaço, que não subiu muito e o acertou no queixo.

Leo balançou a cabeça e estapeou as próprias coxas. "Você jogou errado. Não vale."

"Tá bom, tá bom."

Ela tentou outra vez. O pedaço subiu tanto que Leo teve que se inclinar para conseguir pegar. Ele mastigou com orgulho.

"Quem poderia imaginar que você domina a arte de pegar comida atirada?", Lily comentou, se inclinando para dar outra mordida na barrinha. "Deve ser uma habilidade recém-adquirida."

Ele assentiu e abriu a segunda barrinha. "Sou cheio de surpresas."

Isso é verdade. Lily olhou para o corpo comprido e esguio de Leo. Ela estava com os nervos à flor da pele. Se perguntou qual seria a sensação de ter aquela pele macia e cor de mel imprensando seu corpo. Queria usá-lo de cobertor.

Mas precisava ser cuidadosa e manter o foco. Afinal, não se tratava de estar sozinha com Leo na natureza. Não estavam ali só por si próprios. Seus amigos dependiam deles. O futuro dela dependia deles.

No entanto, quando ele olhou para Lily e abriu um sorriso tímido, todos os pensamentos coerentes a deixaram. "Gosto que você consiga ficar sentado aí quase pelado como se fosse a coisa mais normal do mundo", ela se pegou dizendo.

Leo sorriu para ela, totalmente à vontade com o próprio corpo. "Bom, alguém tá usando minhas roupas e meu saco de dormir."

"Não tá com frio?"

Ele balançou a cabeça. "Eu tô bem."

Sinceramente... Lily olhou para ele e se perguntou se era mesmo tonto o suficiente para deixar aquela deixa passar.

Leo notou a expressão dela e pareceu incerto. "O que foi?"

Lily balançou a cabeça, sorrindo. "Nada. Que bom." Ela baixou os olhos para os próprios pés e disse: "Que bom que não tá com frio".

"Espera aí." Ele fez uma pausa. "Você estava me convidando pra dividir o saco de dormir com você?"

"Tarde demais."

Ele deu risada, sem conseguir acreditar. "Ontem à noite mesmo você me beijou como se tivesse voltado da guerra, mas desde então agiu como se nada tivesse acontecido."

"Eu sei", ela disse, na mesma hora. "Você tem razão. Esquece. Só me deixei levar pelo momento."

Lily voltou a baixar os olhos, agora para a barrinha que tinha em mãos, mas continuou sentindo a atenção dele fixa em si. Finalmente, Leo a chamou: "Lily".

"Hum?"

"Pergunta de novo."

Ela riu. "Não."

"Sim."

"Não."

Leo se levantou, foi até ela e se inclinou para chamar sua atenção. "Lily, tô *congelando*." Seus olhos brilhavam alegremente ao pôr do sol. "Tô *morrendo de frio*. Por favor, me ajuda."

"Mentiroso." Ela foi incapaz de resistir: abriu o saco de dormir e prendeu o fôlego enquanto ele se acomodava ao seu lado. Quente como o sol, macio e sólido. Lily não pôde evitar: se recostou nele, que passou um braço por cima de seus ombros.

"Hum... Melhor assim." A voz de Leo era um zumbido suave. Ele descansou o queixo no topo da cabeça dela. "Tá se sentindo bem?"

Lily assentiu, prendendo os lábios fechados entre os dentes. Não sentia um desejo físico tão doce fazia séculos. "A cueca que você me emprestou é toda estampada com pedaços de pizza", ela comentou, mudando de assunto. "Quantos anos você tem, doze?"

"Ah, desculpa, você preferia a outra? A invisível?", ele perguntou.

Lily deu risada e olhou para ele. O instinto de prolongar a piada se foi e os dois ficaram sérios de repente. Estavam pensando a mesma coisa. Mais especificamente: como era estranho que estivessem ambos ali, aconchegados sob um saco de dormir, naquela aventura insana, completamente a sós.

Ela estendeu uma mão e afastou o cabelo da testa dele. "Obrigada por ter me salvado no rio."

"Obrigado por ter me dado uma bronca quando eu caí", ele disse, depois sorriu para ela, olhando para sua boca.

Sorrindo também, Lily perguntou: "Tá sugerindo que fui dura demais com você?".

Leo assentiu e se inclinou. Ela o encontrou na metade do caminho e as testas de ambos se tocaram. Lily levou uma mão à bochecha dele. A barba por fazer estava macia ao toque. Ela adorava a sensação. Ele pegou o queixo de Lily e enfiou os dedos da outra mão no cabelo dela. O simples toque em sua nuca fez uma sensação entorpecida e voraz disparar pela pele dela. Os lábios de Lily pairavam a poucos centímetros dos dele.

"Não vai em frente se for se sentir péssima amanhã", ele disse.

O pedido fez com que ela caísse na real. A Lily daquela noite queria aqueles lábios cheios nos dela. Mas a Lily do dia seguinte acordaria se sentindo insegura e incomodada. Pela experiência dela, o desejo da noite não compactuava com o pensamento racional do dia.

Ela se virou. "Tá. Desculpa."

A decepção dele se manifestou em imobilidade e silêncio. Leo prendeu o fôlego por um momento, depois saiu do saco de dormir. "É melhor eu armar a barraca."

Lily sabia que devia ajudar, mas o pôr do sol pintando faixas laranja e roxas no céu, a fogueira crepitando tranquilamente e Leo quase pelado formavam uma imagem que entrava com tudo na lista de fantasias que ela nem sabia que tinha.

Assim que ele havia armado a barraca e esticado o saco de dormir dentro, os ombros de Lily caíram. Parecia que seus ossos tinham amolecido. Tudo o que ela queria era se arrastar até uma cama de verdade e se perder no esquecimento. Os dois cumpriram a rotina da hora de dormir em silêncio: escovaram os dentes, encheram os cantis de água e usaram as pastilhas para purificá-la. Ele foi verificar as roupas molhadas e concluiu que estariam secas pela manhã. Assim que o sol afinal deu sua última piscadela por cima do cânion, a temperatura pareceu cair. Leo abriu a barraca pequena e gesticulou para que Lily entrasse primeiro.

Ela entrou e congelou diante da realidade da situação. O saco de dormir era individual. Os dois até caberiam dentro, mas bem apertados.

"Podemos abrir e usar como cobertor?", Lily perguntou.

Leo estendeu o braço para coçar a nuca. "Podemos tentar. Só fico com receio de que não vá esquentar a gente. Especialmente se a temperatura cair a menos de cinco de novo." Ele fez uma pausa enquanto tentava decifrar o silêncio dela. "Não vou tentar nada."

Um peso que a amassava por dentro a deixou muda por um segundo. Lily queria que ele tentasse alguma coisa. Na verdade, queria que passassem cada momento de inatividade se tocando. Mas era a paixão falando, e Leo estava certo: ela não devia fazer nada que não soubesse o que significava. Porque o que poderia significar? O que ele ia fazer? Recusar a promoção, ir embora de Nova York e se mudar para lá? Mesmo que acontecesse, como ela ia se adaptar? A ideia de tê-lo em sua vida cotidiana, de se tornar cada vez mais dependente daquela conexão, fazia seu coração disparar e seu corpo se rebelar por instinto.

"Não tô preocupada com isso", Lily disse. "Eu... hum..." Ela apontou para as roupas dele no próprio corpo. O jeans estava bem largo, e ela sabia que, com os dois dividindo um saco de dormir, ficaria quente demais.

Lily tirou a roupa enquanto Leo tratava de entrar no saco de dormir. Ele posicionou o corpo tão no canto quanto possível e segurou a aba levantada para ela.

Se houvesse uma palavra que significasse ao mesmo tempo "perfeito" e "terrível", aquele seria o momento ideal para usá-la. Leo estava só de cueca preta, e Lily de camiseta e com a cueca dos pedaços de pizza. Ela entrou ao lado dele no saco de dormir. A realidade de quão próximos passariam a noite atingiu os dois: o corpo dela ficaria basicamente colado ao peitoral nu dele. Lily não conseguiu segurar uma risada. Leo fechou os olhos com força e manteve os lábios presos entre os dentes. "Ótimo", ele disse, e riu também. "Tá bom assim."

Lily refletiu sobre o que seria pior: encará-lo ou ficar com a bunda colada nele? Os dois pareceram concordar sem qualquer discussão que era melhor ficarem cara a cara. Assim, pelo menos podiam manter os quadris separados por alguns centímetros. Enquanto ela enfiava os braços entre os dois, Leo se ajeitava em volta dela. Seu braço esquerdo virou o travesseiro de Lily e o outro envolveu o corpo dela. A parte "terrível" se foi, e aquilo pareceu apenas "perfeito".

Ela se perguntou se Leo também lembrava que era daquele jeito que os dois costumavam dormir — por escolha. Que a tendência dele de rolar para a parte mais fria da cama fora lentamente anulada pela tendência dela de dormir agarradinha. Que ele acabara cedendo e passara a segurá-la apertado em seus braços.

Lily soltou o ar devagar no pescoço dele. "Tá bom assim."

A garganta dele estava tão próxima dos lábios dela que Lily a sentiu vibrar. "Tá mesmo."

"Você tá bem?"

Leo assentiu e apoiou o queixo no topo da cabeça dela. "Tô."

Os dois ficaram em silêncio. Os ruídos do rio inundavam um ouvido de Lily, enquanto o outro era tomado pela pulsação regular de Leo. Ela achou que fosse demorar uma eternidade para dormir, mas algum instinto profundo foi acionado, e o calor, a proximidade e a sensação de segurança que ele passava a deixaram entorpecida. Pegou no sono quase imediatamente e caiu na escuridão. Os tentáculos de um sonho alcançavam as margens de seus pensamentos quando Lily sentiu os lábios de Leo se movendo no topo de sua cabeça.

"Te amo", ele disse nos sonhos dela. "Acho que nunca deixei de te amar."

Vinte e um

Lily acordou com o rosto no pescoço de Leo e envolta em seus braços. A respiração dele continuava lenta e constante. Tudo dentro dela parecia tenso e voraz. Sentia o calor do peitoral amplo de Leo, a pele dele tão próxima dos lábios de Lily que ela começou a salivar. O cheiro dele a atingiu como um martelo vigoroso. Lily afastou um pouco a cabeça — a onda de desejo repentina a deixara tonta, e ela precisava de ar.

No entanto, Lily só conseguia se afastar até certo ponto. O saco de dormir era pequeno, o que significava que a cabeça era a única coisa que conseguia mover. Assim que o fez, sentiu que Leo tampouco dormia. Ele abaixou o queixo, reagindo ao movimento, e Lily começou a sentir sua respiração quente nos lábios. Mesmo no breu total, ela sabia que apenas um ou dois centímetros separavam suas bocas.

"Tá acordado?", ela sussurrou.

A voz dele se ergueu na escuridão, profunda e grave. "Tô."

"Que horas são?"

"Lá pela meia-noite."

"Dormiu um pouco pelo menos?"

Ela ouviu quando Leo engoliu em seco. "Tô com dificuldade."

"Por minha causa?", Lily perguntou baixo, mas ele não disse nada. "Leo? Por causa disso?"

"É", ele admitiu.

Ela ergueu a cabeça. "Seu braço tá bom?"

"Tá." Ele voltou a engolir em seco e tentou rir. "O problema não é o braço."

Certo. O fato de que o pau dele ficara duro no instante em que ela acordara, quase como se Leo precisasse de toda a sua concentração para impedir aquilo, não tinha como passar despercebido. "Desculpa", ele acrescentou.

Aquilo era sério?

"Não precisa pedir desculpa", ela disse. "É difícil ignorar o fato de estarmos..." — Lily deu risada — "*imprensados um contra o outro*." Ela reprimiu um gemido baixo quando ele abriu a mão em sua lombar.

O modo como o dedão de Leo se movia em um círculo firme e sensual parecia praticado, *experiente*. Aquilo fez uma luz de advertência se acender na cabeça dela.

A escuridão lhe dava coragem. "Você tem namorada?" Seus pensamentos se nublaram. "Esposa?"

Ele ficou imóvel. "Tá falando sério? Lily. Não."

Ela se sentiu uma cretina na mesma hora. Sabia que Leo não era do tipo que traía. "Desculpa. Foi uma pergunta idiota."

Leo deu risada. "Foi mesmo." Sua garganta produziu um ruído baixo quando uma coisa ocorreu a ele. "*Você* tá com alguém?"

"Não." Lily espalmou uma mão no peito dele. "É difícil namorar com esse tipo de trabalho. A maior parte dos meus... sei-lá-o-quê são clientes."

"Sei-lá-o-quê?"

"Rolos", ela disse, e o sangue correu para seu rosto.

Aquilo parecia péssimo. Não queria admitir que sua vida amorosa era patética.

Leo ficou parado, em silêncio.

"E quanto a você?", ela perguntou. "Sai com muitas mulheres?"

"É sério que tá me perguntando isso?"

"É?"

Ele soltou o ar devagar pelo nariz. "Saí com algumas."

"Ah. Legal."

"Bradley ficaria mais do que feliz em te dizer que tenho aversão a compromisso, mas não é isso." Ele ficou quieto. Sem outra coisa para distraí-la, era impossível não notar que sua pulsação havia acelerado. "Acho que o problema é que não sou o tipo de pessoa que se apaixona e desapaixona."

Agora era a pulsação dela que estava a toda. A implicação do que ele havia dito a atingiu com tudo.

Mas aquilo não a impediu de perguntar: "Como assim?".

"Me apaixonei uma vez e fiquei assim."

"Leo..."

"Você não precisa sentir o mesmo. Só estou explicando minha situação. Acho importante botar tudo pra fora." Ele fez uma pausa, depois acrescentou: "Embora eu admita que talvez não seja o melhor momento pra dizer isso, justo quando você tá presa comigo nesse saco de dormir, depois de nós dois quase termos morrido. Merda. Desculpa".

O corpo dela assumiu o controle, respondendo à ideia de Leo deitado ali, desejando-a, abraçando-a enquanto dormia, fazendo tudo o que ela pedira que fizesse, quando a verdade era que Lily queria aquilo tanto quanto ele.

Ela subiu as palmas das mãos pelo peito nu de Leo, o que disparou uma explosão de necessidade em seu sangue. Ele puxou o ar com força e ficou totalmente imóvel. A pulsação dele acelerou tanto ao toque que Lily a sentiu reverberar na pele. Seus dedos subiram pela curva do peito e mergulharam nas depressões das clavículas. Ela agradeceu à escuridão, porque senti-lo sem conseguir vê-lo aguçava todos os outros sentidos. Lily notou como cada músculo do pescoço dele era definido, como se esticava a ponto de parecer impossivelmente longo ao seu toque. Ela sentiu na ponta dos dedos o maxilar anguloso, os lábios cheios e levemente entreabertos, que arfaram quando ela passou o indicador sobre eles.

"Vem aqui", Lily sussurrou.

Leo não se moveu por um momento, mas ela notou que a luta interna dele tinha cessado. Enfiou os dedos em seu cabelo, se inclinou, abriu a boca sobre seu pescoço e chupou. Um gemido escapou de sua garganta. O gosto dele era tão bom que fazia com que Lily se sentisse uma fera, fazia o corpo dela imprensar o dele, voraz, sonolento, quente.

"Não brinca comigo." A voz de Leo reverberou nos lábios dela. "Lily? Não tenho forças pra dizer não, mas não quero que faça isso por pena ou obrigação."

"Acho que você me conhece o bastante pra saber que não faço isso."

"Você me entendeu."

A cabeça dela estava confusa, o corpo tão tenso que Lily tinha dificuldade de elaborar um pensamento coerente. Mas mesmo se ela estivesse acabado de acordar com o nascer do sol, tendo sua caneca de café na mão, não saberia as palavras certas a dizer. O que Leo achava que podia acontecer entre os dois? Ele morava em Nova York, ela morava ali. Viver no deserto era tão natural para Lily quanto existir em sua própria pele, e ela nunca construiria sua vida em torno de um homem de novo.

Mas ficar pertinho de Leo parecia igualmente natural.

Compartilhar seu corpo com ele parecia certo. Mais do que isso: parecia certo deixá-lo entrar em seu mundo. Fazia anos que Lily não tinha vontade de descobrir como construir uma coisa duradoura com alguém, mas a ideia de que poderia tentar fazer aquilo com Leo se insinuava no limiar de seus pensamentos, provocadora.

"Eu tô deitado aqui no escuro tentando imaginar voltar pra minha vida da semana passada", Leo disse, "mas não consigo. Não consigo nem imaginar como seria."

"Como assim?"

"Não sei o que isso significa. Acho que depende do que você quer."

"Não sei." Ela desenhava círculos distraídos na lateral do pescoço dele. "No momento? Quero você. Neste exato momento, quero sentir você. Mas acho que se precisar de uma coisa mais permanente que isso, então... não deve me beijar."

Por favor, me beija, ela pensou, com a pulsação a toda. O hálito dele estava quente e ainda doce da pasta de dente e do enxaguante bucal de hortelã. O beijo na chuva, contra a pedra, fora injurioso, raivoso, mas os outros tipos de beijo que Leo podia lhe dar passavam pela cabeça de Lily agora, e ela queria todos. Doces, profundos, minuciosos, frenéticos. A respiração dela pareceu entalar na garganta enquanto ele pensava.

Então, quando ela achava que ia chorar de frustração e necessidade, a boca de Leo se aproximou lentamente da sua. Como se um fósforo tivesse sido riscado na parede de suas veias, o fogo devorou o sangue de Lily. Ela não permitiu que Leo se afastasse: perseguiu os lábios dele e se abriu para ele, branda, dócil. O beijo foi totalmente diferente do anterior, sem nenhuma raiva ou mágoa, só prazer e a promessa de levá-la ao limite. Lily tinha esquecido o êxtase bruto que era beijar Leo, concentrar cada gota de energia na sensação dos lábios dele, em seu roçar molhado, nas lambidas provocadoras, na invasão profunda e doce de sua língua.

Lily não conseguiu manter as mãos paradas — havia muito o que tocar e sentir. Tudo, desde a forma da boca dele até o calor de sua pele e seus ruídos baixos e perfeitos, feitos sob medida para ela. Do lado de fora, o rio corria, o vento sacudia os arbustos, os insetos zuniam insistentes. Mas lá dentro havia apenas a respiração dos dois, o som e a sensação do beijo, os ruídos suaves que eles não conseguiam segurar.

Talvez continuassem só se beijando até o amanhecer. Talvez, quando o sol se levantasse, eles ainda estivessem ali, porque era impossível que se cansassem da sensação de cada lambida, provada e chupada. Lily desconfiava que beijar Leo poderia satisfazê-la pelo resto da vida, mas então ele agarrou seu cabelo e foi traçando um caminho de beijos quentes em seu pescoço, fazendo alguma coisa se transformar dentro dela. Seu corpo parecia advertir que, sem um alívio mais profundo, poderia simplesmente se abrir e espalhar fogo por toda parte.

Um sinal de alerta soou, sacudindo suas artérias, martelando seus membros. Lily o queria com uma intensidade de estilhaçar vidro. Suas mãos gananciosas passavam por tudo o que conseguiam alcançar, as palmas bem abertas, as pontas dos dedos ardendo com as sensações. Os braços de Leo ficaram tensos e a puxaram para si. Ele leu a postura de Lily e rolou junto quando ela apoiou as costas no chão. Dentro do saco de dormir apertado, Leo se deitou em cima dela, seus quadris se movendo entre as pernas de Lily, se arqueando para a frente quando ela fazia o mesmo. O alívio de tê-lo ali, o êxtase da combinação de seu peso e da pressão, de como estava desesperadamente duro bem onde ela precisava, fizeram com que Lily gritasse. Ela não era nada além de uma dor oca. Se Leo enfiasse o braço entre os dois e a tocasse, saberia sem que ela dissesse nada que ninguém a deixava com tanto tesão quanto ele. Leo de fato enfiou a mão entre os dois, mas por outro motivo. Tirou a camiseta que ela usava e a jogou de lado. Lily quis gritar de tão bom que foi quando ele voltou a subir em cima dela, aquela sensação de seu peito nu, quente e sólido deslizando sobre o peito nu dela.

Leo projetou o corpo para a frente, pressionando o dela. Sua boca descansou na de Lily, aberta e vencida. Quando ele perguntou baixinho: "Tá gostando disso?", ela quis fazer uma reverência em agradecimento ao universo, porque, independente do que havia acontecido com ele no período em que haviam passado separados, a essência de Leo — que era doce, atencioso e curioso — não tinha se alterado.

Por que foi que terminamos?, ela pensou. *Por que não peguei o primeiro voo pra Nova York ou exigi que ele pegasse o primeiro voo pra cá?* O que ela havia sentido por Leo — o que ainda sentia — era grandioso demais para nomear ou domar, grande demais de sufocar quando ele foi embora, voltando para casa. Lily não tinha como jurar que não teria estragado tudo se ele ficasse, mas o motivo certamente não seria falta de desejo da parte dela.

Leo chupou o pescoço dela, seus quadris a pressionaram e se esfregaram tanto em Lily que mesmo com a cueca — tanto a dele quanto a dela — era o bastante. Não, não apenas o bastante. Era perfeito. Leo era exatamente como ela se lembrava, exatamente o que ela precisava. Com os dois se movendo juntos daquele jeito, Lily sentiu o prazer se prolongar e enfiou as mãos dentro da cueca dele para pegar sua bunda e o puxar para si, incentivando-o a ir mais rápido, com mais força. A boca de Leo se aproximou da dela, aberta, suave, distraída. Alguma outra coisa além de amor poderia destroçá-la na mesma velocidade? Ela enrubesceu e o prazer a atravessou, quente e metálico, inundando a visão de Lily de pontinhos de luz. Ela foi desacelerando até parar sem fôlego debaixo dele.

Leo ficou imóvel. "Você gozou?"

Assentindo, ela o puxou, incentivando-o, e sentiu a respiração quente dele em seu queixo, ouviu seus gemidos cada vez mais entrecortados e tensos. Lily enfiou as mãos no cabelo de Leo e passou os dentes pelo maxilar dele. O grunhido profundo dele cortou a noite, fazendo os ossos dela vibrarem. Leo se afastou, enfiou uma mão entre eles e gozou com um gemido trêmulo.

No silêncio que se seguiu, pareceu que a cabeça dela estava cheia de gás hilariante e que um animal selvagem havia procriado na cavidade de seu peito. Leo pairava acima dela, sem fôlego. Ela passou as mãos preguiçosamente pelas laterais do corpo dele, contando as costelas com a ponta dos dedos.

Ele soltou uma risada rouca, abaixou o corpo e ficou apoiado nos cotovelos, com metade do corpo pra fora do saco de dormir. "Puta merda." Foi atrás da mochila e a revirou. Lily se limpou com o lencinho umedecido que ele lhe passou. Leo abriu um pouco o zíper do saco de dormir, para que o ar fresco resfriasse a pele deles.

"Pensou rápido", ela comentou, jogando o lencinho de lado na barraca.

"Tenho duas cuecas, e a outra tá com você", ele a lembrou, recuperando o fôlego. "De alguma forma, me lembrei disso no momento mais crítico."

Com o saco de dormir aberto, Leo tinha espaço para se deitar de costas no chão. Ele passou uma mão pelo peito, gemendo.

"Tudo bem?", Lily perguntou.

De olhos fechados, ele soltou um ruído baixo e feliz, rolou para ela e passou um braço pesado por sua cintura, então a puxou para si. "Vem cá."

De repente, Lily estava totalmente desperta. Como ia lidar com aquele sentimento que crescia dentro dela como uma trepadeira? Estava em êxtase, mas também assustada, ansiosa, aliviada e com *muito* tesão. A imagem do corpo dele se movendo sobre ela era como um eco físico. De repente, ela sentiu que era insaciável. Levou o rosto ao pescoço dele e sentiu sua pulsação, desejando estar dentro dele de alguma maneira. Desejando que ele estivesse dentro dela.

Leo.

O garoto apaixonado da cidade.

Lily voltou a não conseguir acreditar que ele estava mesmo ali. Leo cheirava a suor e sabonete, como o ar dos cânions repletos de artemísia. Ela queria as mãos dele em sua pele, a boca dele a se mover freneticamente por toda parte. Tinha consciência de cada ponto em que seus corpos se tocavam: o rosto dela no pescoço dele, os peitos nus de ambos imprensados, os quadris, a perna dela sobre a coxa musculosa dele. A lembrança do gemido que ele soltara ao gozar ecoou no crânio dela. E por acaso havia coisa mais sexy que a maneira como a respiração pesada dele expandia e contraía sua caixa torácica?

Ela estava perdida.

Lily se afastou e passou uma mão pelo peito dele. Leo sempre estivera pronto para um segundo round.

"Ei", ela sussurrou, à espera. "Leo?"

Quando os lábios dele se entreabriram, ela sentiu seu desejo crescer, antecipando o som da voz de Leo.

Mas o que saiu foi um ronco baixo vindo do fundo da garganta.

Vinte e dois

Leo acordou com Lily saindo do saco de dormir e sussurrando freneticamente: "Merda, merda, merda".

Ele rolou de bruços, com a vista ainda embaçada, mas não tanto a ponto de não conseguir vê-la procurar a camiseta que ele havia tirado dela e jogado de lado.

"Oi", Leo disse, baixo e rouco.

Com um sobressalto, Lily cobriu o peito com o antebraço, depois tentou se vestir. Seu cabelo estava todo maluco, como se tivesse acabado de tirar a mão de um globo de plasma. Sua bochecha direita estava cor-de-rosa por causa do contato com a pele dele. Seu "oi" em resposta pareceu abrupto e estressado.

"Qual é o problema?", Leo perguntou.

Lily ergueu o queixo. "Dá uma olhada nas horas."

Ele arrastou um braço para fora do saco de dormir e olhou para o pulso. "Merda."

"É."

De alguma maneira, o sol tinha nascido sem que percebessem. Já eram mais de nove e meia.

"Não sei como conseguimos dormir tanto", ela disse.

"Estava quentinho e gostoso."

"Você *apagou*." Lily prendeu o cabelo atrás das orelhas. "Típico de homem." Ela se agachou e saiu da barraca.

Leo a seguiu e se espreguiçou ao sol da manhã, só de cueca. A sensação do ar do deserto na pele nua era boa demais.

Alguma coisa o atingiu bem no rosto: sua calça embolada. Leo a pegou antes que caísse no chão. "Parece que você quer que eu me vista", ele disse, áspero.

"Temos que ir." Ela enfiou o jeans duro antes de tirar a camiseta e a jogar em Leo. Ele ficou olhando para os seios dela... Estavam bem ali, na sua frente. Fazia dez anos que não os via.

Lily pegou o sutiã, que estava seco sobre uma pedra. "Acho que seus olhos vão cair das órbitas", ela disse, rindo. "A previsão pra hoje é de quase trinta graus, e temos que cumprir um trecho de mais de seis quilômetros."

"Isso deve levar uma hora. Talvez duas, se pararmos pra reabastecer os cantis", Leo disse.

"Não aqui embaixo."

Ele vestiu a camiseta e foi imediatamente tomado por um desejo tão inebriante que seus olhos reviraram. Estava com o cheiro de Lily. Continuava quente do corpo dela. Leo ajeitou a bainha e olhou para onde ela estava sentada nas pedras, calçando as meias e os sapatos.

Mas acho que se precisar de uma coisa mais permanente que isso, então... não deve me beijar. Que piada. Como se ele fosse ser capaz de se segurar.

Havia tanta coisa que Leo não tinha dito, o que à luz do dia o deixava feliz. Como o fato de que estava considerando abrir mão da vida que conhecia para ficar perto dela. As coisas iam mudar de qualquer maneira: não estava mais preso a Nova York, como acontecera depois da morte da mãe. Ainda estava tentando entender como seria, o que poderia fazer caso se mudasse para ficar perto de Lily. Se estivesse apenas atrás de um trabalho, em vez de pensar em uma carreira, provavelmente encontraria alguma coisa com certa facilidade. Não sofreria para deixar a vida no escritório para trás; tentar ser sempre mais esperto que alguns dos melhores hackers do mundo tinha sido um desafio divertido a princípio, mas fazia alguns anos que ele havia percebido que mesmo que chegasse ao código perfeito teria que começar outro na semana seguinte, o que tirava um pouco do brilho inicial da coisa. Ainda assim, havia espaço para certa criatividade. Se fosse promovido, no entanto, passaria dez horas por dia em reuniões. Ele lembrou que, caso se mudasse, seria para ficar perto de Lily. Um trabalho era um meio para um fim, uma maneira de pagar as contas. Uma vida era o que os dois poderiam construir juntos.

Leo espanou a terra de uma meia, depois parou. *Calma aí, cara.* Até Walter lhe diria para ir mais devagar. Enquanto Lily guardava tudo de maneira rápida e metódica, ele vestia suas roupas devagar e pensava em como seria passarem a vida juntos. Nem sabia se ela queria aquilo.

Como se aquela fosse sua deixa, Lily perguntou, parecendo apenas levemente exasperada: "Pode guardar a barraca?".

Em minutos, ele a desarmou e guardou. Lily abriu um mapa sobre uma rocha. "Vamos encontrar umas pedras bem traiçoeiras por aqui", ela disse, apontando para um trecho a cerca de um quilômetro e meio de distância, "mas não é isso que me preocupa."

Leo ficou esperando, mas ela não se explicou. "E o que é que te preocupa?", ele perguntou afinal.

Lily inspirou fundo enquanto olhava para o mapa. "Tenho medo de que a cabana não esteja mais lá. Já era antiga vinte anos atrás. E a foto foi tirada ainda antes."

"Mesmo que a cabana tenha desmoronado, o cepo vai continuar lá. Pelo menos é o que se espera, né?"

"Tá, só que é muito mais difícil localizar de memória um toco de árvore que uma cabana."

"Bom argumento."

Eles enfiaram algumas barrinhas na boca, engoliram com ajuda do café instantâneo morno e saíram. Leo compreendeu na mesma hora por que Lily estava com pressa. Às dez e quinze, o calor era infernal. E estava tão seco que a pele dele parecia até esticada. O lado positivo era que sempre que encontravam uma sombra e entravam nela a sensação era de que a temperatura havia baixado pelo menos uns cinco graus. O lado negativo era que não havia muita sombra naquela parte do labirinto, e quando chegaram à parte em que havia, o sol era a menor de suas preocupações. Alguns trechos eram tão intricados e estreitos que eles podiam morrer de sede ou de calor antes de sair dali.

Cerca de uma hora de caminhada lenta depois — caminhando sobre as pedras e por trilhas estreitas ladeadas por arbustos que arranhavam a pele —, Lily se virou para falar por cima do ombro. "Acha que devemos conversar?"

Leo sorriu para as costas dela. Lily sabia que ele não voltaria a tocar no assunto. Leo ficou se perguntando se ela havia precisado daquela hora inteira para conseguir fazer uma pergunta tão simples. "Podemos."

"Não quero te magoar", ela disse, direta, e o estômago dele revirou. Bom começo. "Se o que aconteceu ontem à noite te chateou de alguma maneira, peço desculpas."

Os ombros de Lily caíram e se tensionaram enquanto ela escalava uma pedra. Ela se virou para ajudar Leo, mas ele era alto o bastante para conseguir se içar sozinho. "Tô bem", ele disse. "Obrigado."

Ela parou para recuperar o fôlego, apertando os olhos para o sol às costas dele. "Você tá me respondendo ou falando da pedra?"

"Da pedra", ele disse. "Ainda tô pensando no que você falou." Leo pegou a água na mochila, tomou um longo gole e admitiu: "Não sei bem aonde você pretende ir com isso, então é melhor falar tudo de uma vez. Eu já te disse o que penso".

"Então é verdade mesmo?", ela perguntou. "O que você disse ontem à noite?"

"Que parte?"

Lily já estava vermelha por causa do calor, mas suas bochechas coraram mesmo assim. Teve que se virar e continuar a caminhada para conseguir responder. "O que você disse ontem à noite sobre ter se apaixonado dez anos atrás e nunca superado."

"É." Ele pulou algumas pedras e a alcançou. "Podemos parar um pouco, por favor?"

Ela cedeu, se enfiando na sombra entre dois arenitos vermelhos e altos.

"Quero que a gente se olhe no olho enquanto tem essa conversa", Leo disse, seguindo-a até o trecho escuro e fresco. Lily se recostou a uma parede e ele se recostou à outra, de frente para ela. "Quero deixar bem claro que tudo bem você não se sentir da mesma maneira."

Lily mordeu o lábio. Por um breve segundo, seus olhos lacrimejaram. Ela piscou e afastou a umidade. "Talvez eu me sinta."

Uma sensação eufórica de entrega se espalhou pelo peito dele. Leo teve que reprimir a vontade de erguer os punhos no ar e comemorar a vitória. "Tá."

"Só que não é mais tão simples quanto era na época."

"Acho que não", ele concordou. "Mas na última década toquei minha vida da maneira mais responsável e entediante possível." De seu esconderijo entre as pedras, Leo olhou para a esquerda, onde uma das mais belas paisagens de sua vida se encontrava: pedras vermelhas contra o céu azul-tanzanita. "Acho que cansei dela. Fica tudo mais fácil agora que a Cora é adulta. Não tenho medo de dar um salto no escuro. Eu queria de verdade ter ficado com você em Laramie quando tinha vinte e dois anos. Mas não pude." Leo fez uma pausa e a avaliou, torcendo para que ela acreditasse que estava sendo sincero. "Agora eu posso."

O rosto de Lily se contraiu e ela pareceu procurar alguma coisa nos olhos dele.

"Eu ainda te amo", Leo disse. "Agora sei que se nunca tivesse vindo aqui, se nunca tivesse voltado a te ver, continuaria levando uma vida pela metade." Ele deu um passo para mais perto dela, se aproximando com delicadeza. "Sei que com você é igual, Lil. Dá pra ver que você só tá tentando sobreviver ao dia."

"Leo..."

"Provavelmente não daria pra eu viver em Hester, mas nós dois poderíamos viver em outro lugar, se quiser tentar."

Ela olhou para ele em silêncio por um momento. "Isso é *maluquice*. Você me conhece há uma semana."

"Cinco meses e uma semana, com uma pequena lacuna no meio."

Lily fechou os olhos e voltou o rosto para cima. "Preciso que compreenda que não posso moldar minha vida em torno de outra pessoa de novo. Minha vida foi sempre ditada pelas escolhas de merda de outra pessoa. Sei que eu tô sendo rígida, mas preciso ser. Não posso ceder ao que quer que funcione pra você."

"Então eu cedo", Leo disse.

Ela olhou para ele. "O que você quer dizer com isso?"

"É só você decidir como exatamente quer que sua vida seja que eu encontro uma maneira de me encaixar nela." Leo estendeu um braço e tirou uma mecha de cabelo que havia grudado no lábio dela. "Talvez você possa arranjar trabalho em um rancho e eu..."

"Eu não conseguiria trabalhar no rancho de outra pessoa." Lily ouviu a teimosia em sua própria voz e pegou mais leve. "Eu me conheço, Leo. Viveria frustrada."

"Então podemos trabalhar pra conseguir um rancho pra você."

"Leo, você tá prestes a ser promovido."

"Exatamente. Vai ser fácil economizar."

Ela cerrou o maxilar e balançou a cabeça. "Temos que encontrar o tesouro."

"Por que você acha que essa é a única saída?"

"Deixando de lado a questão do cadáver que ficou pra trás", ela disse, incisiva, "é a única saída em que consigo pensar. Se não encontrarmos o dinheiro, você estando aqui ou não, vou ter que continuar fazendo alguma versão disso. E não é o tipo de vida que alguém em um relacionamento leva."

Leo assentiu, refletindo a respeito. Se Lily não perdesse a autorização para fazer aquele tipo de viagem, ficaria fora a maior parte do tempo. Ele ficaria sozinho em Hester ou em alguma cidade próxima, fazendo qualquer trabalho só para ter o privilégio de vê-la alguns dias por semana. Não que Leo não fosse fazer isso, mas ela tinha um ponto.

Ele pegou o rosto de Lily nas mãos e levou seus lábios até os dela. "Acho que é melhor a gente encontrar o tesouro então."

Os dois voltaram a avançar, conversando de vez em quando e apontando para uma coisa ou outra. A maior parte do tempo, no entanto, mantinham o foco em não quebrar o tornozelo no terreno cada vez mais traiçoeiro e erguiam os olhos com certa frequência para não deixar passar a cabana que devia se encontrar no meio da parte mais remota de Utah. Leo percebeu que Lily foi ficando mais ansiosa conforme se aproximavam de onde ela achava que estaria. Fazia tempo que não encontravam nenhum sinal de que um ser humano já havia pisado ali.

A jornada até a cabana deveria ser a parte fácil, mas agora ele se dava conta de que a aventura talvez terminasse logo. Teriam uma noite no cânion, outra retornando, talvez sem nenhum sucesso, tendo que lidar com a morte de Terry e Walter engessado.

De repente, o céu ficou escuro e a temperatura caiu perceptivelmente.

Lily apertou o passo quando chegaram a um trecho plano, pouco antes de o rio fazer uma curva. Imediatamente depois que Leo ouviu um "Ah, meu Deus!" agudo, a primeira pedra de granizo atingiu sua nuca.

As que caíram na terra em seguida eram pequenas, talvez do tamanho de uma ervilha, mas depois uma do tamanho de um cubo de gelo aterrissou perto do pé de Leo, e Lily levou uma do tamanho de uma bola de golfe no ombro. No entanto, aquilo não importava, porque o que a tinha feito exclamar não fora a chuva de granizo.

Fora a cabana poucos passos à frente.

Vinte e três

Tudo o que podiam fazer era cobrir a cabeça e forçar a porta enferrujada em ruínas. Entraram na cabana rindo e sem fôlego.

"Meu Deus do céu, o que é esse tempo?" Lily enxugou o rosto. "Eu desisto. Céu limpo? Até parece."

Leo deu risada. O telhado de zinco da pequena cabana estava — na maior parte — intacto; as paredes estavam empenadas e tortas, mas sem grandes buracos. O granizo entrava por um vidro quebrado e produzia um ruído ameaçador ao bater no chão. Eles resolveram isso esticando uma barraca sobre a moldura irregular, o que fez com que uma estranha luz azul-claro dominasse o interior. Lily deu uma volta lenta, absorvendo tudo.

"Puta merda, é exatamente como eu lembrava", ela gritou por cima do barulho do granizo.

Era mais um barracão que uma cabana. O único cômodo tinha uns três metros quadrados, um fogão à lenha velho e enferrujado num canto, um baú empoeirado no outro e... só. Nada de mesa ou cadeira, muito menos um lugar onde dormir. Era, tanto por sua localização quanto pelo que oferecia, um lugar no qual se procurava abrigo, e não conforto. No canto oposto à porta, o piso de madeira havia apodrecido e um buraco surgira, deixando a terra e as pedras do chão visíveis.

Não havia nada para explorar. Eles se viraram um para o outro, ambos com um sorriso triunfante e desenfreado no rosto. Tinham encontrado a cabana. Tinham dado um passo à frente, e a cada passo aquele plano idiota, maluco, incrível e absurdo parecia mais e mais possível.

Quando Lily olhou mais adiante, sua expressão se esvaziou. Ela se aproximou da parede e desceu um dedo pelas datas anotadas ali. Havia pelo menos trinta talhadas na madeira, desde algumas antigas demais para que ainda desse para ler até algumas de cerca de dez anos antes, todas acompanhadas por iniciais.

Em sua maioria, *WRW*.

"William Robert Wilder", ela disse, passando o dedo por elas agora. Já não caía granizo, mas a chuva continuava tamborilando suavemente o telhado. "Duke."

Leo tocou um *LFW* todo torto. "É você?", Leo perguntou. "Liliana Faith?"

Lily confirmou com a cabeça. "O Duke começou a explorar quando ele tinha uns onze anos." Ela baixou a mão. "Mais perto do lugar onde cresci. Perto de Laramie. Os pais dele o mandavam sair ao nascer do sol e só voltar pro jantar." Ela riu. "O Duke fez um mochilão por Moab quando tinha uns catorze anos, conheceu um grupo de pesquisadores de Princeton e não saiu do pé deles o verão inteiro, até que finalmente deixaram que ele ajudasse com as escavações. Ele perdeu um dedo aos quinze e nem ligou pros pais. Só deixou a escavação sem dizer nada e foi sozinho pro pronto-socorro."

Leo soltou um suspiro baixo. "Ele me disse que havia perdido o dedo picando cenouras no rancho."

"Porque estava tirando uma com a sua cara." Ela sorriu. "Ele e minha mãe se conheceram em Salt Lake. O Duke estudava história e arqueologia, e ela estudava oceanografia. Oceanografia!" Lily soltou uma risada irônica. "E ele a trouxe pro *deserto*."

"Eita."

"Né?", ela concordou. "Eles se casaram e se mudaram para Hester. Ajudavam meu tio com o rancho em Laramie metade do ano. O que ela podia fazer em qualquer um desses lugares? O Duke se juntava a todo tipo de expedição. Tinha uma vida interessante e plena, enquanto a dela parecia cada vez menor. Ele ficava fora o tempo todo. Fora que os dois viviam quebrados." Lily tocou uma das datas entalhadas, 1987. "Às vezes nem consigo culpar minha mãe por ter ido embora."

A mãe — o único assunto a respeito do qual Lily nunca se abrira. Leo procurou abordá-lo com cautela. "Acho que dá pra culpar sua mãe por ter deixado *você*."

Lily deu de ombros e desceu os dedos pela parede. "É."

"Quantos anos o Duke tinha quando morreu?"

Ela refletiu por um momento. "Bom... faz sete anos, então... cinquenta e três."

"Ainda era jovem."

Ela olhou para os entalhes por mais alguns segundos. "É... Tinha uma vida dura."

"Você ainda tem contato com a sua mãe?"

Lily balançou a cabeça. "Ela me visitava de vez em quando. Mas nunca me pediu pra ir com ela. Acho que precisava recomeçar a vida."

A última frase dela pareceu um eco antigo, empoeirado, e fez a raiva faiscar no peito de Leo. "O mesmo papo do meu pai", ele disse. "Mas é besteira. Depois que se tem um filho, não dá pra recomeçar."

"Sinceramente", Lily admitiu, "de quem eu era próxima mesmo era do tio Dan. Ele também amava cavalos. Eu passava o ano esperando pelos verões que passava com ele no rancho. Foi difícil quando meu tio morreu, mas eu já tinha dezessete anos. Conseguia vislumbrar um futuro em que o rancho seria meu e eu poderia fazer o que quisesse da vida."

Os dois ficaram em silêncio, olhando para as marcas na madeira, até que uma pequena alteração na respiração de Lily fez com que Leo prestasse mais atenção nela, inclinando-se para ver seu rosto direito. Ela enxugou uma lágrima depressa.

"Ei, ei", ele disse, tentando virá-la para si. "Fala comigo."

O rosto de Lily estava vermelho de raiva. Ela caiu nos braços de Leo. "Acha mesmo que o Duke encontrou o tesouro?", Lily murmurou no peito dele. "Que tipo de monstro faria uma coisa dessas? O dinheiro poderia ter mudado nossa vida. Só de pensar que ele conseguiu encontrar e transformou tudo em uma espécie de jogo... me deixa louca."

Leo a abraçou com mais força. "Eu sei."

"Tô falando sério." Lily olhou no rosto dele. "Vamos fazer isso, vamos seguir em frente e ir atrás do dinheiro, mas aqui" — ela tocou a própria têmpora — "fico alternando sem parar entre 'Isso é a cara do meu pai' e 'De jeito nenhum ele encontrou o dinheiro e escondeu de novo, nem o Duke era tão babaca assim'."

Ela balançou a cabeça. "Eu achava todas as viagens e caças ao tesouro, todos os enigmas idiotas, um desperdício de tempo. Me ressentia dele por isso. Mas olha só pra mim agora. Eu tô numa cabana no fundo de um cânion, procurando por pistas dele em um toco de árvore. Que porra é essa?"

"Lil", Leo disse, baixo, "tudo bem querer isso, ir atrás disso, e ficar brava ao mesmo tempo." Ele pegou o queixo dela. "Não precisa ser uma coisa ou outra."

"Eu tô maluca?", Lily perguntou.

"Se estiver, então também estou."

Lily assentiu. Seus olhos baixaram para a boca dele e sua expressão se abrandou. De repente, ela desviou o rosto e olhou mais adiante, para a janela coberta pela barraca. "Será que não é melhor continuarmos?"

Leo puxou o queixo de Lily para que ela voltasse a encará-lo. "Me lembro de alguém ter dito que é perigoso sair na chuva."

Ela jogou o corpo mais para perto dele, sem parecer perceber, mas o que disse foi: "Nic e os seus amigos acham que vamos voltar amanhã".

"Nicole deve estar de olho no tempo", Leo disse, cada vez mais quente diante da hesitação dela. "Ela vai resmungar, mas vai saber que a tempestade atrasou a gente."

Ele se inclinou para beijá-la enquanto ela ficava na ponta dos pés, levando os lábios macios e ansiosos aos dele. A chuva lá fora parecia se concentrar naquela região do cânion, presa entre os picos. Os dois sabiam que era inútil explorar enquanto não passasse.

Ou talvez só estivessem felizes de ter uma desculpa.

"Acho que você tem razão", Lily disse, entre beijos. "E olha como as nuvens estão escuras."

Ele fez "hum-hum" em concordância.

"O sol logo vai se pôr...", ela comentou.

Não era verdade, mas Leo não ia corrigi-la.

Ele assentiu e chupou o lábio inferior e o maxilar dela, enfiando as mãos por baixo da blusa para pegar seus seios. "É melhor encontrarmos uma maneira de matar o tempo."

Leo esticou o saco de dormir no chão. Lily recuou um passo e começou a tirar a roupa sob o olhar dele. Era fim de tarde, mas as paredes do cânion deixavam o interior da cabana na sombra. Lily olhava para o rosto de Leo enquanto ele acompanhava as mãos dela, que tiravam cada peça com uma lentidão deliberada. Leo mal conseguia respirar direito enquanto a olhava.

A provocação dela enquanto se despia fez com que ele se despisse de maneira muito menos sedutora. Leo tirou a blusa o mais rápido possível para não perder de vista os dedos dela brincando com a alça do sutiã simples de algodão; precisou se esforçar para não cair ao tirar a calça jeans enquanto Lily enganchava o dedão no elástico da calcinha e a deslizava pelas pernas.

Fazia muito tempo que ele não a via nua, e olhar, tocar e provar foi tudo o que conseguiu a princípio. Quando a lambeu e Lily arqueou as costas no saco de dormir e agarrou o cabelo dele com as duas mãos, foi como se Leo estivesse despertando, como se os dez anos que haviam transcorrido tivessem sido um pesadelo, como se ele houvesse fechado os olhos no rancho e uma vida inteira de angústia tivesse se passado por trás das pálpebras, então Leo voltara a abri-los e a reencontrara igualzinha: com a pele corada, as pernas abertas, os calcanhares fincados na cama e à sua espera.

Dentro da pequena cabana, ele a amou com a boca e o com os dedos até Lily gritar e o puxar para cima dela. Leo havia esquecido como seu sorriso ficava largo, seus olhos pareciam travessos, seus beijos passavam de suaves e satisfeitos a mordidas penetrantes, como ela rolava para cima dele, prendia as mãos dele em cima da cabeça e descia por seu corpo, provando e lambendo, deixando-o louco.

As mãos dele se enfiaram no emaranhado macio dos

cabelos dela, tocando, puxando, implorando com as pontas dos dedos. Lily voltou a subir pelo corpo de Leo e o rolou para cima dela. Envolveu-o com os braços e pernas em um rolo feroz de membros entrelaçados e quadris arqueados, pediu com palavras e gestos que Leo a tocasse e lhe dissesse como estava se sentindo.

Lily perguntou se ele queria — claro que ele queria. Os dois reviraram as mochilas até achar preservativos.

"Daria pra fazer uma piada com as camisinhas de um homem morto", Leo disse a ela, puxando a caixa que Terry carregava.

Lily levou dois dedos aos lábios dele. "Vamos deixar esse assunto pra depois."

Nem dava para acreditar em como suas mãos tremiam ao abrir uma camisinha e desenrolá-la. Sexo era sexo, mas amor era uma coisa diferente, uma língua que Leo não falava havia dez anos. Ele se sentia enferrujado. Focado na tarefa que tinha em mãos, ele sussurrou: "Não posso deixar de comentar que essa tem nervuras pro prazer feminino".

"Literalmente nenhuma mulher liga pra isso."

"Bom, não diga isso ao Terry. Provavelmente foi o único gesto de consideração que ele fez na vida."

"Leo, pelo amor de Deus."

Ele ficou de cócoras e olhou para Lily, então passou as mãos das canelas aos joelhos dela.

"Quero você dentro de mim", Lily disse, simplesmente. Leo entrelaçou os dedos deles e os posicionou acima da cabeça dela. Lily enlaçou as coxas dele com as pernas e o puxou para mais perto. Então, com uma estocada perfeita, de virar a cabeça, Leo estava dentro dela.

Quero você dentro de mim, Lily havia dito, como se ele pudesse esquecer o que funcionava tão bem com ela. Tudo o que queria era vê-la se desfazer embaixo dele. Leo se perguntou se as estrelas se apaixonavam e tinham vontade de se jogar sobre os planetas que olhavam de cima. Era um instinto que lhe vinha quando estava em cima de Lily, se movendo, incapaz de acreditar que ela era real, que seus gemidos baixos eram reais, que o modo como ela o olhava era real. *Se joga. Tudo bem.* Ela devia ter visto a verdade tatuada nos olhos dele, rabiscada em cada traço: que ele sempre a havia amado, ainda amava. Leo amaria Lily Wilder para sempre.

Depois de ter ido embora, depois de ter se recomposto, voltado para a faculdade e concluído o curso na inércia, ele se dera conta de que, para aprender alguma coisa nova, seu cérebro precisava de orientações espaciais: vire à esquerda aqui, pegue a escada, toque isso, vá mais fundo. Então outra parte do cérebro assumia; os movimentos não eram mais guiados pelo ambiente, mas por uma noção inata de espaço, de virar em certa direção porque *parecia* a coisa certa, esquerda ou direita se tornava um hábito, um instinto, e seus músculos reagiam.

Acho que isso nunca se esquece, Leo pensou, vendo o pescoço de Lily ficar vermelho e os lábios dela se entreabrirem. Ele desacelerou, ergueu a perna dela ainda mais alto e se inclinou. Os olhos gananciosos dela percorriam seu rosto, os ombros, o que havia entre eles, e regressavam à boca. Leo conseguia notar tudo aquilo porque fazer amor com Lily estava em sua programação.

Ela arqueou o pescoço e cravou as unhas nele. Leo reconheceu a expressão tensa, a esperança de que o momento fosse iminente e o medo de que não fosse. Ele baixou um braço, recordando, e a acariciou com o dedão, depois testemunhou o alívio e o prazer que a inundaram. Um gemido revelador foi arrancado dela, agradecida, superada e maravilhada; sob o corpo dele, o corpo dela era um tumulto febril de alívio trêmulo e arrebatamento. Poderia ter terminado ali, ele pretendia terminar ali, com ela desmoronada, saciada, mas não terminou. Ela não deixou terminar. Queria o que Leo havia acabado de ter: a mesma visão, só que de baixo, os planetas encarando as estrelas acima.

Foi um alívio descobrir que Lily também tinha aquilo em sua programação, que para ela tampouco havia esquerda ou direita, só quadris, ritmo, o calor surreal de suas mãos, a umidade delirante de seus beijos. Logo Leo estava agarrando o saco de dormir sob a cabeça dela, arranhando o chão, empurrando ambos contra a cama improvisada até que estivessem em um furor desesperado. Pernas fortes o apertaram, e de repente Lily estava em cima de Leo, segurando-o, aliviando-o, olhando de cima e vitoriosa para a bagunça em que o havia transformado.

Vinte e quatro

Os dois conversaram sobre tudo enquanto sua respiração se acalmava e seus corpos resfriavam. Sobre o bar do Archie, sobre o punhado de pessoas na vida de Lily com quem ela se importava um pouco que fosse e sobre Nicole, a pessoa com quem mais se importava; sobre o restaurantezinho perto do apartamento de Leo em que ele e Cora comiam okonomiyaki nas noites de quinta, porque o gosto era igualzinho ao da mãe deles. Leo falou do quanto amava a irmã e de como se sentia desorientado diante de um futuro em que ela não precisasse vir sempre em primeiro lugar.

Leo falou de como Cora era inocente de uma maneira que ele nunca fora, de como ninguém o fazia rir tão fácil ou tanto quanto a irmã, de como ela era ótima em fazer amigos, mas péssima com dinheiro, por culpa dele. Descreveu a irmã como alguém que tinha cabelo preto comprido, postura de dançarina, pescoço comprido e uma risada surpreendentemente alta. Os dois conversaram tanto que quando pegaram no sono Lily sentia que conhecia Cora, podia até ouvir suas risadinhas e imaginar Leo a olhando com adoração. Ela já a imaginava como uma irmã mais nova que levaria para passear pelas colinas cobertas de artemísias de Wyoming. Queria fazer com que a menina da cidade se apaixonasse pela natureza.

Na verdade, Lily e Cora provavelmente não tinham nada em comum além de Leo. No entanto, ela imaginava que aquilo era o bastante.

A consciência voltou a Lily com uma luz fraca chegando do lado de fora da cabeça. Só de olhar para o rosto sonolento de Leo, parte dela soube que deveria ser mais cuidadosa. O primeiro instinto de Lily sempre era de se afastar e pensar no pior cenário, que em geral se concretizava, considerando a vida dela. Mas estava cansada. Não podia ter ao menos aquilo? Mesmo que só por uns dias?

Ela se virou nos braços de Leo e beijou o meio do peito dele, as bochechas, os lábios. Ele se assustou um pouco, mas um sorriso logo se formou contra o dela.

Leo abriu os olhos. "Oi."

"Bom dia."

Ele a beijou de novo antes de dar uma olhada no relógio.

"Me deixa adivinhar", Lily disse, então inclinou o rosto para trás e fingiu cheirar o ar. "Sete horas."

Leo deu risada. "Seis e quarenta e três. Nada mal."

As mãos dele escorregaram pelas costelas e pela cintura dela, parando com cuidado nos quadris. Leo soltou um gemido de aprovação e foi dando beijinhos nela até chegar ao pescoço, parando para mordiscar de leve a pele ali. A mente de Lily perdeu o foco enquanto ela imaginava como seria fácil passar o resto do dia daquele jeito.

Infelizmente, a bexiga dela discordava, e na trilha aquele tipo de coisa não se resolvia com uma simples ida ao banheiro mais adiante. Lily resmungou e deixou a cabeça cair no peito de Leo.

"Mais tarde", ele disse, com uma mão quente espalmada sobre o esterno de Lily.

Ela sentiu que os olhos de Leo a seguiam enquanto deixava o calor do saco de dormir e seguia até suas roupas, que estavam espalhadas no piso de madeira. Então ouviu um remexer e se virou para Leo, que estava apoiado em um cotovelo e a secava descaradamente.

"Vai caçar o tesouro assim?" Ela vestiu a calcinha e passou as alças do sutiã pelos braços, sem qualquer constrangimento.

"Talvez." Ele ergueu o queixo e sinalizou para que ela continuasse o que estava fazendo.

Enquanto Lily vestia o jeans, a mão dele escorregou tão casualmente para dentro do saco de dormir que ela se perguntou se Leo tinha noção do que estava fazendo. Ela queria catalogar o modo como ele a encarava, o calor de seus olhos, o modo como se sentia quase bêbada com o peso de sua atenção.

Por mais que desejasse que aquilo continuasse, Lily teve que lembrá-lo do motivo de estarem ali. "O cepo não vai se encontrar sozinho."

Com um gemido, ele saiu de dentro do saco de dormir. Eles se dividiram para acelerar a rotina matinal. Por sorte, Lily havia aperfeiçoado a arte de fazer xixi na natureza e se lavar usando apenas um pouco de sabonete biodegradável e água.

Limpos e com tudo arrumado, os dois se encontraram na frente da cabana. A decepção foi imediata. Grama, ervas daninhas e arbustos rodeavam a pequena construção, mas logo ficou claro que não havia nenhum toco de árvore por ali.

"Não pode estar certo." Lily tirou da frente os galhos de um chaparral para enxergar o chão. Ela se endireitou e girou no lugar, tamborilando um dedo na coxa.

"Sabemos que é o lugar certo", Leo disse. "Tem as iniciais do seu pai lá dentro. E a cabana fica bem na curva do rio. Não era isso que você disse que 'a barriga do três' significava?"

"Podemos estar na barriga errada. Mas por que a árvore do Duke seria em qualquer outro lugar?", ela perguntou para si mesma. "Ele vinha sempre aqui. Não é como se houvesse muitas cabanas na região. O que eu tô deixando passar?"

Lily avançou pela clareira, e seus passos assustaram uma carriça em meio ao mato. Ela pôs a mochila nos ombros. "Vamos."

Leo não hesitou: também pôs a mochila nos ombros e procurou acompanhar o ritmo dela. "Aonde?"

Lily apontou para os cânions à frente. "Subir."

Ele seguiu o olhar dela. "Ah."

"Só pra você saber", Lily disse, passando os olhos pela paisagem para identificar o trajeto mais fácil, "eu nunca faria isso com um grupo de turistas, mas preciso ver o panorama geral."

"Não vou mencionar isso na minha avaliação do tour na internet, pode deixar."

Por sorte, o caminho tinha muitos pontos de apoio para os pés e as mãos, e saliências o bastante para que fosse possível chegar lá em cima sem muita dificuldade. Ao fim da subida, estavam a pouco menos de cinco metros do chão, mas conseguiam ver uma parte do rio e os cânions sinuosos que o cercavam.

"O celular funciona aqui?", Leo perguntou.

"Às vezes."

"Será que não conseguimos carregar um mapa via satélite?"

Ela pegou o saco tipo zip da mochila, enfiou a arma por um momento na cintura da calça e pegou seu telefone via satélite. Depois de algumas tentativas de ligá-lo, Lily chegou à conclusão de que a bateria tinha acabado. Devia ter esquecido de desligar o aparelho na pressa de passar tudo para a outra mochila. "*Merda.*"

As sobrancelhas de Leo se juntaram quando ele franziu a testa. "Será que o do Terry ainda tem bateria?"

"Tomara." Lily o encontrou e apertou o botão para ligar o telefone. Nenhum deles respirou até que a imagem de um satélite aparecesse na tela. Os dois xingaram baixo e trocaram um cumprimento em comemoração.

"Acho que eu tô começando a entender o amor de Bradley por apostas", Leo disse, rindo. "Cada notícia encorajadora é como uma dose de dopamina direto no meu cérebro."

"Tá com pouca bateria", Lily disse, protegendo a tela com a mão para bloquear o sol. "Vai levar um minuto pra baixar os mapas." Ela apontou para o rio. "Tá vendo aquelas duas curvas bem acentuadas? Na confluência e ali, um pouco acima?"

Ele seguiu os olhos dela e assentiu. "Parece mesmo um três. Mas que curva é a barriga?"

"Estamos depois do fim do três. Será que não deveríamos estar mais pra cima, naquela curva fechada?"

Leo deu risada. "Tá me dizendo que precisamos atravessar o rio de novo?"

Lily gemeu. "Eu sei. Mas não parece tão ruim assim." Ela mordeu o lábio enquanto pensava. "Não me lembro de ter visto nada lá, mas não temos alternativa."

"Vamos dar uma olhada", ele disse. "Ligamos pra Nicole e pedimos pra ela acessar o Google Earth? Sei que não temos muita bateria, mas..."

O telefone via satélite de Terry ganhou vida nas mãos dela, vibrando enquanto carregava notificações, todas de mensagens de um grupo chamado Garotos Perdidos.

Os dois olharam para a tela. "Quem são os Garotos Perdidos?", Lily perguntou.

Leo balançou a cabeça. "Não faço ideia."

"Algumas mensagens são de hoje", ela comentou, inquieta.

Quem estaria desesperado para entrar em contato com Terry no meio de uma viagem de férias?

Ela entrou no grupo, que tinha quatro membros: Terry — que logo ficou claro que usava o codinome Rufio —, Bolsos, Sem Soneca e Ferrolho.

"*Peter Pan*", Lily percebeu. Mas as mensagens que carregaram não eram de preocupação. Consistiam em gifs de *Game of Thrones*, piadas sujas, Terry falando sobre a trilha e depois comentários sobre Nicole e Lily...

"Ah", ela soltou, enojada, então passou rapidamente por aquela parte para que Leo não visse.

Mas era tarde demais.

Leo arrancou o telefone da mão dela. "Mas o quê..."

"Tudo bem. O cara era péssimo. Não é novidade."

Ela apoiou o queixo no ombro de Leo para ler também.

"Eles estavam falando da viagem", Leo comentou, passando pelas mensagens. "O Terry mantinha os caras atualizados em relação a onde estávamos. Isso é muito esquisito." Ele balançou a cabeça.

Três dias antes — quando os planos do grupo mudaram —, as mensagens se tornaram mais desesperadas.

Sem Soneca: Rufio
Bolsos: Cara
Ferrolho: Kd vc Terry
Sem Soneca: A gente te perdeu, aparece

"A *gente te perdeu*?", ele leu. "Que porra é essa?"

Lily apontou para a data. "Foi um dia depois de o Terry cair. Os amigos não sabem que ele morreu, claro."

Leo continuou passando as mensagens.

Bolsos: Cara achei que tinham pegado a gente aquela noite no poleiro. Cadê você?
Sem Soneca: TERRY, responde
Ferrolho: Ele sumiu, porra
Bolsos: Você pegou o caderno?

Leo se demorou na última mensagem, com o dedão parado no ar. "É do diário do Duke que eles tão falando?"

Uma onda de ansiedade subiu pela espinha de Lily. Ela esticou o braço em volta dele e foi passando as mensagens, para ver como terminavam.

Sem Soneca: Fala o que a gente precisa fazer, Terry
Ferrolho: Ele não tá respondendo, vamos pro plano B
Sem Soneca: Encontramos no lugar combinado. Plano B então
Bolsos: Terry, juro que é melhor você não estar dando o golpe na gente, ou tá tão morto quanto eles
Sem Soneca: Vamos montar outro grupo. Esse cara que se foda

Quando eles se deram conta do que estava acontecendo, foi como se uma bomba caísse. Os dois se olharam, tendo percebido que haviam dado tempo ao tempo naqueles dois dias sem fazer ideia de que Terry tinha comparsas que os estavam seguindo.

"Não tô entendendo", Lily disse, quando na verdade sua preocupação era de que estivesse entendendo, sim. Já sabiam que Terry estava atrás do diário de Duke. Mas não achavam que ele tinha cúmplices. Ou que estavam sendo seguidos. Um arrepio percorreu o corpo de Lily quando ela se lembrou da bituca de cigarro e dos ruídos na noite. Andara distraída demais com Leo e com o que Duke poderia ter feito que baixara a guarda. "Filho da puta."

Leo balançava a cabeça, perplexo, enquanto relia as mensagens. "Os caras acham que o Terry passou a perna neles." Seus olhos se ergueram e passaram pelo vasto cânion mais abaixo. "Não sei qual é o plano B, mas eles podem estar em qualquer lugar."

"Se estavam seguindo a gente...", Lily começou a dizer. "Se de alguma maneira sabem pra onde estamos indo..."

"Então talvez cheguem antes de nós", Leo concluiu, virando para encará-la.

Seus olhos procuraram os olhos dela. A corrida tinha começado.

Vinte e cinco

Talvez tivessem pressa antes, mas nada parecido com agora. A febre competitiva que tomou conta dele era palpável e chegava a embaçar a vista de Leo enquanto desciam o cânion de novo. Tornozelos, joelhos e cotovelos batiam em pedras e arbustos espinhosos — pele e juntas que se danassem. Tinham passado por coisa demais para perder, e saber que alguém os seguia — saber que mais alguém acreditava fervorosamente que havia um tesouro a ser encontrado — os deixou ainda mais obstinados.

Não falaram muito. Leo se esforçava para lembrar cada detalhe da foto e Lily ficava olhando em volta e para trás. Ela parecia ter um mapa sólido do rio na cabeça agora que o havia visto de cima. Os dois tentaram se manter em terreno plano o máximo possível, mas acabaram tendo que descer mais e adentrar a paisagem mais diversa e verde das proximidades da água. Chegaram à beira do rio e caminharam sobre pedras pequenas e trechos de pântano, deixando o menor rastro possível. Quando Lily começou a procurar o melhor ponto para atravessar o rio, Leo soube que estavam perto. À frente deles havia uma curva larga, tão para esquerda que o rio chegava a sumir de vista.

Lily parou um pouco antes, onde a água corria rápido, mas era relativamente rasa.

"Provavelmente é o palpite mais certeiro", ela disse. "A barriga do três." Lily apertou os olhos para a água. "Não consigo acreditar que não pensei nisso antes. Vim aqui uma centena de vezes e não me lembro de ter visto uma cabana, mas deve ter uma na outra margem."

Ele se lembrou de haver visto no mapa o trecho a que ela se referia e ter se perguntado como a terra no meio não havia sido levada nos anos de cheia. As curvas do rio naquele ponto eram o sonho de qualquer pessoa que praticasse rafting. Os cânions em fenda abraçando o rio haviam sido esculpidos ao longo de séculos para formar aqueles labirintos intrincados como uma renda. Era o lugar perfeito para esconder alguma coisa: sem instruções detalhadas e específicas, seria praticamente impossível encontrar o caminho, e ainda mais difícil encontrar o caminho de volta na escuridão. A urgência e a emoção eram marretas gêmeas: *Mais. Rápido. Mais rápido.*

Lily baixou os olhos para a água com uma cautela que Leo sabia que ela tentava evitar.

"Sem pressa", ele disse.

"Mas não temos tempo."

"Certamente temos tempo de atravessar com cuidado."

No primeiro passo, a água gelada chegou aos tornozelos deles, submergindo suas botas.

"Acho que não vamos ter como manter os pés secos", Leo disse.

Em seu ponto mais alto, a água chegava aos joelhos, e a corrente continuava rápida e forte. Leo segurou a mão de Lily. Mantendo os olhos na margem oposta, os dois concluíram a travessia sem nenhum incidente.

Ela nem se deu ao trabalho de consultar o mapa de novo: subiu o rio, se enfiando em um emaranhado de choupos, tendo sempre uma parede de pedra vermelha à direita. Depois de menos de um quilômetro, a preocupação ganhou espaço no peito de Leo. Sem a distração da conversa ou dos beijos, a realidade do que estavam fazendo pressionava seu cérebro. Quais eram as chances de que ainda houvesse alguma coisa lá? Com quem Terry estivera trabalhando e em quantos estariam? Por que Terry havia levado Bradley, Leo e Walter junto, se podia ter agendado um tour com a Aventuras Wilder sozinho? Mesmo que eles estivessem meio dia à frente, quanto tempo levariam para decifrar o que fosse? Quanto tempo levariam...

"Você tá quieto demais", Lily disse, segurando alguns galhos espinhosos ao passar para que não batessem na perna dele. "Tá surtando?"

"Tô."

Ela riu, olhando para Leo por cima do ombro. "Eu também. Mas não podemos desistir agora."

"Não podemos desistir agora", ele concordou.

Ainda assim... Leo não conseguia imaginar onde haveria uma cabana por ali. Onde o terreno era aberto, era aberto mesmo, só com pedras e arbustos baixos. Onde era estreito, era apertado: as paredes altas dos cânions e sombras claustrofóbicas. Ele quase trombou com as costas de Lily quando ela parou de repente.

"Ali."

Leo precisou segurar nos ombros dela para manter o equilíbrio. Ele procurou o que a havia levado a parar. Não viu nada de diferente: o rio, choupos, terra, pedras, pedras e mais pedras. Mas então as formas entraram em foco. Não era para um monte desorganizado de pedras quebradas que ele olhava. Era para uma chaminé de pedra tombada, coberta de camadas de poeira vermelha. Para tábuas caindo aos pedaços de tão podres, enterradas sob emaranhados de artemísias e arbustos espinhosos. Para o que claramente era um cepo coberto de terra e escondido pela vegetação.

"Puta merda", ele disse. "A árvore do Duke."

Muito atentos, os dois voltaram sua atenção para trás e em volta, mas não havia ninguém ali. Ele se esforçou para ouvir quem quer que fosse, mas não ouviu nada. Só o rio rugindo por perto, caindo em cascata sobre um aglomerado de rochas pontiagudas e aterrissando em um trecho raso do leito, cheio de seixos.

Lily correu até o cepo, se jogou de joelhos e espanou a terra. "Rápido, Leo."

Ele se juntou a ela, deixou a mochila de lado e a ajudou a limpar a superfície irregular. Fazia tempo demais que ninguém perturbava aquela terra, que havia se infiltrado nos anéis e nas fissuras do tronco. Xingando, Leo começou a usar a unha para limpar.

Lily, que claramente era o cérebro ali, jogou um pouco de água na superfície para se livrar das últimas camadas de terra. A princípio, não parecia haver nada além de buracos na madeira, mas alguma coisa chamou a atenção de Leo.

Ele se debruçou para examinar mais de perto. Havia uma série de marcas chamuscadas perfeitamente redondas, um pouco menores que a borracha na ponta de um lápis.

"Reconhece esse código?", Leo perguntou a Lily.

Ela balançou a cabeça. "Não. Ele costumava usar letras comigo. César. ROT. Atbash."

Leo focou toda a atenção na tarefa que tinha em mãos. Havia sete agrupamentos distintos, separados por alguns centímetros. O primeiro era uma série de três pontos, empilhados na vertical, com um único ponto embaixo, como um L virado. Depois vinham dois pontos lado a lado, na horizontal. Então, um único ponto, na linha de baixo. Em seguida dois pontos empilhados na vertical outra vez. O quinto grupo eram dois pontos na diagonal. O sexto, dois pontos na vertical e um terceiro na diagonal e à direta do ponto de cima. O sétimo grupo era igual ao quinto.

O cérebro de Leo passou depressa pelos padrões e cifras relacionados a números, posições e formas.
Quatro, dois, um, dois, dois, três, dois.
É uma cifra de dados? Maçônica?
Não. A posição é claramente importante.
Quanto mais Leo olhava, mais sua capacidade de pensar era frustrada pela sensação pesada e monótona de um relógio tiquetaqueando. A resposta parecia fora do seu alcance, o que era enlouquecedor. Talvez tivessem poucos minutos para resolver o enigma, esconder o tronco e sair atrás das instruções gravadas ali.
Leo esfregou os olhos. "*Merda.*"
Ao lado dele, Lily grunhiu. "E se tiver mais alguma coisa?", ela sugeriu. "Será que estamos deixando alguma coisa passar ou é só isso?"
"Foi uma ideia inteligente, o código chamuscado." Leo passou a ponta de um dedo pelos sete agrupamentos. "Acho que soletra alguma coisa. Temos que descobrir se é um código numérico ou alguma coisa diferente."

Ela passou para o outro lado do cepo para analisá-lo sob um ângulo diferente. "Talvez a gente esteja olhando da perspectiva errada."

"Quanto mais olho pra ele, mais sinto que não enxergo nada", Leo disse.

O ar escapou dela audivelmente. "Ah, meu Deus. Leo. Você é um gênio."

"O que foi que eu disse?"

"Que não enxerga nada." Ela sorriu. "Não tem relevo, mas é braile. Duke não usava com frequência, mas conhecia. E me ensinou."

Lily soltou um gritinho. Leo voltou a olhar para o cepo e concluiu que ela estava certa. Tinha aprendido braile para ganhar um distintivo quando era escoteiro, e revirou o cérebro para recordar.

"Tá." Ela apontou para o primeiro agrupamento. "Esse que parece um L ao contrário indica que vem um número a seguir. Então o segundo padrão deve ser um três."

Leo olhou para os outros. "Isso. E esse ponto aqui não indica letra maiúscula?"

"É", Lily disse, apontando animada.

"Tenho quase certeza de que isso é um B", Leo disse a ela. "E esse é um e. Esse deve ser um s."

"Acho que sim, mas..." Ela apontou para o último grupo. "Isso seria outro *e*."

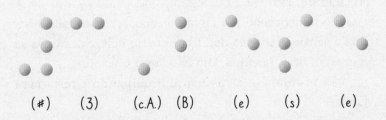

Lily franziu a testa e disse: "Três Bese? Não tem nenhum lugar com esse nome. E essa palavra não existe". Ela olhou para Leo, em dúvida.

Ele passou uma mão pelo rosto. "Eu sei."

"*Espera.*" A voz de Lily soou tão alto e forte que Leo se assustou. Ela pegou o caderno de Duke da mochila e o abriu para pegar a outra folha que Terry havia arrancado — o mapa desenhado de maneira intricada e cheio de nomes daquela parte do cânion. Parecia uma rede densa de capilares. "Aqui." Ela apoiou o caderno no cepo e bateu nele com a mão. "Olha."

Os dois se debruçaram e o estudaram com cuidado. O mapa começava em um ponto de entrada — uma abertura em uma pedra. Dessa primeira abertura brotavam cerca de dez artérias menores. Cada um dos ramos secundários levava a caminhos terciários e quaternários que ficavam cada vez menores conforme se subdividiam. A primeira série de ramos estava numerada, e os caminhos que brotavam do primeiro estavam marcados como A, B e C. Seis ramos estreitos brotavam do segundo e iam de A a F. Do terceiro, marcado com um 3 cuidadoso de Duke, brotavam ramos que iam até o J.

"Três B", Leo disse. "Bem aqui."

"Mas o que é e-s-e?" Quase imediatamente depois que as palavras saíram, ela voltou a bater no cepo. "*East, south, east*! Leste, sul, leste! Leo, são as curvas dentro do cânion em fenda Três-B." Ela pegou o braço dele. "É o caminho que precisamos fazer."

Ele se debruçou por cima do cepo, levou os lábios aos dela e sentiu o sorriso de Lily junto ao dele. Suas veias se encheram de adrenalina. Iam encontrar o tesouro.

"Tá pronta?", ele sussurrou, inclinando a testa para a dela.

Lily assentiu e o beijou de novo, provocante. O sangue de Leo se transformou em hélio, e ele via estrelas por trás das pálpebras fechadas. As palavras "te amo" estavam na ponta da língua.

Mas alguns sons eram tão específicos que Leo poderia reconhecê-los em qualquer lugar. Como a voz da mãe dele. A sirene de uma viatura policial. Um ovo quebrando. Antes que seu cérebro pudesse catalogar aquele som, o corpo dele ficou tenso.

Pés esmagando galhos secos.

Uma arma sendo engatilhada.

Vinte e seis

"Olá, pombinhos", uma voz arrastada disse atrás de Leo. "Mãos onde eu possa ver."

Com os olhos arregalados, Lily viu dois homens nas sombras, mais além de Leo.

O que apontava a arma era mais alto e maior. Estava imundo, com um rasgo encharcado de sangue na calça e cortes e arranhões em seus bíceps musculosos. O outro, magro e baixinho, não se encontrava em situação muito melhor. Sangue seco se entremeava ao cabelo loiro na têmpora e ele tinha um curativo sujo nas costas de uma mão. As roupas de ambos seguiam o mesmo estilo "camuflado chique" de Terry.

Eram os Garotos Perdidos, ela concluiu.

Piscando, Lily notou que Leo parecia em choque do outro lado do cepo. Sem se virar, ele ergueu as mãos devagar, espelhando os movimentos dela. Era maluquice, mas o primeiro pensamento de Lily foi se perguntar se antes daquela viagem Leo já ficara sob a mira de uma arma. Ele levava uma vida normal. Trabalhava em um escritório e fazia tours de degustação de vinho. Tinha produzido queijo na França, pelo amor de Deus.

Em uma semana com ela, um amigo dele tinha morrido e outro quebrado o tornozelo. O próprio Leo tinha um corte profundo na bochecha, e agora havia uma arma apontada para sua cabeça.

O fortão gesticulou para o amigo com a arma. "Jay", ele disse. "Pega as mochilas deles."

"Parece que você tá sangrando, Jay", Lily disse, orgulhosa ao ver que pelo menos ela e Leo não tinham facilitado as coisas para o grupo que os seguia. "Sofreu uma quedinha, foi?"

Jay olhou feio para Lily e arrancou a mochila de suas costas com tanta força que ela cambaleou para a frente, mas conseguiu se segurar pouco antes de chegar ao chão. Furioso, Leo foi para cima de Jay e o empurrou. Na comoção, Lily tentou pegar...

Ela sentiu a pressão do metal frio na testa.

"Eu não faria isso", o fortão disse.

Jay a colocou de pé com violência enquanto o outro pegava a arma de Terry da cintura dela. Merda.

Os olhos de Leo se arregalaram. "Você estava carregando isso o tempo todo?"

"Não o *tempo todo*", ela se defendeu.

Jay revistou rapidamente os bolsos dela, enquanto o fortão revirava as mochilas deles, jogando tudo o que não lhe interessava no chão.

"Me deixa adivinhar", Lily disse entre os dentes cerrados, enquanto Jay aproveitava para passar a mão na bunda dela ao revistar os bolsos de trás da calça. "Vocês são amigos do Terry? Ele deixou a gente já faz uns dias, sabiam?"

"Sim." Jay foi até Leo e começou a revistá-lo.

"Sabem pra onde o Terry foi?", Lily perguntou, se fazendo de boba. "Quando acordamos ele tinha se mandado."

Jay a ignorou e ergueu o queixo para o amigo. "Achou, Kevin?"

O fortão — Kevin — tirou o diário de Duke da mochila de Lily e o empunhou vitorioso. "Achei." Ele deu uma folheada antes de enfiá-lo no bolso de trás e apontar com a cabeça para o cepo. "Três B-e-s-e. Valeu pela ajuda."

"De nada." Leo pigarreou. "Odeio te dar essa notícia, mas é uma pista falsa."

Lily tentou manter a expressão neutra.

Jay franziu a testa e deu um passo na direção de Leo. "Como assim?"

"O código no cepo", ele disse. "Vocês estão achando que tem relação com algum mapa no diário, que revela a localização do tesouro, mas penso diferente. O Terry..." Ele parou de falar de repente e seu rosto se contraiu de leve. "O Terry era um cara inteligente. Teve várias oportunidades de pegar o diário. Provavelmente estudou o caderno inteiro e chegou à conclusão de que o Duke não deixou nada de importante enterrado."

"Não deixou nada de importante enterrado?", Jay repetiu, enxugando um fio de suor manchado de sangue que corria de sua têmpora para o olho. "Por que acha isso?"

"Que outro motivo explicaria o Terry ter deixado o diário com a gente?", Leo perguntou, e Lily finalmente compreendeu o que ele tentava fazer. Se aqueles cretinos levassem o diário, ela e Leo estariam ferrados. "E como vocês estão aqui sem ele... o Terry deve saber de alguma coisa que não sabemos."

"Tipo o quê?", Kevin perguntou, franzindo a testa. "O que o Terry poderia saber?"

Lily deu de ombros, se juntando à trama. "Se eu soubesse, não estaria aqui."

Kevin piscou por vários segundos de silêncio. "Hum." Sua expressão se alterou. "Então por que *vocês* estão aqui, se têm certeza de que é inútil?"

"Por que... estamos aqui?", Lily se atrapalhou. "Bom. Estamos... Estamos aqui porque..."

"Estamos seguindo as pistas do Duke porque precisamos de um ponto final", Leo a cortou. "Esta é Lily Wilder, sabia? A Lily Wilder. É uma maneira de Lily se despedir direito do seu amado pai."

"Isso. Um ponto final. Pra mim, ainda é difícil falar a respeito."

Jay estreitou os olhos para avaliá-la. "Um ponto final. Não acredito nisso." Ele chupou o ar entre os dentes e balançou a cabeça. "Vocês só estão tentando fazer com que a gente deixe o diário. Vão se foder."

Por dentro, ela grunhiu em frustração.

Os dois homens se aproximaram para conversar em particular, mas a tentativa de manter o que falavam em segredo deu errado quando Lily e Leo ouviram Jay dizendo baixo: "Ou o Terry já tá lá ou chegamos antes dele aqui". Ele inclinou o queixo na direção das fendas como se dissesse: *Vamos lá.*

Kevin olhou por cima do ombro e acenou com a cabeça para Leo e Lily. "E quanto a eles?"

"Podemos ir junto", Leo sugeriu, depressa. "Ninguém decifra os enigmas do Duke melhor do que a Lily."

"Como se vocês não fossem tentar se livrar da gente na primeira chance que tivessem."

Leo inclinou a cabeça como quem dizia: *Justo.*

"Além do mais", Kevin prosseguiu, balançando o diário, "já temos as instruções. Não precisamos mais de vocês. Então acho que é aqui que nos despedimos." Ele tirou da mochila algemas de plástico iguaizinhas às que Terry carregava.

Enquanto Jay apontava a arma para Lily, Kevin foi até Leo e prendeu as mãos dele atrás das costas com uma série de cliques enervantes. Depois mandou que ele se sentasse e prendeu também seus tornozelos. Jay fez o mesmo com Lily e posicionou os dois de costas um para o outro na clareira.

Por um breve momento, Lily se perguntou se os dois homens planejavam atirar neles depois, mas Jay pegou uma barrinha de proteína e depois jogou as mochilas fora do alcance deles. Ele deu uma mordida e jogou a embalagem aos pés de Lily. "Espero que não fiquem com fome."

Kevin riu. "Você é muito babaca, sabia?"

"Mas não sou um assassino." Jay deu de ombros. "O que quer que aconteça agora só depende dos dois e da natureza."

Kevin tirou o diário de Duke do bolso e o sacudiu na frente de Lily. "Valeu outra vez. Se vir o Terry, manda ele se ferrar." Ele deu uma última olhada nos pertences espalhados no chão e chutou as mochilas para ainda mais longe. Com um sorrisinho, acrescentou: "Boa sorte, *Lily Wilder*".

O sol estava bem alto no céu. Eles nem haviam tentado sair da situação de merda em que se encontravam e Lily já estava suando.

"Não consigo acreditar no que acabou de acontecer", Leo disse. "Acho que fomos roubados e algemados pelos dois maiores imbecis do mundo."

"Ainda consegue ver os dois?"

Leo olhou na direção que os idiotas haviam seguido.

"Consigo." Ele se inclinou para o lado. "Meio mal. Continuam acompanhando a parede de pedra."

"Me avisa quando não der mais pra ver." A mente de Lily estava acelerada, considerando todas as rotas de fuga possíveis. Ela odiava Terry por ter levado aqueles caras junto.

Se não estivesse morto, jogaria o cara da beira de um penhasco pessoalmente.

"Tá." Leo ficou quieto por um momento. "Lily?"

"Oi?"

"Quero que você saiba que a noite de ontem foi a melhor da minha vida."

Ela franziu a testa. "Você sabe que não vamos morrer aqui, né, garoto apaixonado da cidade?"

Ele riu. "Sei. Mas ouvi você respirando daquele seu jeito pesado e furioso e quis te distrair."

"Tô puta", ela admitiu, com o coração batendo tão forte que parecia chacoalhar seu esqueleto. "Não consigo acreditar que eles levaram o diário. Não consigo acreditar que estamos presos aqui enquanto eles..."

"Lily."

"... simplesmente vão poder usar tudo o que meu pai reuniu durante a vida..."

"Da primeira vez que fiz sexo com alguém depois de você", ele a interrompeu com alegria, "pedi que ela me chamasse de 'caubói'."

Apesar da situação em que se encontravam, uma risada irrompeu dela. "Oi?"

De costas para Lily, Leo assentiu. "A gente... você sabe. Mas, por motivos óbvios, não estava rolando pra mim."

"Que motivos óbvios?" O ciúme era como um cordão envolvendo a caixa torácica de Lily.

"Ela não era você", Leo disse, com um sorriso na voz. "Eu estava me sentindo culpado, péssimo, triste, e simplesmente soltei: 'Me chama de caubói!'."

Lily teve que se dobrar para a frente de tanto rir, surpreendendo a si mesma. "Nunca te chamei de caubói."

"Eu sei!" Leo se recostou nela. "Mas fazia muito tempo

que eu tinha ido embora e estava desesperado pra provar pra mim mesmo que ainda podia... mas, nossa... tipo... coitada. Deve ter contado a história pras amigas uma centena de vezes."

"Se faz você se sentir melhor, vomitei no primeiro cara com quem estive depois de você", Lily contou.

"Você *vomitou* de tristeza?"

"Bebi de tristeza, depois vomitei." Ela fez uma pausa, percebendo o que Leo havia acabado de fazer. "Você me distraiu. *Caubói*."

"Só te dei um segundo pra se acalmar." Lily sentiu que ele se inclinava para o lado outra vez. "Os cabeças-ocas sumiram de vista. A gente tem que pensar em um jeito de se livrar disso antes que eles voltem." Leo tensionou as algemas.

Foi a vez dela de falar sério. "Ninguém me conhece tanto quanto você."

Leo ficou quieto. O ar parecia quente e pesado em volta deles. "Lembra disso depois, quando estiver tentando me convencer de que não vamos dar certo. Agora..."

A ansiedade era como um enxame de abelhas esvoaçando descontroladamente dentro do peito dela. Lily procurou reprimir aquilo e se concentrar. "Tá. Tenho algumas ideias."

"Tipo?"

"Se conseguirmos nos levantar empurrando as costas um do outro, podemos tentar quebrar as algemas."

"Quebrar? Com a força do meu amor pela liberdade?"

Ela riu. "Você nunca foi preso?"

"Tá falando sério? Eu crio algoritmos pra investimentos. Costumo ir pra cama às nove. Em que situação eu teria sido preso com algemas de plástico?"

"Pelo que entendi, isso é um não."

"Você já foi presa?", ele perguntou, incrédulo.

Lily ignorou aquilo e voltou para o problema que tinham em mãos. "É mais fácil quebrar as algemas com as mãos na frente do corpo, mas acho que dá pra fazer assim também. Não sei se tenho força suficiente pra quebrar algemas desse tipo, mas você deve ter. É só baixar os braços com força suficiente pra quebrar no ponto mais fraco."

Passou-se um longo momento sem que ele respondesse. "Qual é a segunda opção?"

"Os panacas não encontraram a faca na minha bota."

"Você tem uma faca?"

"Esqueci completamente quando estava puta, tramando a segunda morte do Terry", ela disse. "Que bom que você me acalmou."

Deu algum trabalho, mas Leo acabou conseguindo ficar de lado e aproximar as mãos das botas dela.

"Você consegue desamarrar pra mim?", Lily perguntou.

"Acho que sim. De maneira meio desajeitada." Com as mãos ainda amarradas atrás do corpo, ele tentou e tentou até conseguir desamarrar o cadarço de uma bota dela.

"Tá, vou tentar tirar", Lily disse. "Pode me ajudar?"

"Posso... tá..."

"Empurra o..."

"Aperta um pouco o pé aí."

"Como eu *apertaria* meu pé?"

"Sei lá... Tipo, visualiza o seu pé menor dentro da bota."

"Que porra isso significa?"

O sol estava a pino. Quando conseguiram tirar o pé dela da bota o suficiente para que a faca caísse, estavam suados. Leo conseguiu pegar a faca com a boca e depois passar para as mãos, então voltou a se posicionar de costas para Lily.

"Tá", ela disse, soprando o cabelo para longe da testa úmida. Mal tinha saído do lugar, mas estava exausta. "Tira da bainha e tenta cortar minhas algemas, com cuidado."

Balançando a cabeça, Leo passou a faca para ela. "Faz você. Alguma coisa me diz que é mais habilidosa com uma faca que eu."

Lily respirou fundo e tateou as algemas para decidir onde cortar, depois desceu os dedos com cuidado pelo lado cego da lâmina.

"Segura firme", ela disse a Leo.

Ele riu de nervoso. "Confia em mim, não vou a lugar nenhum."

Alguns minutos se passaram enquanto ela cortava devagar, parando para verificar seu progresso e tentando não cortar Leo, não deixar que seus dedos ficassem dormentes e não derrubar a faca.

"Lily, caso a gente não consiga se livrar dessa..."

"A gente vai conseguir."

"Caso *não consiga*", ele repetiu. "Eu te amo, de verdade."

Ela reprimiu um sorriso, mas se manteve focada. "Você também é bem legal."

"Uau. Acho que meu coração não aguenta."

"Fica parado." Lily congelou quando ele silvou de dor. "Merda, desculpa."

"Pode continuar. Foi só um cortinho."

Ela respirou fundo e prosseguiu. "Acho que... estou quase... conseguindo..." Com um leve estalo, a tensão nos ombros de Leo desapareceu e seus braços caíram.

"Minha nossa!" Ele se virou sacudindo as mãos, depois segurou o rosto dela e o puxou para um beijo. "Você conseguiu!"

Adrenalina e euforia inundaram a corrente sanguínea dela. "Anda, anda."

Com as mãos trêmulas, Leo cortou as algemas que prendiam seus pés, depois as algemas dela. O sangue voltou a correr para os dedos de Lily. Seus músculos doeram quando ela se levantou. As pernas formigavam e os pés estavam quase dormentes. As mãos estavam manchadas de sangue, mas nada sério. Usando o que lhes restava de energia, eles foram mancando até as mochilas, enfiaram tudo o que tinham dentro e correram o mais rápido possível na direção de onde tinham vindo, fugindo para a sombra do cânion.

Vinte e sete

Eles avançaram com dificuldade em meio a mato seco e pedras afiadas, correram ao longo da margem do rio e — sempre olhando por cima do ombro — mergulharam na sombra fresca, onde Leo torcia para que ficassem fora de vista e fora de perigo enquanto discutissem o que fazer a seguir.

Depois de alguns segundos ali, debruçados para a frente, recuperando o fôlego, Lily se endireitou e depois se deixou cair contra a parede de pedra. A euforia tinha claramente passado, e em sua postura restava apenas o peso da derrota. "Que droga."

Mesmo que houvesse um tesouro, outras pessoas tinham roubado as pistas de Duke e o trabalho duro dos dois debaixo do nariz deles. O cérebro de Leo ainda não tinha rompido a linha narrativa cheia de testosterona — *vamos atrás deles, recuperar o que é nosso por direito!* —, mas ele sabia que não era uma opção realista. Para começar, havia dois homens por ali, armados e com a mesma vibe desequilibrada de Terry. E o mais importante: Lily também estava prestes a perder a cabeça, e pelo menos um deles precisava continuar pensando direito.

Fora que Leo nem se importava tanto com o dinheiro. Se importava um pouco, claro, porque não era idiota, mas estava sobretudo lutando por *eles,* e Lily parecia não ter mais forças para aquilo. Dinheiro caído do céu facilitaria as coisas? E como! Só que, mais do que tudo, ele estava desesperado para ajudar Lily a ter uma vida que a deixasse feliz. Havia poucos sentimentos piores que a desesperança. Ele aprendera aquilo na prática.

A postura de Lily sentada no chão, comendo uma barra de proteína sem muita vontade, olhando sem expressão para a pedra à frente, parecia murcha. Leo não precisava ser capaz de ler a mente dela para ver que descia em uma espiral de destruição. Menos de dez dias antes, Leo estava no jantar de formatura de Cora, descendo em sua própria espiral ao constatar que a irmã não precisava mais de sua ajuda e que ele não fazia ideia de como seria se concentrar na sua própria vida.

"Se depois disso eu ficar vinte anos sem ver uma barrinha", Lily disse, mastigando e engolindo com esforço, "não vai ser o bastante."

"Justo."

Sem parecer se preocupar com a terra, Lily se deitou e ficou olhando para o céu cristalino, emoldurado pelas pedras acima. "Bom, recapitulando: não tenho dinheiro, sofremos um assalto à mão armada e amanhã vamos ter que ligar pra polícia e lidar com um cadáver, e não sei nem por onde começar."

"Acho que vai ficar tudo bem, de verdade", ele disse. "Pelo menos vamos poder esquecer isso e seguir em frente com a vida."

Ela fechou os olhos e soltou o ar devagar.

"Agora é uma boa hora pra te lembrar que te conheço melhor do que ninguém?"

"Leo, eu não..."

"Só me ouve", ele disse. "Tenho um apartamento pequeno mas bem legal em Nova York. Sei que não é o ideal, mas você pode voltar comigo. Só por um tempo, até a gente decidir os próximos passos. Consegui economizar um dinheiro. Não é o bastante pra recomprar o seu rancho, mas a tal promoção provavelmente vai sair, e talvez com mais um ano de trabalho, economizando cada centavo, a gente possa se mudar pro interior de Nova York e criar cavalos."

"O que eu faria em Nova York até a gente conseguir se mudar?"

"Você pode fingir que tá de férias."

"E quanto à Bonnie?"

"Nicole tomaria conta dela e dos outros até que desse pra levar todos aonde quer que estivéssemos. Eu cuidaria de você."

O rosto de Lily dizia: *O que te faz pensar que quero que cuidem de mim?*

"Só tô tentando encontrar uma maneira de ficarmos juntos", Leo disse, sucumbindo à frustração. "Se não quiser isso, a discussão acabou."

"Eu quero." Ela voltou a fechar os olhos, pegou a mão dele, posicionou-a sobre o coração e a cobriu com a sua. "Desculpa. Eu tô sentada aqui tentando me imaginar em outro lugar. Não consigo. E não posso deixar Nicole. Leo, devo ter uns trezentos dólares no máximo. Seria totalmente dependente de você, e... não consigo", ela repetiu, baixo.

"Agora que não preciso mais pagar a faculdade da Cora, ganho o suficiente pra sustentar nós dois. Não me importo."

"Eu me importo." Ela acariciou as costas da mão dele com o dedão. "Eu seria outra mulher na sua vida que você precisaria sustentar. Não quero que a gente tenha esse tipo de relacionamento."

"Não vejo a coisa nem um pouco assim."

Lily ignorou o comentário dele e continuou falando.

"Posso vender a cabana do Duke, mas quem tá comprando terra em Hester?" Ela olhou para Leo. "Tenho que fazer isso sozinha. Você não pode resolver tudo por mim."

Ele se inclinou para Lily, empurrou o chapéu dela para trás e lhe deu um beijo. "Tá. Não vou insistir."

"Gosto que você insista, sério", ela disse, baixo. "Mas não tem uma resposta simples pra isso."

"Vamos dar um jeito", Leo disse. "Provavelmente não hoje. Então vamos dar uma volta."

Eles se levantaram, doloridos, machucados e sujos, mas ainda ali. E, pelo menos naquele momento, ainda juntos.

Talvez eu tenha que me despedir amanhã, Leo pensou, desolado.

Eles subiram até uma pedra que se projetava e se sentaram com as pernas balançando e os dedos de uma mão entrelaçados. Já era de tarde — passava das três —, mas parecia que fazia um ano que estavam acordados. Diante deles, o céu era uma joia impecável. A mochila de Lily estava aberta ao lado dela. Apesar das roupas lá dentro, parecia vazia sem o diário.

Ela pegou o telefone via satélite de Terry e o ligou. Leo pensou que deviam agradecer por Jay e Kevin não o terem tomado quando revistaram as mochilas. "Vou pedir pra Nic pegar a gente amanhã."

Ele assentiu e ficou vendo Lily digitar o número que sabia de cor, depois ouviu o telefone chamando.

"Alô?"

"Oi, sou eu." Leo ouviu a voz de Nicole, mas não o que dizia. Lily balançou a cabeça. "Deu tudo errado." Houve uma pausa. "Explico depois, mas o Terry estava mancomunado com uns caras. Eles nos seguiram, pegaram minha arma e nos prenderam." Outra pausa. Leo ouviu o grito incorpóreo de Nicole. "É, tô falando sério. Nic... Nic... me ouve. Se puderem buscar o Leo e eu amanhã, onde descemos aquele dia... Devemos chegar umas duas da tarde." Outra pausa. Lily olhou para ele e disse: "Nicole falou que Bradley precisou voltar pra casa e Walt tá se recuperando em um hotel em Moab". Ela voltou a conversar com a amiga. "Vai ter que ser só você então. Se prepara pra uma noitada no bar antes de mandarmos Leo de volta pra Nova York."

Aquilo doeu.

Lily se despediu, afastou o telefone da orelha e encerrou a ligação antes de guardá-lo na mochila. Manteve os olhos baixos por alguns segundos, depois soltou um grunhido de raiva.

"Eu odiava aquele diário", ela disse. "Mas é muito pior agora que os amigos cretinos do Terry estão com ele. Era tudo o que eu tinha do Duke."

Leo não sabia o que dizer. A relação de Lily com o diário era muito complicada, e ele não podia fingir que compreendia a extensão daquilo. Portanto, só apertou a mão dela.

Lily pegou a foto de Duke recostado na árvore, depois soltou os dedos de Leo para segurar a foto com as duas mãos. Um dia, quando a decepção não fosse tão recente, talvez eles pudessem conversar sobre o pai de Lily e como aquela viagem havia mudado os sentimentos dela em relação à história deles. Mas não seria naquele dia.

"Tô furiosa", Lily disse, baixo. "E *louca* pra saber se aqueles idiotas conseguiram encontrar alguma coisa."

As palavras irromperam dele. "Nossa, eu também. Isso tá me matando."

Ela deu risada. "Por um lado, penso: *Eles que se danem*.

Espero que não tenha nada. Mas também quero acreditar que chegamos perto."

"Concordo."

Tamborilando a coxa, Lily se inclinou para mais perto da foto, estreitando os olhos. Levantou a cabeça, franzindo a testa, depois voltou a baixá-la para olhar a foto de maneira ainda mais intensa. "Espera aí."

Alguma coisa na voz dela fisgou o coração de Leo e o derrubou numa piscina de adrenalina.

"Que foi?", ele perguntou.

Lily apontou para a foto. "Tô vendo o que acho que tô vendo?" Ela a passou a Leo e fechou os olhos com força. "Descreve pra mim. Me fala o que tá vendo. Em todos os detalhes."

"Por quê?"

Ela balançou a cabeça. "Só pra me agradar." Leo a encarou por alguns segundos, sem entender e sem querer se agarrar àquele estranho fiapo de esperança. Lily estendeu um braço às cegas e bateu o indicador na foto algumas vezes. "Anda, Leo."

"Tá bom. É, hum, uma foto em preto e branco. Uma foto da cabana no cânion. A cabana é pequena, feita de madeira, e a frente deve ter uns três metros no máximo. Tem duas janelas pequenas e idênticas. A chaminé fica entre elas. Duke tá recostado numa árvore na esquerda, com uma cerveja na mão, sorrindo." Ele soltou o ar devagar. "É a árvore do Duke. O toco que encontramos."

"Na nossa esquerda ou na esquerda dele?"

Leo piscou para ela, confuso. "No lado esquerdo da foto. O braço direito dele tá apoiado na árvore."

"Com que mão o Duke tá segurando a cerveja?"

Ele voltou a olhar para a foto. "A esquerda."

"Exatamente. Quantos dedos você tá vendo?"

Foi como se o estômago de Leo desse um mergulho até lá embaixo. "Ah, merda."

Ele olhou para Lily, que já estava balançando a cabeça, sorrindo com os olhos abertos. "É impossível, certo? Ele só tem quatro dedos na mão esquerda."

"Então como...?"

Ela pegou a foto de volta. "É uma pista falsa. Intencional. Só alguém que conhecesse o Duke poderia entender. A imagem tá espelhada."

A imagem estava mesmo espelhada.

Duke não estava recostado em uma árvore à esquerda. Estava recostado em uma árvore à direita — uma árvore que eles não tinham nem procurado.

"Mas você viu outro cepo?" Leo não havia visto nada além de madeira podre e pedras desmoronadas.

"Não." Lily sorriu para ele. "Mas não teríamos como ver se estivesse sob a chaminé desmoronada."

"Meu Deus do Céu", Leo soltou, sem ar. "Temos que voltar."

Lily se virou e começou a procurar alguma coisa freneticamente na mochila. "Me dá o número do Bradley e do Walter." Ele deu e viu por cima do ombro de Lily que ela escrevia uma mensagem para o grupo. Era uma foto espelhada. Não venham. A gente liga com mais informações.

Lily enviou a mensagem e enfiou o telefone de volta na mochila.

"Mais uma tentativa?", ela disse, com um sorriso tão amplo que daria para contar seus dentes.

"Mais uma tentativa."

Vinte e oito

A clareira se abriu à frente deles. Quando tinham certeza de que ninguém espreitava, Lily e Leo correram na direção da chaminé desmoronada — onde haviam estado menos de duas horas antes. Embora as mãos de ambos estivessem cobertas de cortes e arranhões, isso não os impediu de revirar a pilha de pedras até chegar a um toco de árvore em estado consideravelmente pior que aquele do outro lado.

Anos sob as pedras e outros detritos significavam que aquele cepo não havia secado e envelhecido da mesma maneira. Alguns veios tinham inchado; partes da casca estavam podres e soltas. Era preciso torcer para que o que restasse da pista estivesse legível.

Leo se inclinou para avaliar o cepo, enquanto Lily pairava atrás dele, com o coração na garganta. "Tá vendo alguma coisa?", ela perguntou. "É braile de novo?"

"Tem alguma coisa aqui, sim." Ele pegou o cantil da mochila e despejou água na superfície, como Lily havia feito da outra vez. "Certo? Tá vendo os pontos?"

Ela se agachou ao lado de Leo. Embora as marcas não fossem tão pronunciadas, Lily concordou que eram similares às que tinham visto antes.

Mas ela estava cansada, e quanto mais olhava mais pareciam nadar diante de seus olhos, se transformando em uma massa indefinida. "Olhar pra isso tá dando um nó no meu cérebro."

Leo pegou um graveto, nivelou um trecho de terra, afastando as folhas no processo, e começou a desenhar. Depois de alguns minutos, ele se afastou um pouco. "Parece certo?"

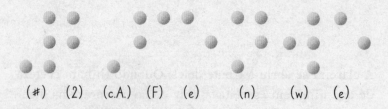

Ela comparou os desenhos na terra às marcas na madeira. "Acho que sim."

Abaixo dos desenhos, Leo escreveu lentamente: 2, F, e, n, w, e. "Me sinto menos confiante desta vez", ele murmurou.

Ela apontou para os últimos pontos. "Se essa for uma marca intencional, e não um sinal da decadência da madeira, o último *e* seria um *o*."

"É", ele concordou. "Mas se o 2 for o cânion, o F a fenda em que entramos e as próximas quatro letras as indicações para nos embrenharmos no labirinto, um *o* não faria sentido."

"O jeito como você desenhou parece certo pra mim." Ela ergueu os olhos, atenta a qualquer ruído.

"Achamos mesmo que o primeiro código era um engodo? É o tipo de coisa que o Duke faria?"

"É exatamente o tipo de coisa que ele faria. Tô quase me sentindo uma idiota por não ter pensado nisso antes."

Os olhos de Leo baixaram para a terra e depois subiram pelo tronco, se alternando entre ambos em busca de confirmação. "Se a foto estava espelhada, esta é a árvore certa."

"Vamos nessa", Lily disse, puxando a manga dele. Ela olhou para trás, para o caminho que levava aos cânions, paranoica e incapaz de esquecer a sensação de que não estavam a sós. "Aqueles dois idiotas podem não ser as estrelas mais brilhantes no céu, mas se estivermos certos quanto à árvore é questão de tempo até se darem conta de que seguiram indicações erradas. E se encontrarem a gente não acho que vão se contentar em nos algemar de novo."

Pés esmagaram as folhas atrás deles, e daquela vez Lily sabia que não podia estar imaginando. Ela se virou com a faca na mão e viu um homem iluminado por trás pelo sol baixo, a uns dez metros de distância. Lily e Leo se levantaram e ele a puxou para trás de si, para protegê-la.

Lily estava tentando puxar *Leo* para trás dela quando ouviu a voz aliviada dele. "Cara."

"*Bradley?*"

"Aí estão vocês." Bradley balançou a cabeça, rindo da cara dos outros dois. "Parece que estão em pânico. Sou só eu."

Confusos, Leo e Lily se entreolharam brevemente.

"Como... o que tá fazendo aqui?", Leo perguntou. "Nicole disse que tinha voltado pra Nova York."

Ele pareceu surpreso por um momento. "Vocês falaram com... Ah, então. Eu disse pra Nicole que ia voltar pra casa, mas na verdade não suportava a ideia de vocês dois fazerem isso sem mim." Bradley fez uma careta autodepreciativa. "Nunca me diverti tanto, não podia ficar de fora. Agora me contem tudo. Aposto que foi insano." Ele deu um grito típico do Bradley das montanhas e sorriu para os dois.

Lily imaginava que em qualquer outra circunstância Leo iria até o amigo e lhe daria um abraço. Mas ele não saiu do lado dela — e ela não baixou a faca. Não conseguia deixar de lado uma estranha sensação enrolada como uma cascavel em suas entranhas. Por que Bradley arriscaria descer no cânion sozinho? Se confiava em Leo, por que não deixaria para vê-los em Hester, como combinado?

Alheio ao clima no ar, Bradley se aproximou e apontou para o cepo. "É a mesma árvore da foto? Puta merda. Vocês encontraram!"

Lily notou que, discretamente, Leo apagou com o pé o código decifrado. Ela sentiu um buraco no estômago. Tinha alguma coisa errada ali. Quando Bradley tinha deixado Nicole e como os havia encontrado tão rápido?

Infelizmente, Bradley pareceu notar. Uma sombra caiu sobre suas feições. "Que foi? Não seja assim, cara."

"É esquisito", Leo disse, baixo. "Você aparecer aqui. Tô tentando pensar."

Bradley deu uma risada forçada. "Ah, vai. O que tem de esquisito? Sou eu. Vim ajudar. Trabalho em equipe, certo? Lily disse que é disso que se trata. Qual é o código?"

Leo coçou o queixo e olhou à distância, com o rosto tenso.

"Sério?" Bradley parecia magoado. "Sou *eu*. No que precisa pensar?" Ele deu um soquinho de brincadeira no braço de Leo. "Parece que o tesouro já mexeu com a sua cabeça."

"Não é isso." Leo olhou por cima do ombro, na direção em que os outros homens tinham desaparecido mais cedo. "Os caras que apontaram uma arma pra gente hoje não ficaram surpresos por encontrar só nós dois aqui. Tô tentando entender direito."

"Que caras?", Bradley perguntou, balançando a cabeça.

Leo o ignorou. "A gente sabia que eles não iam ficar surpresos em descobrir o sumiço do Terry, porque lemos as mensagens no celular dele. Mas como sabiam que a gente tinha se dividido? Quem contou isso pra eles?

"Desculpa, mas do que você tá falando?" Bradley se inclinou para olhar nos olhos de Leo. "Alguém apontou uma arma pra vocês? Quem, os caras da cidade?" Ele franziu a testa. "O namorado da Lily que trabalhava no bar?"

Um desconforto tomou conta de Lily e fez o coração dela acelerar. "Você tá trabalhando com eles", ela disse, baixo.

Bradley ficou branco. "Quê? Com quem?"

"Tinha quatro caras no grupo de mensagens." Leo inclinou a cabeça, com a expressão alterada. "Como Jay e Kevin saberiam aonde deviam ir se não tivessem sido informados da foto do Duke? Pelas mensagens deu pra ver que perderam nosso rastro depois que deixamos o mirante."

"Bradley deve ter ligado pra eles", Lily disse. "Talvez quando levaram o Walt pro hospital. A não ser que... Ninguém revistou sua mochila. Você deve ter ligado pra eles na noite da tempestade."

Bradley pareceu sinceramente chocado por um momento.

Depois sua expressão se desfez e ele irrompeu em risos, debruçado para a frente. "Merda, não consegui segurar." Ele endireitou o corpo e passou uma mão pelo rosto. "Não queria que fosse assim. Nem sei por que tô rindo."

Inquieta, Lily entrelaçou os dedos com os de Leo e deu um passo atrás. "Vamos embora, Leo."

Mas ele permaneceu firme no lugar, sem tirar os olhos de Bradley. "Mandamos uma mensagem pra você." Ele engoliu em seco, atormentado. Lily notou que seu rosto ficou pálido. O choque parecia deixá-lo doente. "Mandamos mensagem pra vocês dizendo que era uma foto espelhada." Leo olhou em volta. Lily se deu conta de que os ruídos que havia ouvido antes não eram imaginação. Jay e Kevin estavam por perto, escondidos nas sombras. Tinham estado ali o tempo todo, esperando para ver como aquilo ia se desenrolar. "O que não entendo é como recebeu a mensagem se já estava aqui. Não tem sinal."

"Tem, sim, se ele estiver recebendo tudo em um telefone via satélite", Lily disse.

Bradley enfiou a mão no bolso com um suspiro pesado e tirou um aparelho pequeno de lá. "Droga. Não achei que você ia sacar." Ele sorriu. "É fácil esconder coisas na mochila se não tem ninguém pra revistar. Meu Deus, Lily, qual é o sentido de ter regras se não vai garantir que sejam cumpridas?"

Lily deu um passo à frente, furiosa, mas Leo a segurou, estendendo um braço na frente dela. "Você estava aqui o tempo todo", ele disse. "Começou a descer na noite em que deixou a Nicole, não foi?"

Bradley guardou o telefone e depois levantou as mãos. "Gente, é sério. Isso não precisa acabar em tragédia. É só pôr a faca no chão e ir pra casa. Deixa que a gente vai pegar o dinheiro. Vamos morrer de rir dessa história toda depois."

A vista dela ficou vermelha. Tudo ao seu redor foi coberto por um brilho ardente. "*É só... ir pra casa?*", ela repetiu. "*Vamos morrer de rir?* Você tá de brincadeira?"

Lily deu uma olhada para Leo, que parecia não conseguir desviar sua atenção do rosto de Bradley. "Você empurrou o Terry", ele disse, sem emoção na voz.

Jay e Kevin surgiram ao sol do fim de tarde. "O que foi que ele disse?"

Bradley dispensou os dois. "Não se preocupem com isso."

Jay puxou a arma e a apoiou na perna, de maneira significativa. "'Você empurrou o Terry'? O que ele quer dizer com isso, Brad?"

Lily se arrepiou toda, como se dedos gelados tocassem sua pele.

"É Bradley. E eu não *empurrei* o Terry", Bradley disso, irritado. "Ele deixou a situação sair de controle quando sacou a arma pra todo mundo ver. A culpa de ter caído do penhasco foi dele mesmo."

"Terry tá *morto*?" Kevin pareceu genuinamente chateado com aquilo, o que contava a seu favor.

"Tá", Bradley disse. "E, como eu falei, a culpa foi dele."

Kevin mal se moveu, claramente incapaz de processar aquilo. Depois de um tempo, olhou para Leo e Lily. "Terry morreu e vocês mentiram pra gente?"

"*Mentimos*?" Leo soltou uma risada incrédula. "Vocês apontaram uma arma pra gente, algemaram a gente. Não senti que estava traindo a confiança de vocês quando fiz isso."

A paciência de Bradley se esgotou. "Mas que obsessão idiota! Vamos esquecer o Terry. Vocês nem estavam lá pra ver a confusão que ele fez. Tentei puxar o Terry pra longe da beirada, mas ele estava surtado. Empurrei o cara? Talvez! É tudo um borrão. Mas fiz um *favor* pra vocês. Agora é uma pessoa a menos pra dividir o dinheiro."

"A gente nem estaria aqui se não fosse por ele", Jay retrucou.

"Vocês se conheceram no Reddit, pelo amor de Deus!", Bradley gritou. "Eu conheço o cara há anos. Terry não era o cara rústico que vocês pensam. Usar um colete com setenta bolsos não torna ninguém capaz, é só um exagero. Sim, ele sabia mais sobre o Duke Wilder do que qualquer um de nós, mas só no papel. Não conseguiu nem manter o bico calado e parecer suportável por quatro dias! Fora que teve um monte de chances de pegar o diário, mas o cara era discreto como um urso em uma fábrica de sinos de vento. Não conseguia nem fechar a porra do zíper da mochila direito."

Lily estava tão furiosa que praticamente levitava. Ela

acenou com a cabeça para a arma de Jay. "É melhor a mira dele ser boa, porque se eu conseguir chegar em você vou arrancar seu saco e enfiar na sua cara."

"Lily", Leo sussurrou, em aviso.

Bradley sorriu para ela, parecendo achar graça e revelando uma fileira de dentes perolados, depois afastou o cabelo dourado da testa. "Você é muito diferente de qualquer outra mulher que já vi com o Leo." Ele deu um passo à frente. "Sei que não vai acreditar em mim, mas eu tô mesmo chateado com o desenrolar das coisas. Não precisava ser assim." Ele apontou para trás, como se a decisão que culminara em tudo aquilo estivesse bem ali, visível. "O plano original era pegar o diário e passar pra esses caras. Mas o Terry deixou o diário pra fora da mochila, Nicole viu e foi tudo ladeira abaixo. Só tô aqui pelo dinheiro. Não quero saber de drama."

"Dinheiro?", Leo disse. "Você não precisa de dinheiro. Tem..."

"Recebo um salário de professor associado e tenho uma porrada de dívidas, que nunca conseguiria pagar", Bradley admitiu, parecendo vulnerável por um momento.

"Cara. Quanto..."

"Chega", ele cortou Leo. "Faz um tempão que estamos planejando isso, e fico puto que tenha se complicado desse jeito."

Lily sentiu a pele esquentando. "Você acha que tem algum direito ao dinheiro por causa do tempo que passou planejando roubar o diário do meu pai? Foi isso mesmo que você quis dizer?"

"Como falei, achado não é roubado, meu bem. O Duke claramente seguia essas regras. E não tem nem como garantir que ele queria que o diário ficasse com você." Lily investiu outra vez sobre ele, mas Leo a segurou. Bradley riu.

"Você é tão impetuosa. Gosto de você, Lily Wilder. E achava que você também gostava de mim."

Ele deu uma piscadela para ela.

Lily ergueu o queixo para olhar nos olhos dele. "Vai se foder, Brad."

Aquilo o divertiu ainda mais. "Eu entendo, Leo. Entendo como você ficou tão vidrado nela por tanto tempo."

Leo, no entanto, não parecia achar graça. "Por que trouxe o Walter e eu pra cá?", Leo perguntou. "Poderia ter vindo só com o Terry e feito isso sozinho. Não precisava ter arrastado a gente junto."

"Acha mesmo que a Lily não ia notar o sumiço do diário?" Ele sorriu para Leo, orgulhoso. "Foi o Terry quem fez toda a pesquisa sobre o passado do Duke Wilder. Foi ele que me convenceu de que o dinheiro continuava enterrado. Mas fui eu quem teve a ideia de distrair Lily com um ex-namorado."

Em vez de furioso, Leo pareceu genuinamente magoado. "Você disse que não sabia que a Lily era a garota do rancho."

Bradley deu de ombros. "Não foi tão difícil descobrir."

"Tô ficando entediado." Jay apontou a arma para Lily, deixando Leo tenso ao lado dela. "Podemos voltar ao que interessa? O caminho estava errado. Larga essa faca e leva a gente até o lugar certo."

Ao ver que Lily não se movia, Jay apontou a arma para Leo. "Pensa bem, Lily Wilder."

Ela calculou quanto tempo levaria para alcançar Bradley e concluiu que não conseguiria. Então abriu a mão e deixou a faca cair no chão.

"Muito bem", Bradley disse, e se inclinou para pegar. "Agora diz qual é o caminho certo."

"Acho que isso não vai acontecer", Leo garantiu.

Bradley sorriu, se aproximou de Lily e afastou uma mecha de cabelo do rosto dela. Quando Leo estendeu uma mão para agarrar o pulso de Bradley, ouviu uma arma sendo engatilhada.

"Leo", Bradley disse, baixo. "Mano. Leva a gente, ou passa a informação certa, mas não piora ainda mais as coisas."

"Por que você tá arriscando seu trabalho, nossa amizade, tudo, por isso?", Leo perguntou. "Por que não falou comigo antes? Não consigo entender."

"Porque você não entenderia", Bradley disse apenas. "O sr. Responsável nunca teria se metido numa situação dessas. Admiro isso, mas me meti com umas coisas que você não compreenderia, tanto que os caras vão me matar se eu não descolar uma grana. Quer salvar minha vida? Ajuda seu melhor amigo."

Leo balançou a cabeça e desviou o rosto. Bradley fez um sinal para Kevin. "Acho que ele precisa de um incentivo."

"Tá escurecendo", Lily disse, e Kevin parou. O sol tinha começado sua descida abrupta. As sombras ficavam mais longas a cada segundo, e o céu dentro do cânion passou de turvo a escuro em um estalo. Em uma hora, eles poderiam cair de um penhasco sem perceber ou dar de cara com um cacto. Havia um bom motivo para ninguém perambular pelo deserto à noite. "Não vamos conseguir ver porra nenhuma."

"Ainda bem que viemos preparados", Bradley disse.

Kevin abriu a mochila e tirou três lanternas potentes de lá. "Que foi?", ele perguntou, ao ver a expressão de Lily. "Achou que íamos fazer uma festa do pijama e só sair amanhã cedinho? Vamos agora mesmo."

Jay acenou com a arma para Leo. "Vai na frente, cara."

Vinte e nove

Enquanto eles seguiam a curva do penhasco desde o cepo até a entrada dos cânions em fenda, os últimos resquícios de luz se extinguiram. Lily nem conseguia desfrutar de como as estrelas pareciam um cobertor cintilante acima deles. Nuvens bloqueavam a lua, e os fachos de luz das três lanternas iam de um lado para o outro na trilha, seguidos por Bradley e pelos dois idiotas que o acompanhavam.

Os pensamentos acelerados dela ecoavam mais alto que os passos do grupo. Lily pensava em uma possibilidade de fuga atrás da outra. Talvez pudessem correr. Talvez pudessem se esconder atrás das paredes do cânion e despistar os outros no escuro. Mas teriam como despistar os três? E por quanto tempo? Ela estava sem lanterna e sem arma. E se cooperassem e Bradley não encontrasse o que estava procurando no final? Achar a entrada certa era uma coisa, mas eles ainda teriam que fazer as curvas corretas no breu total, através de passagens estreitas com lama e pedra no caminho — e só Deus sabia o que mais. Não seria difícil acabarem de mãos vazias. E então, o que aconteceria?

Ela não estava mais perto de encontrar uma resposta quando Leo parou diante do que parecia ser um corredor estreito aberto no arenito.

"Posso só reiterar como tudo isso é idiota? Podemos todos morrer aqui", ele disse.

Bradley se inclinou para olhar mais adiante na escuridão. "Você não tá errado, mas outro dia mesmo Lily nos lembrou que você foi escoteiro e tem mais experiência na natureza que qualquer um de nós. E de que ela precisava de você pra resolver os enigmas. Uma informação muito importante." Ele cutucou o ombro de Leo. "Então vai na frente."

Leo cerrou o maxilar e olhou adiante na fenda. "Preciso de mais luz." Ele olhou para trás. "E do mapa."

Depois de refletir por um momento, Bradley abriu uma mochila e passou para Leo o mapa rasgado e uma pequena lanterna de cabeça. Ele era mais esperto do que parecia. Se tivesse a chance, Lily quebraria sua cabeça com uma daquelas lanternas robustas.

"Não vai dar uma de herói", Bradley avisou, baixo.

"Tá", foi tudo o que Leo disse antes de colocar a lanterna na cabeça.

O facho de luz cortou a escuridão. Leo estendeu a mão para trás para apertar a mão de Lily, que apertou a dele também, mais forte. Leo respirou fundo e deu o primeiro passo.

2... F... e... n... w... e.

Eles avançaram uns sessenta metros — de lado e em uma única fila na escuridão claustrofóbica — antes que o caminho estreito se abrisse e, como o mapa de Duke previa, se dividisse em pelo menos dez direções. Estavam em um átrio circular, que dava para uma série de corredores. Leo os guiou até o segundo da esquerda para a direita. "Dois", ele disse. Todos se enfiaram na fenda estreita, que se alargava depois das primeiras brechas, enquanto Leo as nomeava em voz alta: "A... B...".

Assim foi. Eles escalaram pedras e se espremeram por fendas impossivelmente estreitas, contando as aberturas até chegarem à sexta, ou F. Leo olhou para a bússola do relógio e identificou para onde devia virar primeiro: leste. Eles seguiram aos tropeços nessa direção, depois foram para norte e para oeste, se aprofundando naquele labirinto desorientador com a escuridão e com uma possível morte mais adiante.

Apesar do frio, Lily suava. Leo parou de frente para um buraco estreito na pedra e apontou sua luz lá dentro.

"É aqui?", Bradley perguntou. Era impossível não notar a alegria em sua voz exausta.

Leo voltou a olhar para o mapa. "Deveria ser."

A voz de Kevin chegou de algum lugar mais atrás. "É melhor que seja."

Bradley foi até a frente para ficar ao lado de Leo. "É muito estreito", ele murmurou. "Vamos ter que entrar de quatro."

Para a surpresa de Lily, Bradley não mandou Leo na frente. Foi ele mesmo, e desapareceu na escuridão. Sua voz ecoou até chegar a eles. "Puta merda."

Leo o seguiu, depois Kevin, então Jay apontou a arma para a cabeça de Lily e a forçou a entrar antes dele.

O túnel era estreito o bastante para que Lily precisasse rastejar por cerca de um metro e meio, com o coração na garganta e em pânico. Então o ar fresco atingiu seu rosto e ela caiu em terreno macio. Leo correu até Lily e a ajudou a se levantar enquanto olhava para o espaço que devia ter uns seis metros de diâmetro.

Era uma câmara secreta, desgastada pela ação dos elementos naturais ao longo de centena de anos, no meio da rocha sólida. O chão aos seus pés era arenoso; dava para ver uma fina faixa de estrelas no alto. As paredes eram macias e estavam secas. Havia uma prateleira estreita entalhada na parede oposta à entrada.

"Ei, cara dos códigos", Jay disse a Leo. "Vai dar uma olhada."

Leo se aproximou, hesitante. Sua lanterna de cabeça varreu a prateleira de pedra, a maior parte da qual estivera escondida na escuridão. Lily tinha medo até de respirar, com seu cérebro repassando cada cena de filme que já havia visto em que uma armadilha era acionada, o que não ajudava em nada. Relutante, Leo estendeu um braço e começou a tatear.

"Ah, meu Deus."

Todos se aproximaram. "O que foi?", Bradley perguntou.

Jay colou nas costas de Leo e ficou olhando por cima do ombro dele. "É grande?"

"Me dá um pouco de espaço." O que quer que Leo tivesse encontrado parecia estar entalado ali. Ele precisou dar alguns puxões para conseguir soltar uma caixa de madeira.

A poeira fez Lily tossir. Era do tamanho de uma caixa de sapatos, simples, com os cantos de metal e um cadeado frouxo fechado.

Bradley inclinou a cabeça para trás e gritou, triunfante: "Aê, porra!". Sua voz ecoou de maneira quase ensurdecedora, e a vibração fez algumas pedrinhas caírem do alto. "Duke, você nunca decepciona!"

Leo deixou a caixa no chão e se afastou. Lily correu até ele.

Jay deu um passo à frente e a tocou com a ponta da bota. "Não é muito grande."

"Pode ter uma chave dentro", Bradley arriscou, se agachando diante dela.

Jay apertou os olhos para o facho de luz da lanterna de Kevin. "Abre aí, Brad."

Bradley tremia de excitação enquanto suas palmas alisavam a madeira, mas interrompeu sua exploração para dizer entre os dentes cerrados: "É *Bradley*".

Fora do facho de luz, a mão de Leo encontrou a de Lily. Eles recuaram para as sombras. Bradley usou o cabo da lanterna para quebrar o cadeado e abrir a tampa da caixa, mantendo os olhos fixos nela.

"E aí?", Kevin disse, se aproximando. "É...?"

Eles ficaram em silêncio. Bradley se inclinou devagar e pegou o papelzinho que havia ali. "Que porra é essa?"

Jay o arrancou da mão dele e grunhiu. "É só um monte de *números*? Será outro código?" Ele foi até Lily e enfiou o papel na cara dela. "O que é isso?"

Ela olhou para a longa fileira de números sem qualquer espaço entre eles. Balançando a cabeça, Lily admitiu: "O Duke nunca usou esse tipo de código comigo. Eu... não sei o que é".

Kevin arrancou o papel da mão de Jay, foi até Leo e o agarrou pelo colarinho para o empurrar até que suas costas batessem contra a parede de pedra. Lily fez menção de ir ajudá-lo quando ouviu o gemido de dor de Leo, mas Bradley segurou o braço dela com uma mão forte e a manteve no lugar.

"Acha que isso é uma piada?", Kevin perguntou, cara a cara com Leo, depois enfiou o papel no peito dele. "Que caralho isso significa?"

Leo olhou para ele. "Fiz o que pediram. Trouxe vocês aqui." Ele acenou com a cabeça para Bradley. "O arqueólogo aqui é ele. Se virem."

Jay riu e passou uma mão pelo cabelo. "Kevin, faz o seu lance."

Bradley prendeu os braços de Lily atrás das costas enquanto Kevin, que tinha o dobro do tamanho de Leo, deu um soco com o punho gigante no estômago dele. Quando Leo se inclinou para se proteger, Kevin socou o rosto dele com força o bastante para deixá-lo de joelhos. Leo tentou revidar, mas mal parecia acertar o outro. Lily gritou. Sua voz reverberou, mas não o bastante para bloquear o barulho dos punhos de Kevin acertando o rosto e o estômago de Leo, das botas chutando costelas repetidamente.

Finalmente, Bradley gritou: "Chega!".

Lily tentou ir até Leo outra vez, mas Bradley a agarrou pelos cabelos, puxando sua cabeça para trás com violência. De onde estava, ela via Leo caído no chão e ouvia sua respiração penosa.

"Fala alguma coisa, Leo", Lily implorou.

Ele cuspiu sangue e virou a cabeça para ela. Tinha um olho inchado, mas tentava sorrir. "Imagino que você preferiria que todas as suas refeições fossem barrinhas de proteína a passar por isso, né?"

"Isso não vai funcionar", Bradley disse. "Leo só precisa de motivação." Bradley arrastou Lily para mais perto de Leo e falou com ele como se fosse uma criança. "Leo, são números. Sua especialidade. Você só tem que descobrir o que significam. Pode ser?"

Leo o encarou com o rosto ensanguentado. Seu sorriso havia desaparecido, seus olhos exalavam fúria.

Bradley voltou a puxar Lily pelo cabelo, fazendo com que ficasse de joelhos. Ele brandiu a arma, se inclinou e sussurrou audivelmente: "Poxa, Lily, desculpa pelo déjà-vu." Então se virou para Kevin. "Levanta o cara."

Kevin botou Leo de pé e jogou o papelzinho nele. Leo enxugou os olhos e a testa com a blusa, que ficou manchada de sangue. Suas mãos tremiam enquanto ele olhava para os números com uma intensidade que Lily nunca tinha visto.

"O que isso significa?", Bradley perguntou, em um resmungo baixo.

"São vinte e cinco números sem espaço", Leo disse. "Posso levar semanas pra decifrar."

"Que pena que não temos semanas." Bradley ergueu o queixo. "Sinta-se livre pra sentar e usar o diário. Não vamos embora até você conseguir."

Tudo o que Lily podia fazer era esperar.

Dá para pensar em muitas coisas ao longo de algumas horas.

Bradley se sentou ao lado de Lily, ambos com as costas apoiadas na parede de pedra, a arma descansando preguiçosamente contra a coxa dele enquanto observavam Leo trabalhar. Por minutos, depois horas, Leo não escreveu nada nem usou o diário. Só ficou olhando para os números, murmurando sozinho, pensando em sequências e códigos antes de descartá-los rapidamente.

Kevin e Jay andavam de um lado para o outro e falavam baixo. De vez em quando tiravam uma soneca no chão. Bradley ficou sentado em silêncio, observando Leo, depois observando Lily observando Leo, que estava perdido em pensamentos.

Lily não era do tipo que confiava nas pessoas. Na verdade, com exceção de Nicole, não confiaria seus cavalos a ninguém, muito menos sua vida. Mas agora ela percebia que, quando tinham ouvido a voz de Bradley na árvore de Duke, nem lhe passara pela cabeça a possibilidade de que Leo estivesse mancomunado com ele. Na verdade, Lily temera por Leo. Além do perigo óbvio, ela temera pelo coração dele, pelo que significaria para Leo ser traído tão profundamente por um homem que considerava parte de sua família.

Até então, Leo havia feito exatamente o que ela esperava: mantivera-se calmo e estoico diante do perigo. Mas, depois daquilo, e ela torcia para que houvesse um *depois*, ela sabia que a dor da traição ia atingi-lo com tudo. Lily odiava aquilo ainda mais do que o diário de seu pai ter sido tirado dela e os dois serem forçados a ajudar outras pessoas a encontrarem o tesouro. Naquele momento, parecia que eram ela e Leo contra o mundo. Lily teria feito qualquer coisa para mantê-lo em segurança, mas no momento só podia ficar sentada e confiar nele. Suas habilidades não tinham como salvá-los agora.

"Para de tamborilar", Bradley disse, surpreendendo-a ao segurar a mão de Lily contra a coxa dela. "Cara, é como se estivesse martelando meu crânio."

Ela nem havia se dado conta de que estava fazendo aquilo. "Desculpa. É um hábito meu."

"Um hábito irritante pra caralho."

Ela olhou feio para Bradley, querendo arranhar aquela expressão do rosto dele com as unhas. "Você arruinou uma amizade de uma década com o melhor cara do mundo", Lily sussurrou para ele. "Por dinheiro."

"Estamos com problemas, mas ainda temos salvação", Bradley garantiu a ela. "Todo relacionamento tem altos e baixos."

Ela deu uma risada triste. "Altos e baixos. Você tá delirando."

"Olha só pra vocês dois", ele disse, presunçoso. "Vai me dizer que nada aconteceu aqui embaixo? Se não fosse por mim, você e Leo nunca teriam se reencontrado. Ele devia me agradecer."

"Vai se foder."

Bradley virou a cabeça e viu Leo se inclinar, com os olhos fixos no código. "Quando sairmos daqui, vou resolver isso com ele."

Ela queria socá-lo. Queria se apossar da arma e bater com ela em cada um deles, depois prendê-los ali com aquela caixa idiota e aquele...

"Respira, Lil", Leo murmurou, olhando para ela. "Não deixa ele te afetar."

Uma onda de emoção subiu de seu peito para sua garganta, salgada e quente, com a constatação de que, mesmo machucado e intensamente concentrado em uma tarefa urgente, Leo estava de olho nela.

Lily assentiu e respondeu, baixo: "Não vou deixar. Tô bem".

Bradley deu uma risada fraca. "Você é mesmo louco por ela, cara."

"Você não sabe da metade." Leo afastou o cabelo da testa e se inclinou para mais perto do papel.

Lily não sabia quantas horas haviam se passado, mas sua garganta estava seca e ela se sentia exausta. A temperatura era congelante, e a lenta aparição da alvorada através da fenda no teto da caverna não parecia trazer consigo nenhuma promessa de calor. Lily também estava morrendo de vontade de fazer xixi. Quando levantou o rosto, os olhos de Leo se arregalaram. Ele arqueou as sobrancelhas, fazendo a esperança crescer no peito dela, depois voltou a endireitá-las devagar. Tinha encontrado alguma coisa.

Uns quinze minutos depois, Leo disse: "Acho que entendi".

Jay e Kevin despertaram num salto. Leo conseguiu se pôr de pé. Quando Lily se levantou e fez menção de ir na direção dele, Bradley a segurou.

"E aí?", ele perguntou. "O que diz?"

Leo olhou nos olhos de Lily, piscou e virou para Bradley. "Você não vai gostar."

Bradley só o encarou por um longo momento. "Fala mesmo assim."

"Diz: 'Cheguei antes'."

Quando Bradley correu para pegar o papel, Leo correu para Lily e a abraçou forte, respirando fundo.

"Como assim?", Bradley perguntou, pegando o papel que Leo havia deixado sobre a caixa de madeira. "O papel só diz 'Cheguei antes'? Tá brincando comigo?"

Leo o ignorou, pegou o rosto de Lily nas mãos e se inclinou para olhar para ela. "Você tá bem?"

"Tô." Ela segurou os punhos dele para sentir a pulsação na ponta dos dedos. Continuava firme e forte. "E você?"

"Tô bem." Era mentira. Lily havia visto como a noite toda ele levara a mão às costelas do lado direito do corpo sem perceber. Mesmo agora, Leo precisou soltar uma mão das dela e abaixar para se apoiar. Seu rosto estava todo arranhado e tinha um corte feio na testa. Mesmo na escuridão, Lily podia ver hematomas se formando embaixo dos olhos.

Alguém puxou Leo. Bradley enfiou o papel na cara dele. "Explica como chegou a isso."

Devagar, Leo explicou que o código — cujo nome era Fougère, por causa do espião francês que o inventou — agrupava números para formar letras. Ele escreveu a chave e explicou como chegou à resposta, embora Lily estivesse certa de que Bradley não era capaz de entender. Leo disse que havia testado todos os códigos alfanuméricos em que conseguira pensar, sem chegar a uma frase que fizesse sentido. Usar aquele código, no entanto, resultara em uma frase coerente. E era um código que Duke Wilder certamente conhecia.

As palavras exaustas de Leo foram cortadas pelo barulho de alguém tacando uma lanterna na parede de pedra.

"E que porra a gente faz agora?", Kevin perguntou.

Bradley foi até o outro lado da câmara. "O Duke tá provocando a gente. É tudo um jogo pra ele." Bradley parou de andar e estreitou os olhos para Lily. "Você não disse que o lema dele era: 'A aventura é mais importante que bens materiais'? O filho da puta achava mesmo que as pessoas iam ficar satisfeitas só com a emoção da caça e guardou o dinheiro pra ele." Bradley passou uma mão pelo cabelo e olhou para Jay e Kevin. "Ele ficou com o dinheiro. Vamos levar esses dois até a casa do Duke. Vamos botar tudo abaixo, se for preciso."

Trinta

Eles precisaram de alguns segundos para se adaptar ao brilho da manhã quando deixaram o confinamento dos cânions em fenda. O sol estava brando; o céu não tinha nuvens e quase chegava a cegar de tão azul. Mesmo ensanguentado e enxergando mal de um olho, Leo conseguiu distinguir a forma difusa de cinco pessoas uns dez passos à frente.

Uma das figuras se destacou do grupo. Leo se sobressaltou e empurrou Lily para trás de si em uma tentativa de protegê-la. Só depois se deu conta de que era Nicole se aproximando. No entanto, não era na direção de Lily que corria. Ela passou direto pelos dois para dar um soco brutal no estômago de Bradley. Soou como se ela tivesse batido com um taco de beisebol em um saco de farinha. Bradley, que não tinha visto Nicole se aproximando, soltou um gemido agudo e se dobrou sobre si.

Jay e Kevin fizeram menção de pegar as armas, mas outras quatro se engatilharam em aviso antes que conseguissem.

"A polícia", Lily disse, enquanto o cérebro de Leo registrava os uniformes.

"Seu filho da puta", Nicole xingou, agarrando o cabelo de Bradley e enfiando o joelho em sua cara. Sangue escorria do nariz dele. O velho instinto de ir socorrer o amigo, proteger os seus, se manifestou, mas Leo conseguiu bloqueá-lo. Bradley não fazia mais parte de seu círculo. Finalmente, outra figura chegou correndo e afastou Nicole, que continuou xingando e desferindo chutes no ar.

Leo viu uma policial apontar a arma e se aproximar do homem que pouco antes ele considerava um de seus melhores amigos.

"Mãos na cabeça agora."

Bradley fez como instruído, mas recuou alguns passos. "Ei, ei. Eu tô aqui com os dois" — ele apontou para Leo e Lily —, "seguindo as mesmas pistas que todo mundo..."

"Mãos na cabeça", a policial repetiu com calma. "E fica de joelhos. Pode me contar suas histórias na delegacia." Com a mão livre, ela pegou as algemas do cinto e abriu.

"Quê?", Bradley gritou, com os dentes manchados de sangue. "Espera. Calma aí. Leo. Fala pra eles. Eu tô com..."

A voz de Leo soou baixa, mas firme: "Ele não tá com a gente".

Dizer aquilo foi como uma facada na barriga.

"Você tem o direito de se manter em silêncio", a mulher disse a Bradley, enquanto tirava a arma da cintura dele e entregava a outro guarda. "Tudo o que disser pode ser usado contra você no tribunal. Você tem o direito de falar com um advogado..."

Leo virou o rosto para não ver seu amigo mais antigo ser preso, e se deparou com Lily correndo na direção de Nicole. As duas se abraçaram. Lily começou a soluçar, aliviada, e toda a tensão se extinguiu. De repente, Leo sentiu que podia respirar de novo. Não precisava mais prender o fôlego e se esforçar para manter o controle até conseguir deixar Lily em segurança.

Com o alívio, no entanto, veio a dor. Leo passou a sentir cada soco, cada chute brutal, cada grama de traição e decepção. Suas pernas pareciam não ser mais de carne e osso, mas de alguma outra substância, elástica e de constituição pobre. Ele caiu de maneira desajeitada, enquanto os policiais conduziam Bradley, Jay e Kevin na direção do rio, onde, à distância, um helicóptero ganhou vida, espalhando água para todo lado.

"Leo", Bradley gritou. "Cara, fala pra eles que tá tudo bem!"

Leo o ignorou e aproximou os joelhos do peito, pressionando os olhos com a base das mãos. "Puta merda", ele resmungou algumas vezes, tentando respirar mais fundo. A cabeça latejava. A mente tinha dificuldade em aceitar a nova realidade.

Vozes soaram em volta dele. Lily contando à polícia o que havia acontecido, Nicole explicando que tinha desconfiado da partida de Bradley, achando estranho que a pessoa mais empolgada com a viagem tivesse simplesmente se mandado bem no fim.

"Eu estava sentada no bar do Archie", ela disse, embora o zunido constante nos ouvidos de Leo abafasse sua voz, "e pensei: 'Por que ele insistia em me perguntar quanto dinheiro eu achava que devia ser e como íamos dividir?'. Primeiro o cara só queria saber de aventura, de repente era só 'Como a gente vai dividir a grana?' e 'Vamos ter que pagar alguma coisa pro governo?'. Num minuto o cara estava obcecado com a coisa, no outro voltava pra Nova York. Não fazia sentido."

Quando Bradley foi embora, ela imaginou que talvez ele só quisesse se esquivar das perguntas sobre o que havia acontecido com Terry. Quando Lily ligou e contou sobre os

Garotos Perdidos terem apontado uma arma pra ela, Nicole juntou todas as peças do quebra-cabeças.

"Mas como você encontrou a gente *aqui*?"

"A polícia rastreou a sua ligação", Nicole disse. "Fora que a gente estava procurando um rastro, e esses cretinos são muito descuidados."

As vozes dos policiais foram sumindo. Passos se aproximaram. Leo sentiu dois braços em volta dele.

"Ei..." Lily fez com que Leo se apoiasse nela. "Vem aqui."

Ela beijou o pescoço e a bochecha dele, depois passou a mão em seu cabelo, com cuidado. "Você tá péssimo, lindo. Olha só."

"Ainda não consigo acreditar", Leo disse. "Bradley."

"Eu sei." Lily beijou a têmpora dele. "Odeio o cara por isso. Espero que acabem com ele na prisão." Ela se ajeitou para ficar ajoelhada em frente a Leo e o encarou. "Você tá bem?"

Ele assentiu, mas o movimento fez seu rosto se contrair.

"Tô preocupada que ele tenha tido uma concussão", Lily disse a alguém de pé. "Leo?" Ela beijou a bochecha dele. "Você acha que consegue andar?"

"Consigo." Quando ele tentou, no entanto, suas pernas não cooperaram. Nada parecia sólido. Tudo doía.

Nicole se pôs do outro lado dele e as duas o ajudaram a se erguer. Uma dor de cabeça o atingiu como um furacão. Ele balançou no lugar, tão tonto que a vista ficou cheia de pontinhos pretos.

"Calma", Lily murmurou. "Sem pressa. Eles estão colocando os idiotas lá dentro primeiro. Vão esperar por nós."

Leo fechou os olhos e se inclinou para apoiar a testa no ombro de Lily enquanto se situava. Sentia que estava caindo em cima dela, mas Lily parecia firme e forte.

"Como conseguiu um helicóptero?" A voz de Lily vibrava delicadamente contra o crânio dele. Leo não sabia como ela podia se manter tão calma. Talvez fosse a vez de ela se controlar, e a vez de Leo se entregar.

"Lembra um cara com quem eu dormi que chamava Joe?", Nicole perguntou. "Ele é que pilota aquela coisa."

"Meu Deus, aquele Joe?", Lily riu. "Ele era muito gato, não sei por que você dispensou o cara. Achei que..."

"Ei", Leo resmungou. "Eu tô aqui."

"Você tá conseguindo até brincar!", Lily comentou. "Deve ser um bom sinal. Agora vamos tentar andar."

Ela passou o braço na cintura de Leo. Ele deu um passo, depois outro. Devagar, apoiado naquelas duas mulheres que eram mais fortes que qualquer homem que ele conhecia, Leo percorreu a distância até o helicóptero. Estava feliz de ver Lily bem. Estava feliz por Nicole ter dormido com o piloto e ter chegado com os policiais a tempo. Estava feliz por ter pegado o que havia de mais importante na caverna. Estava feliz por terem sobrevivido. Mas era difícil comemorar: suas têmporas latejavam, suas costelas gritavam. Só de pensar no que havia acontecido... Seu coração estava partido.

Ele entrou no helicóptero e se sentou na janela. A última coisa que fez antes de desmaiar foi perguntar a Lily se havia alguma coisa em seu bolso.

Trinta e um

Leo perdeu tudo o que se seguiu porque passou seis horas praticamente em coma.

Bom, não em coma de verdade. Os médicos disseram que ele não tivera uma concussão, mas estava em choque. Lily ficou satisfeita que ele tivesse sido poupado de ter o tédio e o estresse como seus companheiros de leito em seu retorno à sociedade. Enquanto Leo era levado a um hospital que ficava cerca de cinquenta quilômetros a oeste de Hester, Nicole, Lily e um Walter acabado prestaram depoimento na delegacia. Como haviam dito à polícia que estavam procurando por Terry, insistiram naquilo. Por sorte, Bradley queria evitar uma acusação de homicídio, e contou a mesma versão da história que os outros.

No fim das contas, foi até bom Terry ter assinado os termos de renúncia de responsabilidade pelos outros. Bradley, no entanto, não teve a sorte de se livrar das acusações criminais.

Quando voltou de sua última conversa com seu ex-amigo, que agora estava algemado, Walter se equilibrou nas muletas e se sentou pesadamente em uma cadeira de plástico ao lado de Lily e Nicole. Ele disse a elas que Bradley ia enfrentar duas acusações de sequestro, duas acusações de conspiração para violência agravada, duas acusações de ameaça de violência e uma acusação de roubo agravada. "Vão ser no mínimo três a cinco anos de prisão."

Com um "Obrigado" baixo, Walter pegou sua mochila com Nicole. "Me recusei a pagar a fiança dele, mas disse que ele pode escrever da prisão pedindo desculpas pra gente." Walter pigarreou. "Também disse que ele fica horrível de laranja."

Nic soltou uma risada chocada e olhou para ele com carinho. "É isso aí, meu bem. O cara que apodreça."

"Não quero que apodreça", Walter a corrigiu, "mas não me incomodo de saber que ele vai ter tempo pra pensar sobre o que fez com o Leo. Não sei se um dia vou ser capaz de perdoar o Bradley. Ele desrespeitou o Código dos Foras da Lei."

Lily deu um passo para mais perto dele e levou as mãos a seus ombros, tomando cuidado com o pé engessado. "Ao contrário de você."

Quando Joe e a policial de antes — cujo nome era Pochuswa — voltaram muitas horas depois para informar que haviam encontrado o corpo de Terry, Lily começou a chorar, embora não soubesse por quê. O caráter definitivo daquilo a atingiu com tudo. Talvez o alívio também. E a constatação de que, mesmo depois de tudo o que havia acontecido, nada ia mudar. Mesmo depois da morte de Terry, da tentativa frustrada deles de encontrar o tesouro, da maneira maluca como ela e Leo haviam se reconectado e de uma arma ter sido apontada para ela três vezes em questão de dias, Lily ia ter que continuar conduzindo excursões pela trilha para ter comida na mesa e poder cuidar de seus cavalos.

Nada que ocorrera na semana anterior fizera a menor diferença. Na verdade, só piorara tudo. Porque, daquele dia em diante, fosse na semana seguinte ou dez anos depois, ela sempre imaginaria Leo ali: suas mãos grandes segurando as rédeas frouxamente enquanto convencia Ace a seguir em um galope suave; olhando para Lily por cima da caneca de café, de papinho com ela apesar do choque do frio da manhã; em cima dela no doce confinamento da cabana, abrindo caminho por seu corpo aos beijos.

Lily deduziu que seu colapso ajudou a convencer a polícia de que tinha sido pega de surpresa pela notícia, porque a guarda Pochuswa a conduziu em sua caminhonete até o hospital, para ficar com Leo.

Ela foi encaminhada a uma sala de pronto-socorro com cinco leitos, quatro dos quais vazios. Uma luz forte entrava pelas janelas altas, e de modo geral o espaço transmitia a sensação de um tranquilo hospital interiorano do passado. Leo continuava dormindo quando Lily chegou. O que significava que ela podia pegar sua mão e ficar só olhando para ele.

Como esperado, tinham suturado sua têmpora e suas bochechas. Havia um hematoma impressionante sob o olho direito, e o lábio inferior estava cortado e inchado. Tinham tirado a camiseta dele. Suas costelas estavam machucadas, mas não enfaixadas. Por sorte, parecia que não tinha quebrado nada. Fios ligados a monitores haviam sido colados em seu peito. Lily concluiu que era por excesso de cautela, porque a frequência cardíaca dele estava estável e a pressão, em onze por sete. Apesar da surra que levara, Leo parecia saudável, todo bronzeado. Ela amava aquele rosto. Amava Leo. Não conseguia se imaginar encontrando outro rosto que amasse tanto quanto o dele.

Os olhos de Lily passaram às mãos dele. Eram fortes: dedos compridos e musculosos, tendões proeminentes que a deixavam com vontade de abaixar a cabeça para morder. Ela virou a palma dele para cima e passou a ponta dos dedos pelas linhas da vida. A não ser por alguns cortes e arranhões, a pele de Leo era macia e livre de marcas. Suas mãos eram apenas levemente calejadas, e as unhas, bem--cuidadas. Nada de danos causados pelo sol, nenhuma cicatriz. Eram mãos de alguém da cidade. Mãos que pertenciam a um homem que vivia em um arranha-céu, se exercitava em um parque urbano e seria promovido quando voltasse para casa.

Os dois eram de mundos diferentes.

Ela se inclinou, pousou os lábios sobre os nós dos dedos dele e começou um processo mental de despedida. Sua teimosia lhe servia bem, mesmo sendo uma faca de dois gumes. Tornava-a inflexível, mas também significava que era uma sobrevivente.

Enquanto Leo dormia, ela lhe disse que sentia muito. Sabia que estava sendo intransigente, mas não podia se mudar para Nova York. Tampouco queria que ele se mudasse para Hester. Não queria que ele fingisse que podia ser feliz em uma cidade com uma única loja, que também fazia as vezes de café, e um único bar. Leo talvez pensasse que recordava como era viver no meio do nada, mas a única vez em que havia chegado perto daquilo estava apaixonado por um belo rancho com uma cozinha bem abastecida e um estilo "rústico-chique". Leo Grady não fazia ideia de como seria ter que dirigir cento e sessenta quilômetros para chegar a um Target.

Enquanto apresentava sua justificativa para se afastar, no entanto, Lily percebeu — de maneira objetiva — que aquela indisposição a tentar não era saudável. Ouviu os argumentos dele na cabeça, dizendo que dariam um jeito, que havia uma maneira. Sabia que Nicole gritaria com ela, insistindo que, se Lily era tão infeliz sem Leo, devia pensar em uma solução. Mas Lily não faria aquilo. Quando Leo abriu os olhos e piscou sonolento para ela, depois sorriu aliviado, Lily soube exatamente por quê: quando ele a deixara pela primeira vez, o pior de tudo fora a vozinha que se instalara em sua mente e que insistia que ela não era digna. Lily não bastara para a mãe não ir embora, não bastara para o pai se manter por perto. E Leo nunca havia voltado por ela. Lily sobrevivera a tudo aquilo, mas não achava que sobreviveria a tentar dar certo com Leo de novo só para depois ele chegar à conclusão de que não valia a pena morar no meio do nada só por causa dela.

"Ih", Leo disse, estendendo uma mão sonolenta para prender uma mecha de cabelo atrás da orelha dela. "Você tá tão séria."

Lily tentou rir, mas o que saiu pareceu mais um soluço. Ela não percebeu o que estava acontecendo até que o calor úmido das lágrimas descesse por seu rosto. Por que ela andava chorando tanto? Nunca tinha sido fã daquilo.

Leo franziu a testa e enxugou a bochecha dela com o dedão. "Lily, tem... uma substância aquosa saindo dos seus globos oculares."

Ela afastou as mãos dele com um tapa, rindo e chorando ao mesmo tempo. "Cala a boca."

Ele olhou para ela de maneira tão suave e com tanta adoração que arrancou um "*Quê?*" cortante e defensivo de Lily.

Leo só riu. "Ainda não, linda."

"Ainda não o quê?"

"Você ainda não pode terminar comigo."

"Nem estamos juntos", ela o lembrou, se afastando.

Leo sorriu, com os olhos brilhando. "Ah, não seja louca. Duas pessoas que *nem estão juntas* não fazem amor como a gente fez."

"Leo, já falamos..."

"Sei o que falamos." Ele segurou o queixo dela com doçura entre o dedão e o indicador. "Não vou desistir."

O peito de Lily se encheu de calor. Ela voltou a afastar a mão dele com um tapa. "Você não pode decidir por mim."

"Mas você pode decidir por mim?", ele perguntou, gentil. Tão gentil que ela ficou muda de choque, só olhando para Leo.

"De todo modo, não vou decidir por você", ele falou, seguindo em frente. "Acabei de decidir *por mim* que não vou desistir da gente." Sem se abalar, Leo recolheu a mão e a apoiou sob a bochecha. "Por mim, a menos que me diga pra sair da sua vida e nunca mais entrar em contato, estarei aqui." Ele olhou fixamente para Lily. "Você quer que eu saia da sua vida e nunca mais entre em contato?"

Como ela não encontrou resposta no borrão que era sua mente, Leo assentiu. "Ótimo, porque todas as vozes na sua cabeça que estão te dizendo que eu não poderia ser feliz com você no longo prazo ou que não vale a pena desistir da minha vida por você não passam de pensamentos, Lil. Não é porque falam alto ou são constantes que estão certas."

"Você me deixou", ela falou, inflexível. "Sei o motivo, mas mesmo assim. Você prometeu que íamos ficar juntos pra sempre. Não posso passar por aquilo de novo."

"Nenhum de nós sabia o que estava prometendo. Éramos jovens." Ele enxugou outra lágrima no rosto dela. "Você me conheceu no momento de maior felicidade da vida. Minha mãe estava viva. Eu tinha tudo o que precisava. Nem sabia o que era tristeza." Os olhos escuros dele se fixaram nos dela. "Agora sei. Sou um adulto que perdeu a mãe, perdeu seus vinte e tantos anos e perdeu o amor de sua vida. Minha vida em Nova York é vazia. Você não tem ideia de como é estar com você de novo." Leo coçou o queixo. "Não tem ideia de como me sinto vivo só de olhar pra você de uma cama de hospital, com o rosto suturado e uma dor de cabeça monstruosa."

Lily engoliu em seco, incapaz de se virar, se afogando em sentimentos úmidos que não tinha como reprimir. Ela *sabia* como Leo se sentia vivo.

"E aí? Você tá disposta a permitir que eu pense em um cenário que funcione pra gente, pra tentar?"

"Pra tentar", ela repetiu devagar. "Tentar ficar juntos, você diz?"

Leo assentiu e fez *hum-hum*. "Só tô te pedindo permissão pra pensar em alternativas pra te apresentar." Ele deu uma piscadela de brincadeira. "Você pode desistir quando quiser."

Aquilo a fez sorrir. "Bom, com essas condições fica difícil recusar."

"Ótimo." Leo se inclinou, pressionando com cuidado a boca machucada contra a bochecha dela. "Tenho fé que vamos conseguir. Eu te amo. Não precisa dizer que me ama. Mas eu te amo. De verdade."

Ela voltou a olhar para as mãos perfeitas dele, para seu rosto machucado, para os olhos que pareciam penetrá-la. Seria mentira segurar aquilo. "Eu também te amo."

Os olhos de Leo se abrandaram e ele disse, baixo: "Que ótima notícia".

Finalmente, ela baixou os olhos, sem saber ao certo como contar a ele o que precisava contar. "Encontraram o corpo do Terry."

Leo ficou imóvel. "Que bom."

"Não acho que vai dar problema. Pra gente, digo." Lily se ajeitou na cadeira e começou a cutucar o canto do lençol do hospital. "Mas Bradley..." Ela voltou a olhar nos olhos de Leo e sentiu uma pontada no coração ao ver a dor neles. "Esse tá encrencado."

Leo piscou e voltou os olhos para o monitor que apitava. "Imagino que sim."

Lily se inclinou e pousou os lábios na têmpora dele que escapara ilesa. "Acho que vamos demorar um pouco pra superar", ela disse, baixo. "A caça ao tesouro foi um fracasso, mas talvez a gente possa passar um tempinho viajando. Só nós dois."

Aquilo pareceu recordá-lo de alguma coisa. "Pode me passar minha jaqueta?"

Lily procurou na mesa de cabeceira. A jaqueta e a camiseta dele estavam ali, dobradinhas. Ela pegou a jaqueta, entregou a Leo e ficou olhando enquanto ele se livrava casualmente dos monitores grudados na pele. Fazia mais de uma semana que convivia com o corpo dele; não sabia por que a visão de seu tronco em uma cama de hospital de repente a enviava para um território sinuoso e ardente.

Leo revirou um bolso, franziu a testa e tirou a mão vazia, depois tentou o outro. Então soltou um "Ah" e passou a ela um pedaço familiar de papel amarelado. "Dá uma lida."

Lily pegou o papel, sabendo do que se tratava. "Por que estamos fazendo isso de novo?", ela perguntou, preocupada que a cabeça dele estivesse pior do que pensava.

"Me fala o que você vê", Leo pediu, repetindo as palavras dela do dia anterior, quando dissecavam a foto de Duke. Lily olhou para o papel.

7611179107651167211110969

"Números", ela disse, sem expressão.

"Lê os números." Lily olhou para ele, incrédula, mas Leo só acenou com a cabeça para o papel na mão dela. "Só pra me agradar. Por favor."

Ela recitou os números: "Sete, seis, um, um, um, sete, nove, um, zero, sete, seis, cinco, um, um... Meu Deus, Leo, como foi que você conseguiu decifrar isso?".

"Termina", ele pediu, baixo.

Lily voltou a olhar para o papel. "Seis, sete, dois, um, um, um, um, zero, nove, seis, nove." Ela contou. "Vinte e cinco números. Sem espaço entre eles."

"O Duke não tinha como saber que seria eu a encontrar isso, mas, por sorte, fui."

Ela hesitou. "Por quê?"

"Porque é um código de computador."

"Espera aí. O Duke usava códigos de computador?"

"Parece que sim. Pelo menos um pouco. É antigo. Agora usamos principalmente Unicode, mas o ASCII foi usado durante anos por sistemas de computador de entrada de pedidos. Seu pai podia ser da velha guarda, mas era esperto o bastante pra usar todo tipo de código que pudesse encontrar. Talvez tivesse antecipado que o ASCII ficaria obsoleto um dia, se é que já não era na época, o que dificultaria a resolução do enigma." Ele franziu a testa. "Na verdade, não sei quando ele escondeu esse papel na caverna."

"Então é um antigo código de computador que se traduz como 'Cheguei antes'?", ela repetiu, tentando acompanhar. "Por que é exatamente o tipo de coisa que meu pai diria."

Leo assentiu. "No ASCII, algarismos correspondem a letras maiúsculas, minúsculas, números e símbolos. O fato de não haver espaço na sequência deixou um pouco mais complicado saber o que exatamente eu estava vendo", ele explicou. "Tipo, poderia ser qualquer coisa, até um código inventado. Mas como eu tô acostumado a ver números agrupados em códigos, eu os visualizei primeiro aos pares." Leo apontou para o papel. "Como era um número ímpar de algarismos, imaginei que ele podia estar misturando letras maiúsculas e minúsculas pra dificultar. Dois dígitos representam letras maiúsculas, mas letras minúsculas quase sempre são representadas por três."

Ela não estava entendendo. "Me perdi."

"Tudo bem. A única coisa que você precisa saber é que a maioria das pessoas provavelmente não lê ASCII, então era meio que o código perfeito. Bradley não lê, muito menos os amigos dele."

Lily deu um sorrisinho. "Bom, então parabéns por ter descoberto."

Ele deu risada. "Você não entendeu o que isso significa?"

"Não."

Leo apoiou a bochecha nas mãos cruzadas e sorriu para ela. "Significa que eu podia dizer a eles qualquer coisa que quisesse."

Trinta e dois

Lily fungou, passando outra mão pelo rosto antes de aproximar a cadeira da cama.

"Leo", ela disse, com uma calma forçada.

"Oi?"

"Tá me dizendo que mentiu pra eles na caverna?"

Leo assentiu, ignorando a bochecha que latejava de dor. "Isso."

Ela pareceu não acreditar. "O papel não dizia 'Cheguei antes'?"

"Não."

"O código não era o tal do...?"

"Fougère?" Ele balançou a cabeça. "Esse código nem existe."

"Você inventou um código só pra enganar aqueles caras?", ela perguntou.

"Mais ou menos. Não muito. Dei uma enganada."

"O que você teria feito se Nicole não tivesse aparecido com a polícia?"

Ele deu de ombros. "Era um problema que o Leo do futuro teria que resolver."

"Mas então você sabe o que os números dizem?" A mandíbula de Lily estava tensa. Os tendões acima de suas clavículas se contraíam. "Chega de brincadeira, Leo."

"Tô pensando em te dar a satisfação de decifrar sozinha."

Ela riu. "Juro que nunca precisei dessa satisfação."

Leo sorriu e cedeu. "O difícil mesmo foi tentar lembrar o ASCII sem escrever. Depois que percebi do que se tratava, não queria que me vissem trabalhando. Precisei decifrar letra a letra na cabeça."

"Impressionante."

"Também achei. Bom, enquanto eu fingia resolver e anotava letras erradas, aplaudia seu pai mentalmente por ter usado uma mistura de letras maiúsculas e minúsculas."

"Por quê?"

"Porque se por acaso eles descobrissem que meu falso Fougère era um código duplo ou triplo, as letras repetidas deveriam corresponder aos mesmos números. Mas..."

"Leo", ela disse, perdendo a paciência. "Juro por Deus que se não me disser..."

"*Olhe em casa*", ele disse, baixo.

Ela franziu o nariz. "Quê?"

"É o que diz." Leo observou a reação dela, sua expressão de descrença. "Diz: *Olhe em casa*."

"Que casa?"

Ele manteve os olhos fixos em Lily.

"A... *minha* casa?"

"Não sei", ele disse. "Mas se foi realmente seu pai quem escreveu o bilhete e o escondeu, não faria sentido que fosse a casa dele?"

"Que também é a minha casa", ela disse, soltando o ar.

"Exatamente."

Ela se inclinou e levou as mãos à cabeça. "Não me diga

que Bradley estava certo... que o dinheiro estava o tempo todo debaixo do meu nariz..."

"Vale a pena dar uma olhada, não acha?"

Leo sentia a apreensão de Lily enquanto se aproximavam do local. Enquanto sua caminhonete velha avançava pela estrada, ela tentava controlar as expectativas dele. Avisou que a cabana não era nada impressionante, que ela nunca ficava lá e que quando ficava não tinha tempo para arrumá-la — tampouco tinha dinheiro. Depois de tudo pelo que haviam passado, o humor de Lily estava inconstante. Ela se mostrava esperançosa e pessimista, incrédula e ansiosa, tudo ao mesmo tempo.

Por dentro, Leo estava igual, mas tinha décadas de experiência em esconder suas emoções. Os dois precisariam fazer muita terapia no futuro, mas, no momento, aquela tendência lhe servia bem. Ele estava agitado? Claro. Estava pirando com a possibilidade de o tesouro continuar ali? Com certeza. Estava preocupado que talvez tivesse que encarar outra decepção devastadora? Também. Portanto, procurou focar em Lily — em garantir a ela que não se importava como era sua casa, que, mesmo que o dinheiro não estivesse lá, ele ainda apostaria tudo nela.

Eles estacionaram e ficaram olhando pelo para-brisa, mudos, por um longo momento.

"Viu?" Lily observou a reação dele tão de perto que Leo precisou se esforçar para controlá-la.

Porque, de fato, a cabana estava em condições tão ruins quanto ela havia descrito.

À distância, parecia uma cabaninha de madeira aninhada em meio aos choupos. A grama até o joelho chegava até a fundação. Um riacho balbuciava ali perto. A cerca e o pequeno estábulo eram antigos, mas preservados com todo o carinho.

A casa em si, no entanto... bom, estava um pouco torta — bastante torta. O telhado precisava ser no mínimo consertado, provavelmente trocado. Um dos degraus da varanda havia cedido, podre. Algumas janelas não tinham tela. A porta da frente havia sido danificada pela ação da água e precisava de um empurrão com o ombro para abrir.

O lado de dentro, no entanto, ainda que pequeno, era limpo e surpreendentemente fofo. A mobília consistia em um sofá simples azul-marinho, duas cadeiras e uma mesa de centro velha, mas cuidadosamente polida. Um tapete de crochê de malha que parecia feito à mão decorava o piso de madeira arranhado diante da lareira, o que deixava o lugar aconchegante. A sala de jantar era pequena; a mesa de pinus de quatros lugares parecia ter sido feita à mão. A cozinha era apertada e iluminada, os eletrodomésticos eram velhos, mas estavam limpos, e a geladeira zunia alto.

"Gostei, Lil."

Ela soltou uma risada baixa. "Tenho certeza de que não se compara com seu apartamento de solteiro em Manhattan."

"Essa cabana tem o dobro do tamanho dele."

"Tem sessenta e cinco metros quadrados", Lily disse apenas.

"Então tem mais do que o dobro do tamanho", ele brincou.

Lily revirou os olhos, mas um sorriso se insinuou em seus lábios.

"Qual é a das paredes?", Leo perguntou, esperando não estar sendo grosseiro.

Que a casa havia sido construída por alguém que não

era profissional ficava quase comicamente claro. As paredes eram pontuadas por cabeças de pregos martelados em intervalos aleatórios, como se mantivessem sozinhos toda a estrutura em pé.

"E eu sei?", ela devolveu, demonstrando uma pontada de irritação. "Desisti de tentar entender o Duke há muito tempo. Ele construiu este lugar pra minha mãe, que não queria ficar em um trailer velho durante o inverno. Acabou sendo um desperdício de tempo, já que depois ela foi embora."

"Foi aqui que você cuidou dele? Depois do derrame?"

"Foi. Não tem muito espaço, mas éramos só nós dois, e quando eu precisava trabalhar uma enfermeira vinha. Ele passava bastante tempo na cadeira ao lado da janela, olhando pras montanhas."

Por mais que odiasse a ideia de Lily cuidando sozinha de Duke, Leo odiava ainda mais a ideia dela sozinha naquela casa caindo aos pedaços.

Lily deixou que ele desse uma olhada, mas foi direto ao trabalho. Leo a ouviu tirar tudo do guarda-roupa do que imaginava que fosse um dos quartos, abrindo e fechando gavetas, batendo nas paredes para encontrar um ponto oco ou recheado de alguma coisa que não fosse madeira. Lily bateu o pé no piso, verificou cada superfície, cada parede, cada tábua para ver se cedia. Leo se juntou a ela, levantando tapetes e procurando por fundos falsos nos armários da cozinha.

"Onde acha que o Duke esconderia?", Leo perguntou.

Ela parou por um momento de testar cada tijolo da lareira e olhou para ele, demonstrando uma empolgação exagerada. "Ah, merda, você acha que eu deveria levar isso em consideração?"

Leo ignorou seu tom. Sabia que Lily estava na defensiva porque não queria ter esperanças.

"O que eu quis dizer foi", Leo falou, com toda a paciência, "vamos fazer um brainstorming de lugares que ele pode ter achado que ninguém pensaria em olhar. O Duke era brilhante, Lily. Devia saber que qualquer pessoa que desconfiasse que ele guardava o dinheiro aqui conferiria os guarda-roupas. Ou acharia que estava debaixo de uma tábua do assoalho. Verificaria os armários. Se o Duke achava que havia uma chance de *você* chegar à caverna, se deixou o bilhete pra você, se te mandou de volta pra cá, a própria casa, que lugar ele poderia achar que só você olharia, embora não tivesse olhado até agora?"

Ela se sentou no sofá e enfiou as mãos entre os joelhos. "Não sei."

"Vamos pensar um pouco a respeito", Leo disse. "Olha em volta. Pensa no espaço, se tem algum lugar significativo aqui."

"Leo, nem tem tanto espaço assim."

"Exatamente", ele disse. "Isso ao mesmo tempo facilita e complica as coisas. O Duke teria que ser muito criativo pra esconder qualquer coisa aqui."

Ela se recostou e pareceu considerar a casa com olhos renovados. Como sempre, seus dedos tamborilavam as coxas. Àquela altura, Leo havia ouvido o ritmo tantas vezes que se pegou tamborilando com ela. Os dois ficaram ali sentados. *Batida rápida, lenta, rápida, rápida, rápida, rápida. Batida rápida, lenta, rápida, rápida, rápida, rápida...* De repente, tudo dentro dele ficou imóvel.

"Lily."

Ela parou de tamborilar. "Quê?"

"O que é isso?", ele perguntou, apontando para a mão dela. "O que é esse ritmo que você sempre repete? É uma música?"

Lily baixou os olhos, quase como se não tivesse se dado conta do que estava fazendo.

"Não. É só a batida do meu pai", ela disse. "Nossa batida secreta. De quando eu era mais nova. O Duke passava bastante tempo fora, e eu ficava aqui sozinha. Assim eu sabia que era ele na porta. É claro que o Duke poderia simplesmente usar a chave, como uma pessoa normal, mas gostava de entradas grandiosas."

Leo ficou olhando para ela, com o coração trovejando em uma raiva protetora... e compreensão. "Faz de novo."

Eles repetiram juntos uma vez, depois outra. Leo foi até a mesa e pegou papel e caneta para anotar enquanto ela prosseguia: *curto, longo, curto, curto, curto, curto*.

Para confirmar sua suspeita, ele abriu o navegador do celular e fez uma pesquisa.

"É código Morse."

"E o que diz?" Lily foi para o lado dele e olhou para o papel.

L I L I L I L I... Lili.

"Lily", ele disse. "Mas com *i* em vez de *y*. Lili repetido sem parar."

"Acha que é importante?"

"Talvez. Liliana se escreve com *i*... Mas talvez não. Não é um lugar. Não é uma pista de localização, não são indicações de direção pra onde quer que seja."

Leo olhou para Lily, mas alguma coisa já tinha chamado a atenção dela, que olhava para a parede.

A parede — *as paredes* — coberta de pregos.

Agora ele via. Os pregos não eram aleatórios: seguiam um padrão, um padrão espalhado por *toda a parte*. Pregos isolados ou linhas cuidadosas de três. Pontos e traços em todo o lugar.

Palavras literalmente marteladas em cada centímetro da cabana.

"Esses pregos sempre estiveram aí?"

Lily balançou a cabeça. "Ele fez isso no ano seguinte à partida da minha mãe. Achei que tivesse ficado doido de vez, ou que estava tentando digerir tudo." Ela soltou um gritinho baixo e levou a mão à boca. Sem tirá-la do lugar, disse: "Meu nome. Depois do derrame, era tudo o que ele dizia. Você acha que o Duke estava...?".

"Tentando te dizer alguma coisa?", Leo perguntou, com o entusiasmo claro na voz. "Repetindo Lily sem parar?" Ele olhou para Lily. "Considerando que a batida secreta do Duke era o seu nome e que ele não falava mais nada depois do derrame? Acho que sim."

Ela levou a mão à testa. "Ai, meu Deus. O enigma."

"O quê?"

Lily recitou um trecho de cor: "*Você odeia ir, mas vai.* Leo, o Duke sabia que eu odiava ir a Ely. Não tinha ninguém pra me fazer companhia lá quando eu era pequena. Ele me levava com ele e passava horas no bar, conversando com pessoas que o veneravam, enquanto eu ficava na jukebox com minhas moedas, tendo que escolher uma música depois da outra de uma seleção tão limitada". Ela ergueu uma mão e levou os dedos trêmulos à têmpora. "E *Vai precisar ir, mas não lá*. A fotografia estava no banheiro masculino, e eu usava o banheiro feminino." Lily olhou para ele, com a expressão congelada em choque. "Só eu poderia resolver o enigma. O Duke deixou isso pra *mim*. Tudo termina com o meu nome."

Por um momento, eles permaneceram em um silêncio perplexo. Então correram para as paredes opostas, procurando por *Lili* nos pregos, tateando ao longo das toras, analisando os padrões.

Não precisavam ter o código Morse memorizado: bastava encontrar nos padrões duas sequências de ponto, traço e quatro pontos. Lily puxou uma cadeira da mesa para perto da parede da sala, subiu nela e avaliou os padrões próximos ao teto meticulosamente. Leo fez o mesmo com a parede de entrada, do teto ao piso, da lareira à porta e às toras menores sob a janela de onde Duke gostava de olhar para as montanhas. E

ali

sob um gancho, sob o casaco e o cachecol dela, mais ou menos na altura da cintura, havia uma tora só um pouquinho torta, que se destacava um pouco mais que as outras. Nela, via-se o padrão revelador dos pregos.

Ponto, traço, ponto, ponto, ponto, ponto. Ponto, traço, ponto, ponto, ponto, ponto.

"Lily!"

Ela correu para lá e passou os dedos pela linha de cabeças de prego. "É isso", sussurrou.

Leo deu um passo à frente e tateou toda a extensão da tora. Estava entre a porta da frente e a parede, e devia ter pouco menos de um metro. "A tora foi cortada no meio", Lily disse, olhando impressionada para Leo. "Com todo o cuidado. Tá vendo aqui?" Ela se inclinou para olhar mais de perto. "Nunca tinha reparado."

"Ninguém teria."

O coração de Leo se tornara um animal selvagem, que investia contra o confinamento do peito. Sua pulsação martelava e ecoava o nome dela em código, por toda a extensão dos braços. Ele passou uma mão pelas costas de Lily, precisando reencontrar seu chão. "Vê se sai."

Os dedos dela se curvaram em torno da tora, em busca de um ponto de apoio. Lily moveu a mão para a frente e para trás, e sentiu que cedia um pouco. Ela tentou com mais força, puxando para baixo a parte de cima, onde a curva e a emenda se encontravam. Com um estalo seco, a frente da tora saiu, revelando o interior oco.

Lily arfou e olhou para a escuridão antes de enfiar a mão. "Não tô achando nada... Ah." Ela puxou o braço de volta. Seus dedos agarravam um envelope amassado. Na frente, no que Leo reconheceu como a caligrafia de Duke, estava escrito:

Para Lily,
A caminho do inferno.

Dentro havia uma chave e uma única moeda de ouro.

Trinta e três

Às 8h43 da manhã seguinte, Lily estava na frente do Banco de Elk Ridge — onde o Banco do Vale de San Miguel costumava ficar —, com a respiração curta e rasa.

Havia uma placa ali:

EDIFÍCIO MAHR
1892
NESTE LOCAL FICAVA O BANCO DO VALE DE SAN MIGUEL,
O PRIMEIRO BANCO QUE BUTCH CASSIDY ROUBOU,
EM 24 DE JUNHO DE 1889

"Se não tiver nada aqui, não tem problema", ela disse roboticamente. "Nem sabemos ao certo se ele encontrou o tesouro."

Lily havia dito aquilo umas quinze vezes no caminho desde Hester, Utah, até Telluride, Colorado. Mesmo que repetisse aquilo mais uma centena de vezes, Leo não usaria aquilo contra ela. Nenhum dos dois havia pregado o olho na noite anterior. A ansiedade e as possibilidades infinitas tinham acabado com sua concentração e seu sossego.

A esperança era uma droga poderosa, e Lily estava no precipício entre dois mundos: um que prometia tudo o que ela sempre quisera e outro em que teria que dar um jeito de transformar a vida que tinha na vida que queria.

Lily tentou enxergar através do vidro colorido. "E se ainda não estiver aberto?"

"Abre às oito e meia", Leo disse.

Ele deu um passo para mais perto de Lily e abraçou sua cintura. Dava para sentir o corpo dela lutando para respirar, forçando o ar a sair logo que entrava. Não havia espaço dentro de Lily para nada além da tensão.

"Mesmo que não tenha nada pra você aí", Leo disse, tocando com os lábios a pele macia atrás da orelha dela, "as coisas nunca mais vão ser como antes."

Ela assentiu, depressa, distraída.

"Eu tô aqui agora. Você não tá sozinha."

Lily soltou o ar e finalmente conseguiu respirar mais fundo. "Eu sei."

"Te amo. Nunca vou te deixar."

Ela se apoiou em Leo. "Repete isso."

"Nunca vou te deixar." Ele beijou seu pescoço. "E posso ficar com você aqui a semana inteira se for preciso, mas, se estiver pronta, tudo o que precisa fazer é abrir a porta e entrar."

Lily estendeu o braço, fechou os dedos em torno da barra de metal e abriu a porta pesada de vidro. O ar-condicionado os atingiu com tudo, em uma cortina refrescante. Ambos precisavam tomar um banho e comer direito. Leo não tinha se dado conta de quão desgrenhado estava até se ver naquele salão reluzente usando as mesmas roupas rasgadas com que saíra do hospital dezenove horas antes.

Eles não tinham como passar despercebidos: com a internet na palma da mão dos clientes, o banco estava tranquilo naquela segunda-feira. Um homem se levantou de sua mesa logo depois da fila de caixas e os encarou enquanto alisava a gravata na frente da camisa.

O funcionário se aproximou vagarosamente, com um sorriso misterioso no rosto. O clique-claque de seus sapatos finos parecia ecoar por todos os lados do saguão amplo.

Leo sentiu a mão de Lily suando na sua e seus dedos apertando mais os dele, então retribuiu o aperto, para tranquilizá-la. "Tá tudo bem", disse baixo.

"Bem..." O sorriso do homem — que era alto, magro, tinha entradas no cabelo e uma testa que brilhava como o piso de mármore que acabara de cruzar para recebê-los — se ampliou, revelando dentes grandes. Com os olhos fixos em Lily, ele falou: "Acho que posso adivinhar quem você é, mas, só pra garantir, é melhor que me diga seu nome".

Leo se virou para Lily para ver a reação dela, se perguntando se percebia a resposta para todas as suas preocupações se revelando naquele segundo. Ele notou como ela se agarrava à esperança com um punho firme, embora mantivesse as sobrancelhas franzidas, uma desconfiança surpresa e o queixo na defensiva.

"Lily Wilder. E você é?"

"Ed Tottenham." Ele estendeu a mão para que Lily a apertasse. "Caramba, eu já estava começando a achar que você nunca apareceria, Lily Wilder."

Trinta e quatro

LARAMIE, WYOMING

DOIS MESES DEPOIS

As quatro taças se uniram em um tim-tim comemorativo, mas só a de Nicole voltou derramando champanhe na mão dela.

"Merda." Sem se abalar, ela se inclinou e lambeu a bebida do pulso e do dedão.

Os olhos de Walter acompanharam tudo antes de encontrar os de Lily. Ele teve um colapso nervoso visível, ainda que breve, depois virou sua taça de uma vez só.

Lily levou a própria taça aos lábios e fechou os olhos quando a bebida frisante fez cócegas em seu nariz e ela sentiu o gosto azedinho e vívido na língua. Não gostava de champanhe — na verdade, raramente se dava a oportunidade de provar a bebida—, mas Leo havia ido à cidade só para o jantar daquela noite e trouxera para casa uma caixa do que prometeu ser uma ótima bebida. Ela estava determinada a entender do que era que todo mundo parecia gostar.

Como sempre, Nic externou os pensamentos de Lily: "Tem gosto de xarope pra tosse". Ela estalou a língua contra o céu da boca e fez uma careta. "*Eca*."

Leo sorriu para elas, encantado, e nem reclamou. "Eu tomo o de vocês", disse, e foi pegar a taça de Nic.

Ela se esquivou e virou o resto da bebida de uma vez. "Eu não disse que achava xarope pra tosse ruim."

Rindo, Leo foi até a cozinha para pegar outra garrafa. Não se importava de ter gastado quinhentos dólares em uma caixa de champanhe que sua namorada e a melhor amiga dela nem gostaram. Na maior parte das noites, ficavam só os dois. Leo cozinhava enquanto Lily fazia o que precisava ser feito à noite nos estábulos. Eles brindavam com garrafinhas de cerveja sentados à longa mesa de madeira da sala de jantar, e ficavam juntinhos, lendo um livro ou vendo um filme, depois de todo o trabalho do dia. Não importava o que o extrato bancário deles dizia agora, Leo havia abraçado aquela vida simples de coração, com toda a alegria.

Só que aquela era uma noite especial. Mudariam para a cerveja em algum momento — todos os sinais indicavam uma bebedeira por vir —, mas uma reunião daquelas pedia champanhe. Walter tinha chegado de Nova York naquela manhã; Nicole tinha vindo de... bom, da casa ao lado. Na semana anterior, ela havia fechado negócio e agora era dona dos vinte hectares de artemísia e margem de rio adjacentes ao rancho Wilder.

"À Nicole, agora proprietária de terras", Lily disse, voltando a encher as taças para que brindassem direito.

Tim-tim.

"À reabertura do rancho Wilder por Leo e Lily", Walt acrescentou.

"No próximo verão", Leo foi rápido em esclarecer, com a voz um pouco tensa só de pensar em tudo o que ainda precisavam fazer. Comprar cavalos, treiná-los, equipar os chalés e as cabanas para os hóspedes, contratar funcionários... E, claro, fazer algumas viagens internacionais.

Era o compromisso que haviam assumido com o falecido pai de Lily: pelo menos dois meses por ano ampliando o mundo dela.

Tim-tim.

O sorriso de Leo se abrandou, e o nó que Lily tinha dentro de si desde que se entendia por gente pareceu afrouxar mais um pouco. *Eu te amo*, a expressão dele dizia. *Nunca vou te deixar.* Talvez, quando o verão seguinte chegasse, a ficha de que aquilo era real finalmente cairia e o nó dentro dela não passaria de uma corda solta, ou melhor ainda: um novelo de lã ou um fio de seda.

"Vai deixar a gente ver a carta?", Walt perguntou. Lily assentiu e Leo foi para o escritório, depois voltou com uma folha dobrada e amarelada.

Walter a tomou. "Quantas vezes vocês já leram?"

"Umas mil." Lily mordeu o lábio por um segundo antes de acrescentar: "Vai demorar um tempo até que isso pareça real".

"Aposto que sim."

Ela ficou observando enquanto Walt lia. Era como se conhecesse o conteúdo o suficiente para acompanhar palavra por palavra conforme os olhos dele se moviam ao longo da página.

Querida Lily,

Se está lendo isso, é porque nossa viagem terminou e você está prestes a abrir a caixa que contém seu futuro. Espero que tenha gostado da aventura. Levei alguns anos pra aprontar tudo, e torço para que no fim possamos dizer que nos divertimos muito.

Devo estar atrás de você enquanto lê, por isso também torço pra que não se vire e me bata por tê-la feito passar por tudo isso, considerando o ódio que pegou dos meus enigmas. Sou como um cão velho que continua adorando os mesmos truques de sempre, e nem sei como dizer o orgulho que sinto de termos feito tudo isso juntos.

Acho que é a primeira vez que te deixei um bilhete que você não precisou decifrar. Rá! Nem eu quero passar tanto tempo traduzindo o que quer que seja. Além do mais, se encontrou isso, fez por merecer o direito a uma leitura fácil. (Sei que eu poderia te dizer isso pessoalmente, mas não sou muito bom nisso.)

Quando você era pequena, eu costumava te chamar de Gafanhoto, lembra? Você pulava de um ponto a outro do quintal, jurando que se pisasse no chão cairia na lava e derreteria. Na época, você também gostava de caça ao tesouro. Era minha companheirinha.

Acho que você deixou de gostar dessas coisas todas quando sua mãe foi embora. E entendo. Talvez tivesse acontecido de qualquer maneira com o passar do tempo, mas imagino que a partida dela teve muito a ver com você começar a odiar o que eu amava. Você sempre gostou de cavalos, mas houve uma época em que também gostava de trilhas e de caça ao tesouro. Eu queria que você voltasse a gostar, mas entendo que não tenha sido o caso. Foi o que afastou sua mãe da gente, e me afastou de você também. Fui incapaz de resistir, e sei que existe alguma coisa que você ama na mesma intensidade, portanto espero que um dia me entenda.

Encontrei a maior parte desse dinheiro cerca de um mês depois de sua mãe ter ido embora. Você estava no rancho, com o tio Dan. Eu não tinha um plano. Fui a lugares a que nunca havia ido. Até me perdi uma vez ou duas. Então cheguei àquela caverna e ali estava, todo esse dinheiro, todas essas moedas antigas, divididas em umas quinze caixas de madeira empoeiradas. Sinceramente... A primeira vez que me esgueiro pelo deserto sem estar procurando um tesouro é quando encontro aquilo que procurei minha vida inteira.

Levei algumas semanas pra tirar tudo de lá, depois nem sabia o que fazer. Parte de mim pensou: "Agora Lily e eu vamos viver como quisermos". Mas, desde aquela época, acho que teríamos escolhido coisas diferentes. Eu provavelmente continuaria atrás de alguma coisa que me surpreendesse. E você ia querer ficar com seus cavalos.

Isso me fez pensar: "Ela já teve uma escolha? É o que escolheria se tivesse visto o mundo mais além?".

Espero que com tudo isso você compreenda por que vendi o rancho. Aquele lugar fazia com que eu me sentisse preso. Sei que você o adora, só que não quero mais me sentir amarrado àquela terra, e não quero que você simplesmente aceite seu destino. A decisão foi minha, e continuo firme nela. Agora quero te dizer uma coisa importante e, se chegamos juntos ao fim dessa busca maluca, se você ainda está lendo, talvez haja uma chance de que vá me ouvir.

Você está só entrando na vida adulta. Não se prenda a um lugar ou a uma pessoa agora. Não permita que seu mundo seja assim pequeno até que tenha visto mais dele.

Sei que ama o rancho. Mas ele vai significar uma coisa diferente quando você já tiver saído para o mundo real e mesmo assim o escolher. É isso que realmente estou dando a você. Quero que use esse dinheiro para viajar. Há cavalos no mundo todo, Lil. Vá atrás deles. Quero que explore, amplie seus horizontes, seja corajosa. Se ao fim de um ano ainda quiser o rancho, compre sua própria terra e faça o seu nome assim.

Acho que você pode simplesmente voltar pra Laramie e ficar lá pra sempre, sem nunca entender por que eu não podia fazer o mesmo, por que não podia me manter em um lugar. Talvez, depois de viajar, você também pegue gosto pela coisa e torne isso parte da sua vida, como tornei parte da minha. Talvez você odeie, mas pelo menos vai saber que seu coração está determinado e me mandar às favas com conhecimento de causa. Pelo menos terá escolhas, e isso é o que eu quero pra você.

Acima de tudo, não quero que termine vivendo uma vida que não seja plena.

Então... abra este cofre.

E viva.

Duke

"Te digo uma coisa..." Walt enxugou os olhos antes de passar o papel a Leo. "A caça ao tesouro teria sido muito mais fácil com o Duke."

"Tá brincando? Ele não teria ajudado!" Lily pegou seu champanhe e engoliu a risada junto com as bolhas. "Eu ia querer matar o cara quando chegasse ao ASCII, não consigo nem imaginar o quanto. Ia demorar *semanas* pra decifrar, só pra depois descobrir que devia procurar em casa. Sério. Ainda bem que eu tinha o Leo."

"Mas só você tinha como descobrir onde estava a chave", Leo a lembrou. "Só você tinha o padrão certo: *LILI*."

Nicole se debruçou sobre Walter para pegar a garrafa de champanhe, distraindo-o por um momento com o roçar de seus seios no antebraço dele. Fingindo não perceber os olhos de Walter nela quando se endireitou, Nicole encheu sua taça e se inclinou rápido para beber quando o champanhe começou a transbordar. "Não consigo parar de pensar que ele queria ter feito isso com você." Ela passou a mão para limpar a espuma do lábio superior. "Achei fofo."

"Claro que achou", Lily disse. "Porque tudo terminou bem."

Ao lado dela, Leo se recostou na cadeira e foi deslizando uma mão pelo ombro dela até que seus dedos encontrassem com uma aparente familiaridade os cabelos da nuca de Lily. "É estranho, mas me sinto um pouco grato a Bradley e Terry. Se não tivessem nos arrastado pra lá, nunca teríamos ficado sabendo disso."

Murmúrios de concordância se espalharam pela mesa.

Mais do que tudo — mais que o crime, a magnitude do tesouro, o grupo improvável de desajustados que conseguiu fazer aquilo —, a imprensa adorara como Duke havia escondido tudo — notas, moedas, joias, documentos — em Telluride, a cidade do primeiro assalto a banco de Butch Cassidy. *Que sacana*, Lily havia pensado com uma risada cortante, que evoluíra para um som terrível. Depois que o funcionário simpático apertara a mão dela, Lily desmoronara no meio do banco, dando-se conta de que Duke havia mesmo encontrado o dinheiro, anos antes do derrame, certamente antes de vender o rancho. Quando o cofre se abrira, a carta caíra no chão de mármore, diante dos seus pés.

Quinze milhões de dólares em dinheiro corrigido. A quantia ainda não parecia real. Depois da negociação com as autoridades, uma parte foi para parques nacionais, sociedades históricas e terras indígenas do sudoeste. O restante foi dividido entre eles. Walter ainda pesquisava alguns lugares e analisava suas opções, lembrando que havia mil e quinhentas unidades da pet shop em que trabalhava entre os Estados Unidos continentais, Porto Rico e México. Lily torcia para que ele estivesse esperando para ver onde Nicole ia se instalar. É claro que a amiga acabou usando sua parte para comprar o rancho vizinho ao dela.

Com o restante do dinheiro, Leo e Lily compraram o rancho Wilder de Jonathan Cross, e a atenção da mídia garantiu lotação total para os três primeiros anos. E não era porque Lily agora tinha maturidade o bastante para saber o que queria que ela não ia fazer o que o pai pedira — ainda que de maneira equivocada. Eles usariam os lucros para viajar. Primeiro, com Cora para o Japão, onde ela e Leo conheceriam alguns parentes.

"Que história maluca", Walt disse.

Poderia estar falando de Butch, de Duke ou do que tinha acontecido com eles em maio. Mas, quando Lily olhou para Leo, pensou que a história mais maluca de todas talvez fosse aquela: ter se apaixonado aos dezenove anos e enfrentado uma década de solidão e luta só para voltar ao começo, salva pelo que imaginava ser uma maldição, e viver feliz com o homem que estava convencida de que havia perdido para sempre.

Eles terminaram aquela garrafa, depois outra, então chegou a hora da cerveja — e do baralho. Houve gritos (por parte de Nicole) e briga (iniciada por Nicole), mas tudo terminou em risada, caos e promessas embriagadas de amizade eterna. Eles planejaram a primeira viagem daquele novo grupo. Nicole provocou Walter quando ele disse que estava usando sua camiseta "chique". Leo e Lily atormentaram os outros dois para que se beijassem de uma vez, o que eles fizeram — as bochechas de Walter ficaram da cor do céu quando o sol surgia por trás das rochas vermelhas, e os lábios dos dois se encontraram sob os vivas sem noção dos amigos.

Quando o ponteiro das horas se aproximava do dois, Leo olhou para Lily daquele seu jeito que indicava que estava cansado de dividi-la. Ele ficou de pé, puxou-a consigo e a levou até o quarto.

Do corredor, ouviram vaias e gritos, que não estavam errados. Lily mandaria todo mundo calar a boca, mas na verdade gostava de se exibir — de exibir seu rancho, seu homem, o amor insaciável que antes achava que era só para os outros. Leo já dissera a ela que a felicidade era o acessório que lhe caía melhor. A segurança não vinha facilmente — era um trabalho contínuo, o que significava que dividia os dias entre se perguntar quando aquilo tudo ia ruir e acreditar que o sonho era real. Mas, naquela noite, Lily queria ver aquela sensação escrita no céu, queria que seu grito de euforia ecoasse pelo vaivém do labirinto.

Leo a despiu na escuridão do paraíso que dividiam no meio do nada e foi beijando seu corpo dos joelhos à boca, até ficarem cara a cara e ele encaixar seu sorriso ao dela.

"Você alimentou a Bonnie?", ele perguntou. "Deixei o saco de grãos no tambor do barracão."

Lily fez que sim com a cabeça. "Como se aquela lá fosse me deixar esquecer. Você guardou as sobras do jantar?"

Leo riu. "Que sobras? Nic comeu tudo."

Ele perguntou se Lily havia fechado o portão lateral, e ela tinha. Lily perguntou se Leo havia respondido a ligação da irmã, e ele tinha. Cora ia visitá-los antes do início das aulas. Ele tinha deixado a cafeteira programada para a manhã seguinte? *Deixei, Lil.*

Os cavalos não iam se importar com a ressaca deles no outro dia.

Então Leo voltou a Lily, focado, suas mãos vorazes vagando, seu corpo se movendo sobre ela, depois dentro dela, na escuridão.

Naquela noite de meados de julho, com os melhores amigos mais adiante no corredor, os cavalos alimentados e sonolentos no pasto, não havia mais nada que precisassem fazer. Tudo o que tinham na cabeça era sua versão de "para sempre". Leo fez uma pausa quando um ruído baixo de felicidade escapou dela. Puxou as cobertas sobre a cabeça dos dois e eles fizeram amor bem ali, onde tudo tinha começado.

Agradecimentos

Quando terminamos *A equação perfeita do amor*, em 2020, e começamos a pensar no que gostaríamos de fazer em seguida, sabíamos de uma coisa: que seria algo DIVERTIDO. Depois de um ano em que nos mantivemos em casa, longe dos familiares, amigos, leitores e uma da outra, estávamos prontas para sair para o mundo — ainda que por meio de nossos personagens — e viver uma aventura. Ficamos um pouco nervosas a princípio. As sementes de *Um pouco de aventura* vinham ocupando espaço nos cantos do nosso cérebro fazia anos, em silêncio, até que parte de uma conversa com uma heroína nossa, Sarah MacLean, se tornou nosso mantra: seja destemida e vá com tudo. Filmes como *Tudo por uma esmeralda* tinham adrenalina, aventura e paixões avassaladoras. Nós achávamos que nosso primeiro romance pós-pandemia precisava de um pouco mais disso.

Este livro foi a coisa mais divertida que já escrevemos, mas, como sempre, foi preciso muita gente para transformá-lo no que você tem em mãos agora.

Holly Root é nossa agente dos sonhos. Depois de dez anos, continuamos apaixonadas por ela como antes. Seria ótimo se todo escritor tivesse ao seu lado alguém tão brilhante, durona, amorosa, engraçada e delicadamente aterrorizante.

Kristin Dwyer é nossa relações-públicas e nossa Preciosa. Ficaríamos completamente perdidas sem ela. Essas duas mulheres abriram cada uma sua própria empresa, e vê-las conquistar o mundo nos deixa muito orgulhosas. Viva a Root Literary e a Leo PR!

Sabemos que nossos agradecimentos costumam ser longos, mas o que podemos dizer? Gostamos de manifestar nosso amor. A Simon & Schuster é nossa editora desde sempre, e adoramos todo mundo lá como se fosse da família. Jen Bergstrom: não são muitos os autores que têm uma publisher que provavelmente entraria numa briga física por eles, mas nós temos! (Podemos dizer isso nos agradecimentos? Queremos que o público saiba que essa briga física é totalmente hipotética, mas, se não fosse, Jen seria a vencedora.) Um agradecimento enorme à nossa fabulosa editora Hannah Braaten e a Rachel Brenner, Mackenzie Hickey, Lauren Carr, Eliza Hanson, Abby Zidle, Aimée Bell, Jen Long, John "do bigode" Vairo, Lisa Litwack, Andrew Nguyên, Anabel Jimenez, Sally Marvin, Jonathan Karp e a toda a equipe de vendas da Gallery. Vocês são pessoas fantásticas.

Citando *Mong & Loide* muito mais ou menos, Kate Dresser seria capaz de vender um picolé de ketchup a uma mulher usando luvas brancas. Obrigada por ter planos para nós e nossos livros e por nos incentivar a ir com tudo. Você é a epítome do pornô da competência (estamos morrendo só de imaginar sua cara ao ler isso). Somos escritoras melhores por sua causa. Te amamos muito e sentimos muita saudade.

Obrigada a Margo Lipschultz por mergulhar neste livro, por nos ajudar a encontrar pontos fracos e a tornar este livro o que ele é. Vamos te mandar Walter, levando donuts. Jen Prokop, você resolve tudo, é brilhante e cirúrgica, uma verdadeira estrela. Ficamos muito empolgadas só de ver seu cérebro editorial trabalhar. Estamos em dívida com Philip Atkins por causa de tudo relacionado a cânions, trilhas e mapas.

Nossas famílias nos aguentaram em casa por quase dois anos e estão loucas para nos mandar para o mundo (mas, rá!, nós as mandamos primeiro). Obrigada a K, O, V, R e C por serem os amores da nossa vida. A essa altura, nossas duas famílias meio que se tornaram uma só, e nada poderia nos deixar mais felizes.

Aos amigos do mundo dos livros que admiramos e amamos: Kate Clayborn, Kresley Cole, Jen Frederick, Sarah MacLean, Jen Prokop, Erin McCarthy, Sally Thorne, Sarah J. Maas, Sarah Wendell, Susan Lee, Helen Hoang, Erin Service, Katie Lee, Christopher Rice, Cassie Sanders, Tessa Bailey, Rosie Danan, Rachel Lynn Solomon, Rebekah Weatherspoon, Leslie Philips, Alexa Martin, Sonali Dev, Gretchen Schreiber, Alisha Rai, Jillian Stein, Liz Berry, Candice Montgomery e Catherine Lu.

Já agradecemos ao BTS em três dos nossos livros, mas nossa gratidão parece aumentar diariamente. Para quem nunca fez parte de um fandom — e, mais ainda, para quem nunca fez parte do ARMY —, talvez pareça impossível que pessoas que não se conhecem possam significar tanto para alguém. Mas às vezes elas são a diferença entre um dia ruim e um dia bom, um ano difícil e um ano cheio de conexão e esperança. Obrigada a Kim Namjoon, Kim Seokjin, Min Yoongi, Jung Hoseok, Park Jimin, Kim Taehyung e Jeon Jungkook por serem a personificação da alegria. O ARMY sempre vai estar com vocês.

A cada bibliotecário, livreiro, blogger, BookTokker e leitor por aí, desejamos um ano cheio de amor, saúde, felicidade e, acima de tudo, aventura. Todos merecemos isso.

Obrigada por lerem nossos livros e manifestarem seu amor. Obrigada pelas fotos lindas e pelos vídeos engraçados e emocionantes. Nada disso aconteceria sem vocês, e seremos eternamente gratas.

As coisas que mais gostamos de fazer juntas são: escrever, ir à Torre do Terror e cantar aos gritos em shows. Nos últimos dois anos, só pudemos fazer uma dessas coisas. Temos muito atraso a tirar, e muitas aventuras pela frente.

TIPOLOGIA Adriane por Marconi Lima
DIAGRAMAÇÃO Vanessa Lima
PAPEL Pólen Natural, Suzano S.A.
IMPRESSÃO Gráfica Bartira, janeiro de 2023

A marca FSC® é a garantia de que a madeira utilizada na fabricação do papel deste livro provém de florestas que foram gerenciadas de maneira ambientalmente correta, socialmente justa e economicamente viável, além de outras fontes de origem controlada.